La collection
ROMANICHELS
est dirigée par
André Vanasse

Du même auteur

Du stéréotype à la littérature, Montréal, XYZ éditeur, 1994.

Ernesto Sábato. La littérature et les abattoirs de la modernité, Francfort/Madrid, Iberoamericana, 1995.

Sade ou l'ombre des lumières, New York/Paris, Peter Lang, 1997.

Les foires du Pacifique, Hull, Vents d'Ouest, 1998.

Les dépotoirs de la modernité: société, culture et littérature en Amérique latine, Mexico, UNAM, 2001.

Les dépouilles de l'altérité, Montréal, XYZ éditeur, 2004.

La passion des nomades, Montréal, XYZ éditeur, 2006. Prix Trillium 2007.

Un café dans le Sud

Catalogage avant publication de Bibliothèque et Archives nationales du Québec
et Bibliothèque et Archives Canada

Castillo Durante, Daniel

Un café dans le Sud : roman

(Romanichels)

ISBN 978-2-89261-499-2

I. Titre. II. Collection.

PS8555.A785C33 2007   C843'.54   C2007-941687-X
PS9555.A785C33 2007

La publication de cet ouvrage a été rendue possible grâce à l'aide financière du
ministère du Patrimoine canadien par l'entremise du Programme d'aide au
développement de l'industrie de l'édition (PADIÉ), du Conseil des Arts du Canada
(CAC) et du ministère de la Culture et des Communications du Québec (MCCQ) par
l'entremise de la Société de développement des entreprises culturelles (SODEC).

© 2007
XYZ éditeur
1781, rue Saint-Hubert
Montréal (Québec)
H2L 3Z1
Téléphone : 514.525.21.70
Télécopieur : 514.525.75.37
Courriel : info@xyzedit.qc.ca
Site Internet : www.xyzedit.qc.ca

et

Daniel Castillo Durante

Dépôt légal : 4e trimestre 2007
Bibliothèque et Archives Canada
Bibliothèque et Archives nationales du Québec
ISBN 978-2-89261-499-2

Distribution en librairie :

Au Canada :	**En Europe :**
Dimedia inc.	DNM – Distribution du Nouveau Monde
539, boulevard Lebeau	30, rue Gay-Lussac
Ville Saint-Laurent (Québec)	75005 Paris, France
H4N 1S2	Téléphone : 01.43.54.49.02
Téléphone : 514.336.39.41	Télécopieur : 01.43.54.39.15
Télécopieur : 514.331.39.16	www.librairieduquebec.fr
Courriel : general@dimedia.qc.ca	

Droits internationaux : André Vanasse, 514.525.21.70, poste 25
                  andre.vanasse@xyzedit.qc.ca

Conception typographique et montage : Édiscript enr.
Maquette de la couverture : Zirval Design
Photographie de l'auteur : Christian Vandendorpe
Illustration de la couverture : Percy Wyndham Lewis, *Le châle mexicain*, 1938
Pages de garde : détail de la couverture

Daniel Castillo Durante

Un café
dans le Sud

roman

XYZ
éditeur

Romanichels

Remerciements

J'exprime ici ma reconnaissance la plus vive à André Vanasse et à toute l'équipe de XYZ pour leur soutien généreux.

Pour Nora
qui aimait les cris
comme ses propres enfants

Peut-être, au-delà du tournant de la route
Y a-t-il un gouffre, et peut-être un château fort,
Et peut-être tout bonnement la continuation de la route.
Je n'en sais rien et je ne pose pas de questions.
Tant que je marche sur la route avant le tournant,
Je me contente de regarder la route avant le tournant,
Puisque je n'en puis voir autre chose.
Si je regardais de l'autre côté
Et de celui que je ne vois pas,
En serais-je plus avancé ?
N'ayons cure que du lieu où nous sommes.
Il est assez de beauté dans le fait d'être ici et nulle part ailleurs.
S'il y a quelqu'un au-delà du tournant de la route,
Ceux qui s'inquiètent de ce qu'il y a par-delà le tournant
de la route,
C'est cela qui pour eux est la route.
[...]

FERNANDO PESSÕA

I

Coup de téléphone de Buenos Aires. La voix de Leda au bout du fil : grave, dramatique, à bout de souffle. Le dernier tango du cygne argentin ?

— Ton père ne va pas bien du tout, a-t-elle dit.

Un temps d'arrêt. Puis une longue liste de problèmes de santé énumérés sur un ton monocorde.

Le cœur de Rafael Escalante faisait donc des siennes. Tachycardie, fibrillation, spasmes intermittents, bref, les incartades d'un cœur ayant trop pompé dans la vie.

— Papa palpite, ai-je commenté en m'efforçant d'alléger l'atmosphère oppressante que je sentais au bout du fil.

Alors sa voix s'est aigrie pour de bon. La deuxième femme de mon père, et probablement la dernière, a toujours manqué d'humour. Pour elle, le mot « chien » mord.

— C'est tout ce que tu trouves à dire ? a-t-elle demandé sur un ton à vous trancher la gorge au cas, bien entendu, où vos bijoux de famille seraient à l'abri de son courroux.

Il était minuit à Montréal, et je m'écroulais littéralement de sommeil. Je lui ai demandé poliment de résumer la situation en deux mots, si possible.

— Rafo se meurt. Il n'en a pas pour longtemps, voilà la situation.

Ce nom de mascotte, *Rafo*, qu'on aurait dit murmuré à l'oreille d'un chien pour célébrer des orgasmes contre nature, n'était qu'une des nombreuses métaphores utilisées par ma mère putative pour désigner l'auteur de mes jours.

— Ce n'est pas en parlant de la mort tout le temps que tu vas rallonger les jours de papa, me suis-je rebiffé, un peu excédé, je l'avoue, par son insistance à vouloir à tout prix m'entraîner avec elle dans sa tristesse.

Mon commentaire, stupide et irréfléchi sans doute, m'a pris moi-même au dépourvu. Il y a eu un silence, long, prémédité. La voix ensuite outrée de Leda, le registre de contralto de cette gorge dont les inflexions caressaient et battaient les mots comme s'ils étaient des pantins à son service :

— La rancune fait de toi un nain, tu sais.

— Pour mieux t'aimer, Leda.

Elle a raccroché.

Je me suis alors rappelé la lumière des réverbères dans la cour de la maison, là-bas, en Argentine. Pendant l'été, elle rentrait la nuit, Leda. La robe courte, les cheveux blonds dénoués sur le dos, et des fesses dont le trémoussement goulu gagnait les plantes qui flanquaient le sentier menant à la porte. Tout le sel de la mer semblait avoir trouvé refuge dans ce derrière que les yeux de papa détaillaient au jour le jour avec le zèle d'un apothicaire. Jamais je n'avais vu son regard couver quelqu'un avec autant de fébrilité. On aurait dit un photographe qui s'entête à faire travailler son modèle du matin au soir. Il faut dire que Leda était très différente d'Anna, Québécoise à la peau brune, née à Sainte-Agathe, une nuit d'orage où le village, plongé dans le noir, accouchait aux chandelles.

Leda était venue chez nous pour la première fois l'après-midi d'hiver où maman avait dû être hospitalisée, après une nouvelle tentative ratée pour se jeter sur les voies du chemin de fer qui passaient derrière la maison. Dès qu'elle m'avait vu debout dans un coin de la cuisine, planté là comme un petit soldat de plomb, sa voix chaude s'était adressée à moi pour me demander si j'avais faim. Je lui avais répondu que tout ça me laissait froid maintenant que maman n'était plus là.

— Tu peux m'appeler Leda. Je suis la secrétaire de ton père.

Depuis le premier jour, j'avais eu le sentiment qu'entre cette femme et la vérité aucun pont n'était possible. Pourtant, sa voix ne revêtait jamais le ton édulcoré et factice du mensonge. Le monde passait par elle avec la solennité d'une procession. Les choses qu'on disait avec gravité ne pouvaient être fausses. Voilà ce que je pensais à l'époque. Tout était ainsi conforme au lent crépuscule qui animait chacune de ses phrases :

— Les gens vivent même et surtout s'ils ne sont pas heureux. Il ne faut pas trop s'apitoyer sur Anna. Elle cherche sa voie après tout.

Cela m'avait fait un drôle d'effet d'entendre le nom de ma mère dans sa bouche.

J'avais vu ses mains fines, d'une blancheur immaculée, dessiner des arabesques dans l'air. J'aurais voulu qu'elle les pose sur ma peau, ses mains. Sur ma nuque tout d'abord. Puis qu'elle me caresse, comme je l'avais vue faire avec papa, lorsqu'il avait le dos tourné et qu'il me croyait parti dans ma chambre.

— Elle cherche à s'en aller, avais-je murmuré.

— Qui ? avait-elle demandé.

— Anna.

— Pourquoi ne l'appelles-tu pas maman ?

— À force de la voir désirer prendre le train, j'ai compris qu'elle est une voyageuse plutôt qu'une mère.

Elle m'avait regardé avec intensité.

— Je t'écoute et j'ai la chair de poule, avait-elle fini par dire.

J'avais regardé à travers la fenêtre qui donnait sur le jardin, au bout duquel on pouvait atteindre les voies du chemin de fer.

Sa voix s'était radoucie d'un coup.

— Au fond, tu n'es qu'un enfant qui a peur, avait-elle chuchoté en esquissant un geste de sa main que l'apparition de mon père avait étouffé dans l'œuf.

Il y a eu beaucoup de caresses avortées entre elle et moi. Je suivais avec l'ardeur d'un nouveau converti l'ondoiement de ses hanches dans l'espace domestique. Née à Cuba d'un père français et d'une mère andalouse, Leda avait appris de bonne heure que le cul sous les tropiques est une vague qui efface tout sur son passage.

Il neigeait sur la rue Saint-Dominique quand le téléphone a encore une fois retenti dans le salon. Tout le Plateau-Mont-Royal croulait sous le poids d'une neige épaisse, entêtée. Neige de janvier. Interminable, épuisante. Une croûte de camembert crêpé s'entassait à la fenêtre. Je calculais mentalement le nombre de pas qu'il me faudrait pour atteindre L'intermarché, à l'angle de Mont-Royal et Coloniale. J'aimais bien m'y rendre juste avant la fermeture. Il y avait moins de monde, et c'était l'heure où Isabelle, la fille du patron, se penchait sur les salades pour les rafraîchir de sa poitrine fringante. Comme une jeune maman, elle mettait au lit les chicorées, frisées et romaines tout en dissimulant celles qui, déjà fanées, risquaient de décourager le client du lendemain. Contrairement au stéréotype qui noircit les cheveux de toutes les Portugaises, ceux d'Isabelle étaient blonds, fins, lumineux. Pêcheur du Plateau que j'étais, mes yeux s'y posaient pour attraper les sardines et les thons frétillant sur le dos de la jeune fille de Faro, capitale de l'Algarve. C'est vrai que la cambrure de ses reins me rappelait celle de Leda lorsqu'elle était arrivée chez nous pour s'occuper de papa. Parce que les femmes portent l'océan sur leurs épaules, j'y accroche mon regard comme une barque prête à gagner le large. À Montréal, Faro ou Buenos Aires, peu importe le lieu, les femmes ouvrent leur corps au temps étale de la mer. Seul le phare d'Isabelle était capable de me faire descendre du quatrième étage d'un immeuble assiégé comme une baleinière au milieu des glaces. La sonnerie du téléphone m'a surpris au moment où je redressais le gland de ma tuque pour ne pas avoir l'air d'un bonhomme de neige ayant besoin de Viagra :

— Allô ?

— C'est moi, il faut qu'on parle.

— Alors ne me raccroche plus au nez, Leda.

— L'état de santé de ton père continue à se détériorer. Le médecin dit qu'il n'en a plus pour longtemps.

— Les médecins se trompent, Leda. Ils sont tellement débordés qu'ils ont perdu la notion du temps, ai-je dit, agacé par le harcèlement dont j'étais l'objet.

— Laisse de côté ces clichés de philosophe à quatre sous et assume tes responsabilités de fils pour une fois !

Leda commençait à s'énerver. D'une certaine façon, ça me faisait plaisir. Nos petites vengeances ont ça de grisant, elles nous font croire qu'on peut modifier le passé.

— Peut-on être responsable d'un lieu qu'on a déserté depuis si longtemps, Leda ?

— Je suis en train de te parler de ton père, bon sang !

— Un lieu commun, Leda.

— Il faut que tu viennes. Si tu ne le fais pas pour lui, fais-le pour toi. Le moment est venu de prouver que tu peux être généreux, Paul.

Voilà qu'elle m'appelait par mon prénom à présent. La situation devait être vraiment désespérée pour qu'elle le fasse. Elle n'aimait pas trop mon prénom, je crois, parce qu'il lui rappelait Anna. C'était celle-ci qui l'avait choisi.

J'ai regardé à travers la fenêtre la grisaille de l'immeuble d'en face. Si seulement j'avais pu transpercer ses murs pour chercher mon inspiration dans la croix allumée du mont Royal ! Je me sentais coincé comme dans un cercueil, bloqué de toutes parts, harcelé par cette voix venant du Sud qui sonnait le glas d'un passé que j'avais mis des années à essayer de comprendre. Peut-on d'ailleurs comprendre le lieu où, un jour, un père est né ? Père-pays, qui es-tu pour m'apostropher ce soir alors que j'ai un rendez-vous tacite avec la fille de mon épicier dont les fesses ne valent peut-être pas celles de Leda mais ont au moins le mérite de sentir le basilic et l'estragon lorsque mon regard les caresse ? Pourquoi venir frapper à ma porte à une heure si tardive, et au milieu d'une tempête de neige qui cloue tous les avions de la réconciliation au sol ?

— Dès que j'aurai terminé un travail de traduction que je dois remettre à Ottawa sans faute la semaine prochaine, je t'appellerai, promis, ai-je prétexté en consultant ma montre.

Dans un quart d'heure, L'intermarché serait fermé. Ce soir, j'avais décidé d'inviter Isabelle à prendre un café Aux Deux Marie dans la rue Saint-Denis. Il y a deux jours, au moment de passer à la caisse, j'avais appris de sa bouche qu'elle

n'allait jamais se coucher sans prendre un expresso allongé.
Ce n'était pas tombé dans l'oreille d'un sourd.

— Tu t'en repentiras, tu verras, tu t'en repentiras, ai-je
entendu à l'autre bout du fil.

Exaspéré par la pression qu'elle exerçait sur moi, je me
suis carrément emporté :

— Le repentir, voilà qui est intéressant. Le deuil sied aux
blondes. Une fois en noir, tu incarneras à merveille l'une des
Érinyes. Je t'appellerai Tisiphone, ou Mégère, et la soif de
vengeance fera jaillir un essaim d'abeilles implacables de tes
épis de blé. Ceci soit dit en passant, comment vont tes cheveux, Leda, tes cheveux déployés aux quatre coins de la
maison alors que les restes d'Anna, éparpillés entre les rails,
n'avaient pas encore été mis dans de grands sacs noirs en
plastique qui ressemblaient comme deux gouttes d'eau à ceux
dont on se servait pour sortir les ordures sur le trottoir ?

Lorsqu'elle a raccroché une nouvelle fois, le souvenir de
son arrivée chez nous n'est devenu que plus fort. Grande, im-
pétueusement blanche, sereine. Pas de gestes brusques, une
occupation méthodique et douce de l'espace domestique, une
gourmandise contrôlée dans le regard.

Lors du retour d'Anna de l'hôpital, Leda s'était faite discrète en attendant le jour de son entrée solennelle.

Pas drôle du tout d'ailleurs ce dernier retour d'Anna
avant l'équarrissage qu'elle concoctait comme une orfèvre
dans les plis de son désarroi. En reprenant du poil de la bête,
maman avait regagné ses cris. Cela commençait à la tombée
du jour sans qu'on sache le temps qu'ils prendraient pour
épuiser nos tympans. Les chats étaient les premiers à dé-
guerpir. On sentait que, cette fois-ci, la gorge d'Anna avait
atteint des registres inédits. Même les fleurs, par un tropisme
difficile à expliquer, tournaient leurs pétales de l'autre côté de
la maison. La collection d'escargots en porcelaine de Delft de
papa s'était ébréchée un soir qu'il buvait du maté sur le
balcon de son bureau. Le bris de cette lente passion pour la
ville de Vermeer l'avait poussé à abandonner de plus en plus
l'univers familial. On ne le voyait plus que le dimanche, et
encore.

Seul avec cette femme qui était ma mère, j'attendais, cloî-
tré dans ma chambre, que le jour se lève sur une cour silen-
cieuse enfin. Les vieux murs de la maison et mes tympans ont
été les seuls témoins des cris qui ont précédé sa dernière
course vers les voies du chemin de fer.

Le dernier coup de téléphone de Leda à Montréal a de
loin été le pire. À peine sorti de ma douche, je cherchais à
tâtons une robe de chambre dans le fatras des vêtements
éparpillés partout, y compris sur la table de la salle à manger.
Isabelle, venue chez moi pour la première fois la veille, n'en
croyait pas ses yeux, elle pour qui une carotte en dehors de
son cageot menace l'équilibre du monde. L'expresso allongé
Aux Deux Marie avait finalement été remplacé par un
chocolat chaud au Salon B, un café où l'on célèbre la mort, à
l'angle de Saint-Laurent et de Rachel, juste à côté de la place
des Amériques. Elle tenait à me montrer une exposition de
photos d'une artiste portugaise spécialisée dans les portraits
funéraires :

É possível celebrar a morte ?
A morte, um espaço de celebração
Fotografias de Maria Helena Martins

Décidément, la mort était à la mode. La soirée promettait.
Un bon recueillement à l'ancienne avant de passer au vif du
sujet, me suis-je dit sans un brin d'ironie. Étonné par son
intérêt pour l'art, aussi funèbre soit-il, j'avais du coup considéré la fille de mon épicier préféré d'un regard moins chargé
de clichés. C'est fou ce que ça prend pour apprendre à
regarder quelqu'un. Toujours est-il qu'une fois chez moi, nos
chocolats bien au fond d'une conversation à bâtons rompus
sur la mort comme thème de représentation, elle s'était mise
à contempler tout ce qui traînait dans le logement avec l'air
désolé de quelqu'un qui arrivait au milieu d'un champ de
bataille. Un peu gêné, je lui avais expliqué que la femme
de ménage, ce serait pour une autre vie. Elle avait ri et l'atmosphère s'était détendue. J'en avais tout de suite profité

pour me joindre à son rire de jeune fille bien nourrie à l'ombre des aubergines et des courgettes en fleur. On a beaucoup rigolé mais on n'a pas couché ensemble parce que, pour des raisons que j'ignore, je n'ai pas posé le geste lubrique susceptible de faire basculer la soirée. Au départ d'Isabelle vers minuit, j'avais du vague à l'âme, et mon désordre n'en était que plus grand. Voilà le ressac dans lequel j'étais lorsque le téléphone m'a atteint de plein fouet.

— Il nous quitte, Rafael, il nous quitte, s'est-elle exclamée au téléphone.

Encore sa voix, et cette mort qui bavait sur elle comme une chienne enragée, décidée à lui arracher son morceau de choix. *Papa, oublie que tu existes, débarrasse le plancher, dis adieu à tous ces corps de femmes qui te faisaient découcher, accepte que le vide et la pourriture soient ta récompense.* Pas très gai tout ça, la fin d'un homme, peu de chose, rien, une merde, quoi.

— Je prends le premier avion pour Buenos Aires.

Ce n'était pas vrai, bien entendu. Mon père, je n'avais jamais réussi à lui parler face à face quand il était en vie, comment aurais-je pu le faire à l'heure où il devait garder son énergie pour se déprendre de tout, y compris de la conscience de lui-même? *Oublie que tu as eu un fils un jour, papa, et je m'arrangerai pour arriver lorsque tout sera bouclé.* En retard. *Retardataire*, dénonçait Anna interpellant le Seigneur : *jamais présent quand on a besoin de Lui, le Retardataire!*

— Aussitôt que possible, j'ai besoin de connaître le jour, l'heure et le numéro du vol pour aller te chercher à l'aéroport, a-t-elle insisté d'une voix qui n'admettait pas de réplique.

À ce moment-là, contre toute attente, je me suis rappelé la chaleur du sable sous les pieds, l'odeur de l'océan fouetté par le vent, la fureur des vagues d'une plage trop vaste et trop sauvage pour qu'elle pût être embrassée par un seul regard d'enfant. Il aurait fallu tous les enfants de la terre pour colorier cette mer-là. Mer du Sud, folle et froide, imprévisible. Lointaine aussi. Et grise, toujours grise. Mar del Plata. Mer-de-gris. Nous avions quitté Buenos Aires après la mort d'Anna. À Mar del Plata, la mer n'était jamais loin. Cela faisait longtemps que papa projetait d'y faire un séjour prolongé.

Pendant un an au moins, nous connaîtrions le plaisir de frayer jour après jour avec l'océan. Il y aurait des fruits de mer à table et le deuil ne serait que plus digeste. C'était implicite, tout ça. On voyait bien que papa voulait passer l'éponge sur la mort de maman. Moi, ça me fascinait, la facilité avec laquelle il tournait le dos à la mémoire d'Anna. C'était comme si elle n'avait jamais existé. Aussi ai-je compris qu'il valait mieux ne pas réveiller l'écho de ses cris dans les oreilles de papa. La maison à Mar del Plata était tout en haut d'une rue en pente qui donnait sur la plage. Ses ardoises d'un rouge vif se voyaient de loin. En été, j'aimais descendre la côte de bonne heure pour être le premier sur la plage. Je mettais les pieds là où les vagues avaient effacé toutes les traces de ceux qui m'avaient précédé. Sur le sable, dès que les vagues se retirent, on a toujours l'impression d'être le premier à fouler le sol. Je me réveillais d'habitude vers deux ou trois heures du matin. Parfois, je ne fermais même pas l'œil de la nuit. Je dormais après le repas de midi au milieu d'une maison vide, tandis que Leda et mon père découvraient des espaces de liberté dont ils rêvaient probablement depuis longtemps. Cela faisait combien de temps que leur manège avait commencé? Probablement bien avant qu'Anna ne considère les voies du chemin de fer comme la solution finale dans un univers où seuls les cris avaient droit de parole. Assourdissante comme une sirène détraquée, elle devenait inabordable. Insupportable aussi. Quel homme aurait pu l'aimer? Très vite, j'ai vu le désir de mon père de la quitter. Alors que nous étions à Montréal, et que je n'avais que sept ans, papa courait déjà les jupons. Tôt le matin, il enfilait son survêtement pour aller draguer sur la montagne toutes ces filles du Plateau pour qui la forme commençait avant le petit-déjeuner. Aussi, très tôt, maman avait-elle dû s'enterrer sous une couche de cris semblables à ceux des crabes, qu'on ne peut pas saisir. Puis leur voyage à Buenos Aires n'avait fait qu'empirer les choses. Papa y était comme un poisson dans l'eau, tandis qu'elle, femme nordique en fin de compte, avait eu tout le mal du monde à s'y adapter. Il n'est pas donné à tous les immigrants de refaire peau neuve. Les métamorphoses du serpent et l'exil ne font pas toujours bon ménage. Pas de mue donc pour Anna Lambert. Elle aimait la peinture, mais la peinture ne semblait pas trop s'intéresser à ce qu'elle faisait, Anna. Quelques esquisses ici et là, entrecoupées de pauses de plus en plus longues. Des pannes d'inspiration ou sans doute un manque d'énergie créatrice que son exil n'avait fait qu'amplifier. À bien des égards, la chute d'Anna sur les voies du chemin de fer était en quelque sorte la chronique d'une mort annoncée. Sa seule victoire, si victoire il y avait, s'était limitée à ne pas céder à la volonté de mon père qui voulait qu'elle se fasse avorter, le jour où il avait appris qu'elle était enceinte de moi. Non seulement Anna s'y était opposée résolument mais, le jour de mon baptême, c'est le prénom de son père à elle, Paul Lambert, qui avait été choisi pour couronner le tout, soit un bout de chou né par péridurale, et n'ayant pas pleuré, paraît-il, lors de sa naissance à Montréal.

Chienne de vie ! Et voilà que des années plus tard Leda et papa, côte à côte sur le sable, rissolaient harmonieusement au soleil, en symbiose presque. Complémentaires, jouissifs tous les deux, avides d'épuiser le temps dans ses instants les plus infimes. Pas une goutte de soleil ne devait être gaspillée. Qu'il en soit donc ainsi, me suis-je dit afin de me conformer à un monde rythmé par le déferlement des vagues et ce vent qui nous rappelait que nous étions sur une terre ouverte aux orages. À vrai dire, je ne dormais pas assez pour être en mesure de juger mon père et sa nouvelle compagne. Et puis, à quoi bon ? Bon, mauvais ? En quoi la logique binaire et manichéenne des adultes me permettrait-elle de mieux comprendre mon environnement immédiat ? Cela me donnerait un petit réconfort mesquin tout au plus, mais même ça ne m'intéressait pas. J'étais ailleurs. Voilà pourquoi le dialogue entre papa et moi s'étiolait peu à peu comme une plante qu'on n'arrose plus, puis, joueur de poker à mon insu, je faisais tout pour cacher mes cartes. Lui a dû penser que son fils était devenu crétin, que la vie était brève, et qu'après tout un imbécile de plus ou de moins sur la terre, qu'est-ce que ça pouvait bien changer ? J'ai probablement pardonné trop vite le départ d'Anna. J'avais imité le mécanisme irréversible de la mort. D'un coup, je m'étais fait à l'idée qu'Anna ne rimait à rien. En ce temps-là, je mangeais beaucoup et à la hâte. Je m'empiffrais, pour tout dire. Un vrai goinfre. Il me fallait remplir le gros vide laissé par le départ de maman. Une boulimie de castrat en quelque sorte. Dans sa précipitation pour ne pas rater le train, Anna avait emmené avec elle une partie de moi-même, la plus intime peut-être. Ma faute devait être grande pour que j'aie mérité une telle punition. Afin de ne pas suivre sa voie, il me fallait dorloter mon appétit. En attendant, je bâfrais tout ce qui était près de mon assiette. Un jour où la bonne débarrassait la table alors que j'étais resté sur ma faim, j'ai essayé d'avaler un de ses dix doigts. La morsure a été si intempestive qu'elle n'a même pas crié. Je me suis dit que si elle ne l'avait pas fait, c'était parce que les cris étaient tous partis avec Anna. La nappe tachée de sang avait attiré particulièrement l'attention de papa. Quelque chose échappait à sa compréhension. Pourtant, en ce qui me concernait, tout me semblait si simple. Ma bouche ingurgitait tout ce qui était à sa portée. Elle fonctionnait comme un aspirateur. La peur s'était répandue dans la cuisine et Leda avait vu la bonne filer en catastrophe sans demander son reste. La colère de papa s'était d'abord manifestée verbalement : *Plutôt qu'à l'école, c'est à l'hôpital psychiatrique qu'il faudrait l'envoyer, celui-là.* Le ton de la phrase, plus que le contenu, m'avait blessé, je m'en souviens comme si c'était hier. Arrogant, dogmatique. Comment pouvait-il prendre au sérieux un tout petit doigt égaré au milieu des assiettes et des fourchettes ? Leda, en revanche, n'avait point bronché. Grâce à des accointances parmi les voisins du quartier, elle avait tout de suite déniché une Philippine ex-joueuse de ping-pong. Ayant été avertie que la maison n'était pas responsable des pertes organiques encourues pendant les heures de service, la nouvelle employée domestique s'exécutait à table comme si elle avait le feu au cul. Comme elle était maigre, laide et grognonne, jamais je ne touchai à la moindre parcelle de son corps, même la nuit où je la surpris dans la cuisine avec le chat persan de Leda entre les cuisses. D'une main enjôleuse, elle s'efforçait de persuader le matou qu'un accouplement avec elle ne ternirait pas le lustre de ses poils. Heureusement qu'il y avait Leda pour effacer ces images de cuisine dont la bestialité remettait en question la raison.

Mes yeux suivaient Leda quand elle montait l'escalier après avoir passé l'après-midi sur la plage. Tout le sel de la mer collant à sa peau, ses mouvements n'en étaient que plus gracieux. Il m'arrivait de la contempler avec le regard de papa. Alors je comprenais pourquoi un homme pouvait aller si loin pour l'amour d'une femme.

Pourtant, un jour de carnaval, le charme s'était brutalement évaporé. Incapable de m'endormir, j'avais attendu la levée du jour sur la plage. Puis je m'étais assoupi sous un soleil que les nuages et le vent escamotaient. Vers midi, au cours d'une belle éclaircie, j'avais été témoin de leur arrivée sur le sable chaud, Leda et papa, se tenant par la main, souriants, deux tourtereaux, aurait-on dit. Ils aimaient faire la grasse matinée en été. Pour eux, tous les jours de la semaine étaient dimanche.

— Va nous chercher deux mojitos, avait-il dit dès que son regard s'était posé sur moi dans ce coin de plage un peu à l'abri de la foule.

J'étais allé dans un bar tenu par des Cubains. Beaucoup de monde autour du comptoir. Une musique sensuelle des Antilles faisait danser les bouteilles. Je m'étais débrouillé pour faire entendre la commande en dépit de la soif qui altérait tous ces gosiers. Ça braillait et ça rigolait fort. Des hommes pour la plupart. Jeunes et moins jeunes, bronzés, ventrus, le regard alcoolisé de tous ceux qui glissent sur la vie, *ne vous y accrochez surtout pas, à quoi bon ?* La vie comme patinoire de sable, un endroit où l'on chausse des patins de rhum pour rester à la surface. Ce jour-là, je n'étais pas dans mon assiette, gêné d'avoir été surpris par mon père en train de rissoler au soleil, je me sentais complètement groggy, sonné avant même d'entamer ma journée. Étourdi autant par le manque de sommeil que par ces vacances censées remplacer le deuil de la mort d'Anna, je n'avais pas eu le réflexe de quitter le bar quand les deux mojitos étaient arrivés sur le comptoir. N'ayant pas pris de petit-déjeuner, sans savoir comment, je les avais bus d'une traite, l'un à la suite de l'autre. Ce geste compulsif, inattendu, déraisonnable au plus haut point, m'avait fait croire que je pouvais tenir tête à tous ceux qui, comme mon père, posaient un regard réprobateur sur moi.

— Mais qu'est-ce que tu fais là à rêvasser au lieu d'obéir à ton père ? m'avait-elle grondé.

La voix indignée de Leda, tout en interrompant d'un coup mon extase éthylique, mon Dieu qu'ils étaient bons ces deux mojitos ! m'avait ramené dans une réalité que je m'efforçais de fuir. Je m'étais retourné et j'avais vu ses yeux cloués sur les deux verres vides. Émoustillé par le mélange de rhum et de citron, je planais entre ciel et terre. Et voilà que Rafo n'avait pas tardé à dépêcher sa messagère pour que les choses rentrent dans l'ordre. J'avais eu beau expliquer à Leda que la soif était plus forte, que j'étais à jeun et que la nuit à la belle étoile ouvrait toutes sortes d'appétits, elle n'en avait voulu rien entendre. Visiblement fâchée contre moi, Leda s'était fait servir deux nouveaux mojitos qu'elle avait payés de sa poche. Je lui avais proposé de les apporter moi-même, mais elle avait refusé net. Puis il avait fallu la suivre comme un zombi sur le sable brûlant, jusqu'au parasol sous lequel fermentaient les humeurs de papa.

— Et alors ? avait-il demandé.

— J'en ai acheté deux autres. Il s'est enfilé les deux premiers.

— Quoi ? s'était-il exclamé en ouvrant des yeux larges comme des assiettes.

— Comme tu l'entends.

Beaucoup plus que la réaction de papa, c'est la délation de Leda qui m'avait déconcerté. Sans trop savoir pourquoi, j'étais convaincu qu'elle serait complice de mon écart de conduite. Il n'en avait rien été. En me dénonçant, elle avait donc choisi son camp tout en rompant un pacte pour moi tacite. Je m'étais senti totalement seul au milieu de la foule qui lézardait au soleil. Un mélange de colère froide et de mépris avait gagné entre-temps le regard de papa. En vain, j'avais imploré les effets combinés du rhum, du sucre, du jus de citron, de l'eau gazeuse et de la *hierbabuena* de m'arracher de là. Les deux mojitos ingurgités par moi en guise d'apéro pesaient comme deux pierres tombales sur ma conscience. Pas un mot de plus, rien qu'un regard. Alors, sous ce soleil dépourvu de miséricorde, j'avais cru comprendre qu'il ne m'aimait pas.

Dans un monde où la voix d'un adolescent ne comptait pas, il fallait que je devienne ventriloque pour me faire entendre. Je m'arrangeais pour que mes messages arrivent par l'intermédiaire d'autres bouches que la mienne. Madame Leontina Penecido Grasso, pharmacienne et voisine, avait ainsi reçu, grâce à mes soins, une petite lettre anonyme précisant que son mari, capitaine à la retraite de la marine argentine, contournait d'un pas furtif la haie de troènes qui donnait sur la chambre de Leda les soirs où la pharmacie fermait à minuit. J'avais été étonné de constater la facilité avec laquelle un vulgaire bout de papier rempli de mensonges pouvait faire perdre la tête à une vendeuse d'aspirines. Sans y réfléchir à deux fois, elle avait déposé une plainte contre « la Cubaine extrémiste » au commissariat le plus proche pour « détournement subversif d'officier national dans l'exercice de ses fonctions conjugales ». Il va sans dire qu'en ces temps de répression militaire à l'encontre de tout ce qui était de gauche, accuser quelqu'un de subversif en Argentine était la meilleure manière d'abréger son séjour sur terre. Le lendemain, deux flics se sont pointés chez nous. Ils avaient une tronche aussi joyeuse qu'un mur de prison. Il était autour de dix heures, et je prenais mon petit-déjeuner dans la cuisine en compagnie d'une poignée d'escargots dont je m'occupais à l'époque. En ouvrant la porte, je suis passé d'un univers pétri de lenteur à la réalité rugueuse de deux visages taillés dans la lie de la société.

— Qu'est-ce que t'as dans les mains ? s'était enquis le type dont le visage était marqué de petite vérole.

— Un escargot, avais-je balbutié.

— On dirait que ça bave beaucoup par ici, avait grommelé l'autre, jetant un coup d'œil à l'intérieur de la maison.

Il était grand et maigre. Sa pomme d'Adam semblait vouloir quitter sa gorge.

— Où qu'ils sont, les autres? s'était informé le premier.

— Dans leur boîte avec des feuilles de laitue, avais-je répondu.

— Fais pas le clown si tu veux pas que d'un seul pet on te gomme de la carte, avait ronchonné le type au visage grêlé.

Les choses se présentaient sous un mauvais jour. Même mes escargots s'étaient hâtés de rentrer dans leur coquille. Difficile de les imiter, le seuil de ma coquille à moi venait d'être franchi par deux truands de la police locale. Sans demander la permission à personne, ils étaient entrés tout en faisant entendre le bruit de leurs semelles cloutées dans le salon. C'était de notoriété publique qu'ils s'en servaient pour défigurer les traits des malheureux qui tombaient dans leurs geôles.

— Va la chercher, la femme qui habite ici, avaient-ils ordonné à l'unisson.

J'ai monté l'escalier le plus rapidement possible. Tout baignait dans la pénombre. La bonne avait des instructions de ne pas ouvrir les fenêtres avant midi. À tâtons, je me suis aventuré dans le couloir. J'entendais le plancher de bois craquer sous mes pas. Leur grand lit en bois massif se trouvait tout au fond, dans une grande pièce dont le plafond veiné de poutres rappelait l'austérité de certains monastères espagnols. J'ai eu beau frapper à leur porte, ils dormaient à poings fermés. En ouvrant la porte, j'ai tout de suite remarqué le corps nu de Leda éclairé par une veilleuse étonnamment allumée. Elle dormait profondément en tournant le dos à papa. Je me suis demandé s'il n'avait pas allumé la lumière justement pour la contempler comme ça, à poil, sans l'ombre d'une feuille de vigne entre les cuisses. La pâleur intense de la croupe de Leda rappelait celle du néon qui enveloppe les fruits et légumes dans l'étalage de certains commerces. Peut-être qu'après, abîmé dans sa contemplation, papa s'était rendormi à son tour. De la voir comme ça avec ses yeux à lui avait accéléré mon rythme cardiaque. Je me suis raclé la gorge, j'ai même applaudi, tout doucement au début, puis de plus en plus fort au fur et à mesure que le diable m'entrait par le corps. Papa s'est réveillé le premier. De fort mauvaise humeur d'ailleurs, il faut bien le reconnaître, et comme si le ciel lui tombait sur la tête :

— Qu'y a-t-il ? Qu'est-ce qui se passe ici ? a-t-il grogné.

— La police.

— La police ?

— Elle cherche Leda.

— Qu'est-ce que tu racontes ? T'as encore bu de l'alcool ou quoi ?

— La police, papa.

J'avais trouvé un de ces mots chargés d'électricité qui flottaient dans l'air à l'époque, et je ne voulais surtout pas le lâcher. Par une sorte d'ironie du sort, c'était mon seul soutien :

— Ils ont l'air pressé. Il y en a deux. Le premier a plus de trous sur la gueule qu'un minigolf, et l'autre pète au lieu de parler.

Papa s'est alors levé, puis il a enfilé sa robe de chambre en velours bleu qui l'attendait toujours au pied du lit. Leda, à peine réveillée, s'est drapée à la hâte dans une couverture tout en essayant de comprendre ce qui arrivait. D'une voix douce mais ferme, papa lui a dit de mettre quelque chose sur-le-champ. Nous sommes ensuite descendus tous les trois, papa en tête, puis moi suivi de Leda.

— Le passeport de madame, ont réclamé les deux flics d'une seule voix en guise de présentation.

Papa leur a demandé de s'identifier. C'est à ce moment-là que le type à la pomme d'Adam hyperbolique, tout en sortant un revolver avec la désinvolture de quelqu'un qui brandirait un chou-fleur, lui a dit sans presque lever le ton :

— Un mot de plus et t'es bon pour aller bouffer les pissenlits par la racine.

Alors, pour la première fois, j'ai vu mon père s'écraser. Bien des années plus tard, je me rappellerais l'expression hébétée de son visage. Jamais il n'aurait cru qu'une chose pareille pouvait lui arriver.

— Étrangère et Cubaine, ont-ils dit en vérifiant les documents fournis par Leda.

J'ai trouvé leur formulation redondante. Je me suis promis de l'étudier à tête reposée une fois qu'ils seraient partis. Probablement qu'en analysant la logique qui la sous-tendait, je comprendrais mieux le fonctionnement de la police argentine.

Les cheveux blonds de l'interpellée s'éparpillaient sur une robe noire et courte revêtue précipitamment.

— On l'emmène avec nous, ont-ils décrété.

Figé sur place, incapable de prendre la moindre initiative, papa a dû assister impuissant au rapt policier de sa maîtresse. Pour lui, le sort en était jeté, ce matin d'été dans une ville éloignée de la capitale. Les nombreuses relations de son travail de négociant de sucre en gros ne lui servaient à rien. Quant à moi, je vivais son désarroi avec le sentiment de réparation coupable que donne la vengeance lorsqu'elle dépasse nos attentes.

Nous sommes restés sans nouvelles de Leda pendant deux longues journées et leurs nuits. Le propriétaire d'une raffinerie de sucre très importante de la capitale avait dépêché son avocat le plus chevronné pour prêter main-forte à papa. Grâce à cette intervention, la Cubaine a recouvré sa liberté. Le matin du retour de Leda, le visage de papa avait repris son sourire habituel en demi-teintes. Même si elle marchait à petits pas de femme atteinte de cystite, tout était préférable à ne pas la voir. J'ai interprété sa démarche comme l'hommage inavouable que les cerbères des prisons argentines rendent à leurs hôtes de passage.

À partir de cette irruption de la police au cœur de l'été, le rythme de la maison changea. Papa n'était plus le même. Il était devenu méfiant comme chat échaudé. Il avait fait installer dans la maison un système d'alarme périphérique et volumétrique. Le technicien venu sur place avait aussi placé des cellules photoélectriques dans les vêtements de Leda afin de prévenir toute intrusion d'un corps étranger. Des détecteurs de mouvement enguirlandaient sa ceinture. C'étaient des mouchards à la fine pointe de la technologie qui l'accompagnaient partout, y compris sous la douche. Des sirènes

puissantes avaient été cachées aux quatre coins de la maison.
Des oiseaux matinaux et des chats voyous provoquaient
parfois des déclenchements intempestifs. La maison tout
entière se mettait alors à hurler en réveillant les voisins
convaincus que les guérilleros de gauche avaient finalement
réussi à prendre le pouvoir. Je me disais que ce boucan de tous
les diables avait l'air d'une vengeance posthume de maman.
C'était comme si des cris d'outre-tombe se glissaient dans le
rugissement métallique des sirènes. Aussi était-ce drôle d'épier
Leda pour la voir briller dans le noir comme une luciole
emprisonnée. Elle revêtait le regard de papa, robe phospho-
rescente, sans sourciller. Le naturel avec lequel elle s'y confor-
mait me sidérait. Anna n'aurait jamais accepté une telle
soumission. C'était peut-être cela qui lui avait fait prendre ce
dernier train. À bien y réfléchir, c'était sa manière de détourner
les voies du chemin de fer du désir des hommes. Si brutal ce
désir, si peu enclin à la tendresse. Ainsi habillée, Leda devenait
facile à suivre dans la pénombre qui s'emparait de la maison à
la tombée du jour. Grâce à l'aide d'une perceuse manuelle
dénichée dans la cave de la maison, je m'étais amusé à creuser
des trous ici et là. Retrouver à la loupe les différentes stations
de la passion de Leda s'était avéré une vocation chez moi.
Quoique son attachement à mon père fût constant, je prenais
plaisir à la voir emprunter des chemins qui l'éloignaient du lit
conjugal. Au début, tous les itinéraires y menaient. Plus tard,
j'avais constaté que leur chambre n'était qu'un des nombreux
lieux où se déroulaient leurs ébats. À l'heure du maté, cette
infusion rituelle que le maître de maison prenait avec calebasse
et paille en argent, il quittait le bureau pour aller s'asseoir côté
cour. Venait la bonne, un plateau entre les mains, avec tout ce
qu'il fallait pour que la fin d'après-midi soit pareille aux autres.
    — Dites à Madame de se préparer, ordonnait-il.
    Sa voix était ferme et douce à la fois. Il buvait le maté avec
lenteur. Ses yeux, au delà des arbres et de la roseraie entourant la cour, cherchaient la mer. Son profil aquilin, serein et
altier, découvrait entre deux gorgées l'Indien qui sommeillait
en lui. J'avais échappé à son nez, mais la gravité de sa voix
m'est restée comme une toux coriace. *Dites à Madame de se*

préparer, et voilà mon cœur qui se mettait à battre la chamade. Tout en feignant d'aller à la plage, je m'éclipsais. Je fouillais partout à la recherche de serviettes de toilette et de parasols imaginaires, je fermais la porte derrière moi, et je rentrais ensuite par la fenêtre de ma chambre dont j'avais préalablement désactivé l'alarme. Familiarisé avec les ultrasons, les infrarouges et le laser, je vivais, pour ainsi dire, en état d'alarme vingt-quatre heures sur vingt-quatre.

Les préparatifs de *la Señora* (la bonne ne l'appelait pas autrement) dilataient le temps jusqu'à l'exaspération. Il m'était impossible de les suivre tous. Ils commençaient dans une salle de gymnastique aménagée sur le toit. Diverses cérémonies s'ajustaient scrupuleusement par la suite à un rituel figurant dans un cahier à la couverture reliée de cuir noir. Malgré mes efforts, je n'étais jamais parvenu à mettre la main dessus, mais mon intuition me disait que la chorégraphie de Leda y devait trouver sa source d'inspiration. Trois fois par semaine (le mardi, le jeudi et le samedi), elle se débarrassait de toute conscience humaine pour accéder à un monde de sensations animales. Sa poitrine haletante me faisait penser aux cloches des églises affolées par les mains branlantes d'un curé ivrogne. Cette même poitrine, je la voyais aussi égrener son recueillement de clocher de Sodome sur le sable ardent de midi. Quand elle descendait dans la cour, mon père ne bougeait pas la tête. Peu à peu, Leda entrait dans son champ visuel, transpirant, les hanches ondoyantes et la tête haute sous le contrôle de rênes invisibles. Un arrosoir à la main, elle se dirigeait vers les rosiers qui tapissaient le mur du fond. La lumière de l'après-midi enveloppant sa ceinture, Leda allait de fleur en fleur, soucieuse de dégager autant que possible les rondeurs de ses fesses au moment d'arroser les plantes. Taciturne, les yeux rivés au jardin, le négociant de sucre buvait son maté avec l'expression de quelqu'un ayant enfin compris le sens de la création. Personne n'osait interrompre ce rituel. Voilà pourquoi la bonne se faisait discrète après avoir déposé le plateau à même la balustrade en bois ajouré du balcon sur lequel se penchait le maître des lieux. Je suppose que, tout comme moi, plus d'une fois — tapie

derrière une fenêtre —, elle avait dû jeter un coup d'œil furtif
sur la mise en scène se déroulant dans la cour. Mais rien
n'avait l'air d'inquiéter papa. Probablement qu'il faisait
semblant de ne pas remarquer la curiosité qu'éveillaient ses
pratiques pour le moins bizarres. Une fois la cérémonie du
maté terminée, il allumait un havane. Leda, dont le flair vif
faisait concurrence à celui des chats, laissait de côté l'arrosoir
pour s'acheminer vers ce que nous appelions le « chalet ». Il
s'agissait d'un petit pavillon en bois utilisé par l'ancien locataire, un mormon polygame, pour passer en revue les effets
de sa foi sur de nouvelles recrues. Une table de billard avait
remplacé les anciens meubles, mon père ne s'étant déclaré
satisfait que lorsque les dernières traces du mormon avaient
été gommées du bungalow. Leda, après en avoir franchi le
seuil, laissait la porte entrebâillée. Papa descendait du balcon
et, le havane entre les lèvres, traversait la cour. La fumée le
suivait comme une écharpe spectrale. Le soleil collait à son
dos tandis que je suivais cet ectoplasme qui était mon père
jusqu'à la véranda entourant le petit pavillon. Des années
plus tard, je songerais que tous les hommes possédés par le
désir donnaient cette impression. Il devait se recroqueviller
dans un coin du salon que mes yeux n'arrivaient pas à
atteindre. Elle, en revanche, je la guettais depuis une petite
fenêtre latérale que personne n'avait songé à couvrir d'un
rideau. Leda prenait une à une les boules tout en les rangeant
dans un triangle en bois au milieu de la table. En la voyant
faire des carambolages avec une queue de billard entre les
mains, mon corps tout entier s'électrisait. Sans savoir pourquoi, j'éprouvais un sentiment de sécurité. Les boules pro-
jetées par Leda se heurtaient les unes les autres grâce à des
coups de queue précis, chargés de sensualité. Jamais je n'ai
été témoin d'une fausse queue de sa part. Les reins cambrés,
le trémoussement de ses hanches n'en était que plus appa-
rent. Le monde se concentrait dans cet espace réquisitionné
par le regard de papa. Je l'imaginais, lui, tassé dans son coin,
caché derrière des volutes de fumée qui gagnaient peu à peu
la ceinture de Leda. Le vendredi, elle suspendait la partie
pour revenir ensuite en minijupe après un bref séjour dans les

toilettes. En velours vert, comme le revêtement sur lequel caramboulaient les boules, elle surgissait, Leda, prête à être croquée par le regard de papa. Dénoués, ses cheveux touchaient les rebords de la table de billard tandis que ses cuisses légèrement écartées découvraient des bas en soie noire dont le porte-jarretelles se faisait un malin plaisir de nous rappeler, à mon père et à moi, l'extrême tension de sa tâche. Il ne quittait pas son poste d'observateur impassible, papa. Certains jours, mais jamais le vendredi, Leda abandonnait la queue de billard pour s'accroupir au pied de la table. Au début, je croyais qu'elle cherchait une boule égarée entre les pieds du meuble. Or, il n'en était rien. Tout bonnement, Leda pissait avec l'air soucieux d'un enfant qui fait ses devoirs sous le regard du maître. De fait, en dépit des efforts de la bonne, le chalet s'était au fil des semaines rempli d'odeurs récalcitrantes. Les primeurs encore plus éloquentes d'autres viscères éveillaient également l'intérêt de papa. Cette fin d'après-midi au cours de laquelle Leda accroupie comme une mendiante indigène s'était soulagé le ventre, le soleil éclairait son visage. Figé sur place, j'ai été témoin du plateau en argent qu'elle avait glissé entre ses cuisses écartées afin de recueillir l'offrande destinée à mon père. Peu à peu, l'étron compact que les sphincters de Leda maintenaient entre ciel et terre avait quitté l'anus pour prendre toute sa place sur la surface polie qu'elle tenait entre ses mains. Cet excrément aux reflets dorés était d'autant plus beau que mes narines n'y jouaient aucun rôle. Alors, je me suis rappelé un de ces *churros* [1] que maman m'achetait dans la rue à la sortie de l'école. Eux aussi, ils pendouillaient avant de frire dans de l'huile bouillante. Le vendeur de *churros* les saupoudrait de sucre, et je les mangeais sans savoir qu'un jour le soleil et le désir de papa me les rendraient sur un plateau d'argent.

Au delà du côté scatologique de cette scène, j'avais appris que, une femme, on la désire tout entière. Aussi avais-je

---

1. Sorte de beignet fort apprécié dans les pays hispaniques et fait d'une pâte à frire introduite dans l'huile bouillante au moyen d'une seringue qui lui donne la forme d'un bâtonnet (note de l'auteur).

compris que, quand on aime, même la merde a la saveur de la menthe. Pourtant, jamais il ne me serait venu à l'esprit que la passion d'un homme pût aller si loin. Les rituels tissés par mon père autour du corps de Leda réglaient l'ordre des jours. Il y avait une zone obscure que ma curiosité ne pénétrait jamais. Le cahier revêtu de cuir noir qu'elle consultait avant de monter à la terrasse ne s'était jamais trouvé à ma portée.

Papa écrivait et dessinait dans ses moments de loisir. Ces activités qu'il ne revendiquait pas en public calmaient ses nerfs autant que les havanes fumés dans la cour. Les mercredis, après le petit-déjeuner, il écrivait dans son bureau jusqu'à midi. J'en profitais alors pour épier la Cubaine à mon aise. Depuis sa sortie du commissariat, elle restait davantage à la maison. Elle ne sortait plus comme par le passé pour écumer les boutiques et les magasins d'antiquités de la ville. Quand papa partait en voyage, c'était moi qui accompagnais Leda. Bien que l'épisode des mojitos hantât toujours ma mémoire, mon ressentiment n'était plus le même depuis l'intervention policière. Mais ma confiance ayant été brisée, je n'étais plus franc avec elle. Je m'étais habitué à contempler son corps tout en faisant abstraction de sa tête. Les rituels de papa m'y aidaient en révélant une Leda étrangère aux péripéties intellectuelles. Mais dès que je croisais ses yeux, tout se crispait en moi et mon désir prenait la poudre d'escampette. Pendant les absences de mon père, souvent fort longues, j'aurais pu essayer de donner carte blanche à mes mains. Certains soirs, à la suite de deux ou trois verres de vin, Leda — l'air guilleret et les propos légers — aurait peut-être, qui sait ? accueilli mes initiatives avec complaisance. Ces fantasmes, que l'épreuve de la réalité aurait très certainement battus en brèche, nourrissaient mes rêveries nocturnes. Quelque chose me disait que la Cubaine était au service des désirs de la maison. Docile, s'ajustant aux humeurs du maître du logis, Leda résignait volontairement son autonomie. Ce furent des années pendant lesquelles elle déploya des tonnes d'imagination pour faire plaisir à papa. Or, ces réflexions ne me furent pas utiles au moment d'affronter la vraie vie. Leda, en dehors du regard de papa, n'était plus Leda sur la terrasse ou Leda accroupie au pied de la table de billard. Il s'était vite avéré que je ne pouvais fantasmer qu'à distance. Ce fut la période la plus difficile de mon séjour à Mar del Plata. Tout d'abord à cause de la culpabilité que j'éprouvais. Ensuite, parce que me branler, plutôt que de jeter l'ancre là où le bateau pouvait enfin accoster, je vivais cela comme un échec. Impossible pour moi de jouir dans l'impunité du stylite accroché au gland de sa propre colonne. Je me rappelle comme si c'était hier la première fois où elle était sortie dans la cour en minijupe. Le soleil de l'après-midi rehaussait son cul avec la précision d'un ébéniste ayant enfin trouvé le bois qu'il fallait pour tailler l'univers. En dépit des absences de mon père, guidée probablement par l'habitude d'un rituel que la pluie seule ou les tremblements de terre interrompaient, Leda avait porté mon guet à son paroxysme. Jamais je ne me suis autant branlé de ma chienne de vie. Ma première prouesse de néophyte ayant été couronnée d'un cri qui paraissait arraché à une gorge animale, je suis resté tout penaud. À partir de cet après-midi-là, la confrérie anonyme des pollueurs de l'Atlantique austral compta un nouvel adepte dans ses rangs. L'épiphanie de la Cubaine en minijupe dans la cour de la maison m'avait ainsi condamné à une crucifixion rose que le soleil ne rendait que plus ardente.

Déguenillé, oublié de moi-même, j'errais comme une âme en peine dans la maison. Je me jurais encore et encore de ne plus le refaire, mais le nouveau membre, sans tenir compte de mes conseils, suivait ses propres instincts. C'est ainsi que des couloirs, des rebords de fenêtre, des rideaux de satin, des pots de fleurs et même des livres accueillirent mes effusions de nouvelle recrue. Je mettais une vieille combinaison de travail avec des poches profondes dans lesquelles dissimuler mes mains. Je me débrouillais pour le faire à quelques pas de Leda. J'adoptais une pose distraite tout en lui servant d'assistant dans ses travaux de jardinage. J'en profitais, lorsqu'elle me tournait le dos, pour laisser le vassal s'incliner devant le derrière protubérant de Notre-Dame-des-Géraniums. Chaque halte découvrait des perspectives d'un jardin jusque-là insoupçonné. J'avais appris par cœur le nom de chaque fleur, et toutes je les arrosais avec un zèle de nouveau converti. J'aimais sentir le soleil à travers le tissu rêche de ma salopette. Plus d'une fois, Leda m'avait demandé si je n'avais pas chaud. Alors, je lui répondais qu'il fallait se protéger contre les mélanomes qui poussaient comme des champignons l'été. *Chacun est responsable de ses tumeurs*, avais-je dit un jour, le regard braqué sur son dos. *Ton père surveille les miennes*, avait-elle répliqué du tac au tac. Cette phrase prononcée sur un ton presque moqueur m'avait fait une grande impression. C'était la première fois que ses paroles, en dehors des gestes et des rituels, reconnaissaient explicitement le contrôle du regard de papa sur son corps. Voir Leda sous le soleil dans la cour, c'était donc la voir avec ses yeux à lui.

Je me suis révolté contre cette idée tout en cherchant d'autres objets dignes de la combinaison de travail que je portais. Alors je me suis rappelé l'invitation d'un camarade de classe qui passait ses vacances à Los Troncos, le quartier huppé de Mar del Plata. Il s'appelait Justo Patiño et, à une occasion, en signe de protestation, il avait déboutonné sa braguette dans le but louable d'extirper de l'anonymat une queue volumineuse qui jurait avec son corps plutôt petit et chétif. La prof de maths, qui venait à peine de nous remettre le dernier test de la session, n'avait point trouvé la formule pour résoudre un problème aussi épineux. Pâle et bouleversée, carrément mal prise, elle essayait en vain d'ignorer du regard ce nain obscène planté au beau milieu de la salle de classe.

— Ton bijou, Patiño, c'est pour améliorer ta note que tu ne le sors que maintenant ? avait hurlé une voix infâme venue du fond de la classe.

L'apostrophé, nullement gêné, avait fermé boutique tout en se rasseyant, indifférent à l'éclat de rire général provoqué par la remarque.

Niño Patiño, on l'appelait comme ça, vivait dans un quartier où, s'il n'y avait pas deux Mercedes Benz et une BMW à la porte, c'était sans doute parce que quelqu'un les avait volées. Son père, propriétaire de la banque La Croix du Sud, avait épousé l'héritière d'un entrepreneur de pompes funèbres dont les cercueils en Tetra Brik vendus aux supermarchés avaient révolutionné l'industrie locale. Les cercueils en question étaient très appréciés par les consommateurs les moins fortunés. Des messages publicitaires comme « La mort à la portée de tous » ou « Il ne faut plus se tuer pour un enterrement» accompagnaient les autobus dans leurs itinéraires quotidiens par les rues de la ville. La famille Patiño, mieux connue comme la «communion des morts», possédait la maison la plus versaillesque de la côte. Il fallait un regard chevronné et très fouineur pour l'embrasser dans tous ses dédales. Le style Roi Soleil jurait dans un quartier où l'ancienneté des arbres l'emportait sur la pierre. La maison était si grande que je n'avais jamais eu l'honneur de rencontrer, ne serait-ce qu'une fois, le père de Niño Patiño. Les mauvaises langues prétendaient que derrière le personnage se cachait l'un des évêques les plus influents du pays. Niño Patiño, quant à lui, n'en faisait jamais mention. Quant à sa mère, on l'a croisée un jour au bord de l'une des dix piscines entourant la propriété. Son obésité dépassait l'imagination et même un tableau de Fernando Botero n'aurait pas réussi à l'encadrer. Des éléphants, des hippopotames, des cachalots et des baleines ne faisaient pas le poids face à cette génitrice que seule la plume d'un Rabelais serait peut-être parvenue à décrire. Les obèses hyperboliques qui parcourent les rues des principales villes américaines en short et t-shirt étaient des squelettes de camps de concentration à côté d'elle. Sûr que des tonnes de Tetra Brik seraient nécessaires pour mettre en bière un jour cette créature du Seigneur. J'avais dû faire appel à mes deux bras pour serrer sa main au moment des présentations. C'était comme si je donnais la main à un zeppelin. Le soleil fondait dans sa graisse et j'avais eu froid. L'abondance de chair effaçait toute velléité de ligne. Amorphe, passive, incommensurable, madame Patiño nous regardait du haut de son royaume de cholestérol inaccessible.

— Mes enfants, l'une des piscines d'abord pour me rafraîchir les pieds, puis la plage pour faire suivre le reste, avait-elle dit d'une voix timide qui semblait venir d'une gorge adolescente.

Je m'étais demandé s'il ne faudrait pas faire venir une grue pour l'extraire de la maison afin de la déposer sur la plage.

Elle nous avait gentiment invités à partager avec elle quelques amuse-gueule qui barraient l'accès au tremplin. Niño Patiño avait répondu que nous n'étions que «de passage». C'est vrai que la maison était si grande qu'il pouvait se permettre ce genre d'expression. Alors elle était restée seule au milieu de toute cette graisse qui annulait l'été.

— Sympa, ta m'man, avais-je commenté sans arriver à contenir un petit rire nerveux.

— Oui, dommage qu'elle soit un peu inabordable, avait tranché le fils d'un air faussement peiné.

Puis, comme s'il vidait son sac d'un coup, il m'avait avoué qu'elle ne plongeait pas dans la piscine pour ne pas inonder le jardin. J'avais envie de me retourner pour observer son derrière. Qui, dans un pays où au moins cinquante pour cent de la population criait famine, pouvait se targuer d'avoir rencontré le cul le mieux nourri de la planète? C'était comme ça, en tout cas, que j'imaginais l'Argentine : une auberge où le fric (*Argent-Inn*) prospérait au milieu de crève-la-faim.

On croisait beaucoup de bonnes sur notre chemin. Tout un paquet, et de différentes races : blanches, métisses, mulâtresses, indiennes, quarteronnes et jaunes. Elles venaient pour la plupart des pays limitrophes. Des coiffes et des tabliers aux couleurs criardes indiquaient de loin le rôle qui leur était assigné à l'avance. Mon camarade de classe m'avait tout expliqué. Blanc : nettoyage ; orange : cuisine ; gris métallisé : service de table ; bleu : piscines ; vert : jardins. Il suffisait d'invoquer la couleur pour voir surgir l'une d'entre elles. Niño Patiño ne mémorisait que deux ou trois noms. *À quoi bon me bourrer le crâne avec des noms qu'une seule couleur recouvre tous ?* disait-il en reluquant les fesses de deux vertes qui plaçaient nos chaises longues au bord de sa piscine préférée.

— T'as de la chance, tu sais, d'être entouré d'autant de femmes, avais-je murmuré sans parvenir tout à fait à cacher

le sentiment d'envie que les richesses de Niño Patiño provoquaient en moi.

— Je ne m'en rends pas compte, ç'a toujours été comme
ça, avait-il dit sur un ton blasé.

Je lui avais alors demandé s'il lui arrivait de les épier
quand elles se mettaient à poil dans leurs chambres.

— Il faudrait avoir le don d'ubiquité pour les voir toutes.
Dieu seul a droit à une érection perpétuelle.

— C'est comme ça que tu vois Dieu?

— Dieu n'est que désir, Absolu, Infini, Implacable.

L'ardeur de la foi de Niño Patiño m'avait, je l'avoue,
passablement ébranlé. Alors je m'étais confessé:

— Pour toi, ça doit pas être sorcier de bander du matin au
soir. Moi, en revanche, je dois toujours imaginer l'impossible.

— Si tu voyais maman de dos, tu comprendrais pourquoi
je crois aux miracles.

On a ri ensemble comme quand on était à l'école. Niño
Patiño était mon copain, même si le luxe dans lequel il vivait
me faisait sentir démuni comme un ver de terre.

En dépit de la mollesse dans laquelle il aurait pu s'assou-
pir, Niño Patiño semblait inquiet. Ses yeux malicieux révélaient quelques signes de détresse. Je lui ai demandé s'il était
malade. Il m'a alors appris qu'il dormait mal. Réveillé avant
l'aube, il rabâchait mentalement une poignée d'idées fixes.

— Avec tout le fric qu'ont tes parents, pourquoi diable te
faire du souci?

J'ai simulé une compassion que je n'éprouvais pas. Ça me
rassurait au fond de le savoir pareil au reste des mortels en
dépit de tout le pognon que les cercueils en Tetra Brik lui
procuraient. Dire que la mort travaillait pour rendre sa vie
aussi douillette!

À ce moment-là, il m'a raconté que, à la tombée du jour, il
se rendait aux maisonnettes en rang d'oignons où dormaient
les employées domestiques. À l'heure où elles prenaient leur
douche, il observait les bonnes en notant leurs faits et gestes
dans un calepin, comme le ferait un ethnologue penché sur
une tribu indienne au milieu de la forêt amazonienne.

— Rien de ce qu'elles font dans leur intimité n'échappe à mon observation, s'est-il vanté d'une voix qui se prétendait sans doute scientifique.

Insomniaque, Niño Patiño m'avait invité à me promener avec lui sur les toits. J'avais du mal à croire que tout ça se passait dans le pays où était né le héros de la révolution cubaine, l'Argentin Ernesto « Che » Guevara.

— Est-ce que tu fournis le masque à gaz à tes visiteurs ? ai-je demandé, incrédule.

Imperméable à mon ironie, mon ami m'avait informé que le tronc de ces vénus de cuisine dévoilait quelquefois des tiroirs inédits. Des images d'une enfance lointaine ainsi que des caprices de la nature s'y révélaient parfois au visiteur averti. Il reconnaissait s'être trompé de tiroir à une occasion et se retrouver à présent attaché, pour ainsi dire, à ces maisons préfabriquées que des arbres centenaires occultaient comme des verrues honteuses. C'était arrivé la nuit où il avait réussi à se faufiler dans la chambre d'une « violette » qui venait de passer la journée à servir des tables sous un soleil de plomb. Le récit de Niño Patiño avait fait dresser mes cheveux sur ma tête. Brunette, frisée, et avec une poitrine généreuse, la bonniche avait gardé son calme face à l'intrus. Niño Patiño était arrivé au moment précis où la violette, débarrassée de sa culotte, s'apprêtait à traverser une nouvelle nuit d'été sans climatiseur, gracieuseté de la maison.

— Que voulez-vous, Niño Patiño ? s'était-elle informée sans baisser les yeux, comme la plupart de ses congénères, devant le fils des patrons.

— Je viens rafraîchir ta nuit, avait répondu l'interpellé tout en agitant un de ces éventails au manche nacré qui proliféraient dans l'alcôve de sa mère.

— Et qui vous a dit que j'avais besoin qu'on rafraîchisse ma nuit, Niño Patiño ?

— Si tu n'as pas chaud, pourquoi es-tu à poil ?

— Parce que, ici, c'est chez moi, Niño Patiño.

Surpris, mon camarade de classe avait compris qu'il avait affaire à quelqu'un qui ne se laisserait pas faire sans esbroufe. Alors, sans crier gare, il n'y était pas allé de main morte.

— J'aime ta chambre parce qu'il n'y a que toi dedans, avait-il déclaré en laissant tomber l'éventail par terre.

Un sourire malicieux s'étant dessiné sur les lèvres de la jeune femme, il en avait alors profité pour ouvrir sa braguette, comme il le faisait depuis l'âge de raison lorsque quelque chose l'incommodait.

— Nulle part il n'est écrit dans mon contrat que je dois me prosterner devant un oiseau si moche, avait-elle dit en jetant un regard méprisant sur le sexe en érection de Niño Patiño.

Sa voix était claire, et elle-même, quoique nue, ne paraissait éprouver aucune crainte.

Rusé et prévoyant, Niño Patiño s'était alors dépêché de sortir une petite bouteille de gaz paralysant de sa poche de *spider man* improvisé.

— Tu te mets à plat ventre sur ce lit ou je te coupe le souffle en un tournemain, l'avait-il avertie tout en pointant l'embout de la bouteille vers elle.

— Avez-vous l'intention de me violer, Niño Patiño ? avait-elle demandé sur un ton presque moqueur.

— Je ne veux que te caresser le dos, histoire de te faire passer la chaleur, avait-il insisté, quelque peu désarçonné.

— Pourquoi n'essayez-vous pas avec mes seins, Niño Patiño ?

— Trop lourds pour mes deux petites mains, puis je n'ai pas envie de travailler avec.

— Vous voulez vous la couler douce, Niño Patiño, avouez-le.

— C'est vrai, je n'aime pas travailler quand je tire un coup.

— Ne comptez pas sur moi pour vous y aider, je n'aime pas les hommes paresseux.

— Fais attention à ce que tu dis, violette, ou je t'asphyxie.

— Je ne m'appelle pas « violette », mon nom est Rosa, l'avait-elle corrigé, imperturbable.

— Ici, tu fais partie des « violettes ».

— N'ayez pas peur de me voir telle que je suis, Niño Patiño.

— Je ne veux pas, en découvrant la rose, cesser de bander, violette.

Sans arrêter de le regarder droit dans les yeux, elle avait dit avec une certaine morgue :

— Qui vous dit que vous bandez, Niño Patiño ?

Désappointé et à court d'arguments, Niño Patiño avait enfin regardé Rosa dans les yeux.

— On voit que tu n'es pas bête comme les autres. Qu'est-ce que tu fais ici à croupir dans le graillon ?

— Je suis Bolivienne, mes papiers ne sont pas en règle, et trouver du travail décent dans ce foutu pays est aussi facile que de décrocher le gros lot, avait-elle expliqué avec une lueur de défi dans le regard.

— Ne me raconte pas ta vie parce qu'alors là je cesse de bander pour de bon.

— Pourquoi avez-vous si peur de la vie, Niño Patiño ?

— Je suis venu tirer un coup, la philosophie n'est pas mon fort, Rose violette.

— Vous êtes trop crispé maintenant, Niño Patiño, pour faire quoi que ce soit. On dirait que vous étouffez. On voit bien que vous avez besoin de changer d'air si vous voulez vraiment que votre petit moineau prenne son envol...

La voix de Rosa était douce et mélodieuse comme si elle était portée par une musique intérieure. Puis, petit à petit, elle s'était approchée de lui en faisant en sorte que, tout naturellement, Niño Patiño arrête de braquer sa bouteille de gaz paralysant vers elle. C'est à ce moment précis que la fille lui avait pris la queue et l'avait entraîné vers le lit, un peu comme un chien dont on tient la laisse. Jamais, m'a-t-il avoué, une domestique n'avait pris en main son sexe de la sorte. En un clin d'œil, sans savoir comment, il s'était retrouvé à plat ventre sur le lit de Rosa.

Les mains de la servante avaient, semble-t-il, un pouvoir laxatif au bout de leurs dix doigts. Elle avait commencé ses caresses sur la nuque et les avait poursuivies tout le long de la colonne vertébrale. Une détente avait alors gagné le corps de Niño Patiño, et l'envie soudaine d'évacuer l'avait obligé, pour la première fois de sa vie, à entrer dans les toilettes exiguës et dépourvues du moindre confort d'une servante de la maison.

Tombé dans l'engrenage de l'habitude, Niño Patiño ne pouvait plus se soulager sans faire appel à Rosa. Ses intestins, pour ainsi dire, demeuraient bloqués tant que les mains laxatives de la bonne ne lui venaient pas en aide. Une relation purgative, si l'on peut dire, le ramenait toujours chez elle. La servante devait être particulièrement douée pour avoir réussi à redresser la situation en sa faveur comme elle l'avait fait. Certains soirs, lorsque Rosa était éreintée, Niño Patiño devait se contenter d'attendre le lendemain s'il voulait se purger. Il arrivait parfois que l'attente se prolongeât pendant deux ou trois jours. J'ai enfin compris pourquoi il dormait si mal.

En vain, à une occasion, lui avais-je conseillé de remplacer Rosa par une de ces poires à lavement dont se servaient jadis nos grands-mères.

— Elle est irremplaçable. Je suis en train d'obtenir qu'elle soit logée dans le pavillon d'hôtes contigu à la maison, a-t-il dit avec circonspection.

— En as-tu parlé à ton père?

— Je ne le vois jamais. Je commence à douter même de son existence. J'ai du mal à croire que maman ait pu être baisée par quelqu'un, a-t-il précisé en secouant la tête de gauche à droite comme s'il avait voulu se dégager des images qui lui venaient à l'esprit.

— Les mauvaises langues disent que l'évêque de Mar del Plata était son confesseur à l'époque où tu es né, ai-je dit avec un sourire railleur.

— Pourquoi ne me racontes-tu pas plutôt ce que disent les bonnes langues? a-t-il rétorqué, tout à coup irrité.

Niño Patiño avait perdu son sens de l'humour. Afin de mieux comprendre ce qui lui arrivait, j'ai fini par accepter son invitation de grimper avec lui sur les toits des petites maisons en rangée où logeaient les servantes.

Un soir de pleine lune où la brise qui montait de la mer agitait les branches des arbres sur nos têtes, Niño Patiño m'a ainsi initié à son univers de coloriste hardi. C'était comme ça que je le voyais, une sorte d'artiste précoce dont la palette ne se contentait plus des couleurs convenues dans lesquelles baignent la plupart des regards. Le bruit des vagues déferlant au pied des falaises résonnait sous le feuillage. C'était comme si l'océan voulait lui aussi être témoin de notre aventure nocturne. La maison de Rosa se trouvait tout au bout de la rangée, dans un boisé où les arbres semblaient nouer leurs troncs les uns aux autres. Avant d'y parvenir, mon guide m'avait informé qu'avec un peu de chance il me serait peut-être donné d'assister à l'un des spectacles les plus insolites de la nature. Aussi m'avait-il demandé de lui jurer de ne jamais rien révéler à personne.

— Pourquoi fais-tu autant de mystères ? ai-je demandé, passablement intrigué.

— C'est une bizarrerie que tu n'oublieras jamais, s'est-il contenté d'affirmer.

Afin de le faire sortir du ton grave qui accaparait sa voix, je me suis mis à plaisanter :

— La mémoire de mon disque dur est saturée.

— Il faudrait la purger de temps à autre.

— Crois-tu que les doigts de Rosa pourraient aussi m'y aider ?

— Rosa purge tout ce qu'elle touche. C'est un don, tu sais.

— Alors peut-être que j'aimerais qu'elle me purge, moi aussi.

Niño Patiño est resté tout à coup muet comme une carpe, mais j'ai senti qu'il prenait note de tout ce que je disais.

Nous marchions en prenant garde de ne pas trébucher sur les puits de lumière qui hérissaient les toits. Privées de fenêtres murales, ces baraques préfabriquées se tournaient vers le ciel pour éclairer leur exiguïté. Le maître d'œuvre chargé de faire respecter ce principe architectural travaillait pour l'archevêché, l'un des principaux clients du père de Niño Patiño. La nuit, une grille de projecteurs balayait chaque logement en éblouissant tout regard qui aurait eu l'audace de vouloir se détacher du sol. *C'est la lumière du Seigneur qui fait naître l'humilité sur terre*, disait le fonctionnaire à qui voulait l'entendre.

Outre l'accès à la toiture, Niño Patiño contrôlait à sa guise la température des chambres et l'horaire des douches à l'eau chaude tout en prenant scrupuleusement note des objets hétéroclites dont se servaient certaines bonnes afin de soulager leur appétit sexuel. Lorsqu'il y repérait une de ces croix en bois qui traînaient dans la maison, il en avisait le vicaire de la chapelle familiale afin que la sacrilège regagne le droit chemin. Padre Gregorio, un curé dans la force de l'âge, parlait avec douceur tout en faisant comprendre à ces ouailles quelque peu dépravées que rien ne remplaçait la chair fraîche et bien en place. Souvent, en joignant l'exemple à la parole, il illustrait ses propos en s'investissant personnellement dans la «formation orthodoxe» des brebis égarées. C'était un secret de Polichinelle qui provoquait quelques sourires sarcastiques à l'heure de la messe, que le curé aimait assaisonner de sermons sur la dissolution des mœurs contemporaines. Voilà le monde hypocrite dans lequel évoluait Niño Patiño depuis sa naissance. À force de vivre dans ce simulacre, je crois qu'il n'aurait pas pu imaginer une réalité différente. Alors, en m'associant à son regard, il ne mesurait probablement pas jusqu'à quel point il m'ouvrait les portes d'un monde baroque où le nu féminin se multipliait comme dans une galerie de miroirs. Nous avons atteint le puits de lumière numéro douze, sous lequel habitait une jeune femme nommée Vilma III, car elle était la troisième du nom. Niño Patiño, sur un ton de bonimenteur de foire foraine, m'a annoncé tout de go qu'elle avait une fesse superfétatoire qui chevauchait les deux autres. Bien entendu, je ne l'ai pas cru. Au moment de notre arrivée, elle prenait sa douche, et la vapeur de l'eau chaude enveloppait son corps brun d'une atmosphère irréelle. Malgré mon incrédulité foncière, je m'efforçais de tout scruter. Et voilà que, les yeux aveuglés par le savon, la servante s'étant mise à chercher à tâtons la bouteille de shampooing dont elle avait besoin pour laver sa longue chevelure noire, j'ai été témoin du plus singulier des joyaux qu'une anatomie dorsale pût livrer à la curiosité du monde. Sur le moment, j'ai eu du mal à croire qu'un cul trois fois couronné n'arrête pas la Terre de tourner. Puis, petit à petit, je me suis fait à l'idée qu'un jour je devrais rendre compte à mes contemporains de cette soirée mémorable. Grande et svelte,

Vilma, comble de l'injustice sociale, ne possédait même pas un miroir dans lequel admirer son propre corps. La troisième fesse, en chevauchant les deux premières, arrondissait pour ainsi dire le volume de ce cul superlatif.

— Voilà, à mon humble avis, la preuve irréfutable de l'existence de Dieu, s'est exclamé Niño Patiño d'une voix grave aux accents religieux insoupçonnés.

— Il me faudrait le toucher pour y croire, ce cul-là, ai-je divagué, bien trop ébloui pour dire quelque chose de sensé.

— Tu es comme saint Thomas, a répliqué mon compagnon d'aventures en serrant les dents.

Depuis quelques semaines, il se réservait ce spectacle insolite pour lui tout seul. J'ai trouvé ça profondément égoïste, scandaleux même. Je lui ai alors demandé si, lorsqu'il était petit, on ne lui avait pas appris à partager. Il m'a regardé avec un certain mépris puis il a conclu :

— Ce que tu vois là est uniquement pour ceux que les sommets n'effraient pas.

Niño Patiño vivait dans un monde peuplé de créatures étranges qui n'avait rien à voir avec la monotonie du quotidien.

J'ai voulu savoir s'il était possible de descendre pour voir Vilma III de plus près.

— Elle a honte de son corps, voilà pourquoi on ne la voit habillée que de robes très larges. Je suis le seul à savoir ce qu'elle cache sous ses jupons.

— Tu oublies que, moi aussi, je le sais à présent.

Il y a eu un silence pendant lequel le front de Niño Patiño s'est rembruni.

— Si jamais tu t'avisais d'en souffler mot, personne ne te croirait. Les gens te prendraient très certainement pour un halluciné sexuel. Tu vois ? T'as intérêt à la boucler, mon vieux.

Cet été-là, la chaleur avait été accablante. Nous passions le plus clair de notre temps dans l'une des piscines qui rafraîchissaient le domaine. De temps à autre, Niño Patiño me faussait compagnie pour vaquer à des occupations dont il taisait la nature. Je subodorais qu'il aimait tout simplement se masturber en cachette dans un des nombreux boudoirs de la demeure. Je mettais alors à profit ces absences pour me balader tout seul. Cela me changeait les idées rien que d'emprunter des allées où de nouveaux visages apparaissaient. Étant connu comme l'ami du fils de la maison, je pouvais y entrer et en sortir à ma guise. C'était comme un Club Méditerranée en miniature, qui me permettait d'être en dehors de chez moi tout le temps que je voulais. Et Dieu seul sait que j'en avais besoin! Puis, il y avait toutes ces bonnes les unes plus jolies que les autres sur un fond de verdure et de fleurs sans cesse renouvelé. La variété et les méandres de l'anatomie féminine m'y avaient été révélés, grâce à la complicité de Niño Patiño, tout naturellement comme faisant partie du décor. C'étaient des corps qu'on ne voyait pas sur la plage. Plusieurs d'entre eux n'avaient même pas le droit de se montrer en public, tandis que d'autres préféraient tout simplement rester à l'abri des regards. Niño Patiño faisait souvent la grasse matinée; moi, j'avais déjà goûté à plus d'un plat avant qu'on ne se rencontre au bord d'une des piscines du côté du parc des jacarandas.

Hélas, tant que je serai en vie, je n'oublierai jamais le jour où Vilma, la trois fois couronnée, avait débarrassé notre table de jardin. Nous étions dans une des piscines les plus en retrait du domaine, sous un parasol, fort loin des bruits de la demeure dont les multiples dépendances s'animaient avec la venue des différents fournisseurs chargés de la ravitailler et la visite de plusieurs limousines noires qui arrivaient de la ville. Il m'avait été impossible de savoir qui elles transportaient. Niño Patiño ne semblait pas remarquer leur existence. À vrai dire, en dehors du corps des servantes, rien n'attirait vraiment son attention depuis quelque temps. Il trouvait d'ailleurs la conversation des hommes aussi revigorante qu'une promenade dans un cimetière. Selon lui, la créature humaine, au delà de vingt ans, perdait le sel de l'enfance et se transformait en momie. Il était surpris de la facilité avec laquelle les hommes renonçaient à explorer l'univers de leurs propres désirs.

— Ils se marient, produisent deux ou trois marmitons, moins par conviction que par habitude, entretiennent une maîtresse (chichement pour la plupart), investissent leurs meilleures énergies dans l'accroissement d'un patrimoine composé de briques, d'actions et de pensions que la mort transmet souvent plus tôt que prévu à leurs veuves, avait-il résumé un jour sur un ton expéditif.

— Je vois que tu as une vision optimiste de nos contemporains, avais-je dit en le regardant droit dans les yeux pour souligner que je prenais au sérieux son opinion, histoire de lui faire comprendre que j'étais toujours son complice.

En concentrant à son tour son attention sur moi, il m'avait demandé à brûle-pourpoint si j'aimais mon père. Pris au dépourvu, je lui avais répondu qu'on pouvait respecter un père, le craindre certainement, même le haïr, mais l'aimer, ça, c'était différent.

— Si tu n'aimes pas ton père, tu ne peux pas aimer les hommes. Tu vois, tu es comme moi, avait-il conclu avec un sourire à peine esquissé.

La façon de voir les choses de Niño Patiño m'irritait et me séduisait à la fois. L'intelligence de mon camarade de classe me déconcertait, tout comme la dépendance qui se manifestait dans ses rapports ancillaires.

— Es-tu allé *à la Rosa* cette nuit ? avais-je demandé non sans ironie en songeant que, pour lui, la servante occupait la place des toilettes.

— Non, elle avait ses règles, avait-il répondu avec une moue de contrariété.

C'est pendant que nous parlions de Rosa que Vilma avait fait son apparition dans le jardin. Elle portait une jupe ample en coton, verte, comme l'exigeaient ses fonctions. J'ignore pourquoi elle m'avait fait soudainement penser à Leda lorsque, à la tombée du soir, elle allait de fleur en fleur, un arrosoir à la main.

Nous avions éparpillé un tas d'assiettes sur les bords de la piscine. Niño Patiño, malgré ses constipations chroniques, mangeait sans modération. Il raffolait tout particulièrement de la viande de porc, qu'on faisait cuire spécialement pour lui dans un four en terre séchée à l'autre bout du domaine où une poignée d'indigènes maintenait en vie de vieilles traditions culinaires locales. C'était aussi dans ce four-là qu'on lui préparait les *empanadas* dont il s'empiffrait à longueur de journée. Je me suis demandé si cette fringale avait quelque chose à voir avec Rosa et l'art du soulagement intestinal qu'elle pratiquait sur le jeune héritier du domaine. À ce rythme pantagruélique, la dépendance de Niño Patiño ne ferait que s'accroître, avais-je réfléchi sous cape. En constatant que tout son argent ne pouvait rien contre cette boulimie, je m'étais senti un petit peu moins misérable.

— Je peux t'accompagner ce soir, si tu me le demandes, avais-je laissé savoir au cas où.

— Non, merci, j'irai seul.

L'idée que je ne monterais plus jamais sur le toit des servantes m'avait foutu un sacré coup, je l'avoue.

Alors, je m'étais accroché à l'idée de le faire changer d'avis contre vents et marées :

— Pourquoi ne veux-tu pas que j'aille avec toi ? Je peux t'aider, tu sais.

— Est-ce que quelqu'un t'accompagne quand tu vas aux toilettes ?

Vilma se penchait pour ramasser les assiettes qu'elle déposait ensuite sur un chariot en bois. Installés sur nos chaises longues, nous avions été tout à coup éblouis tous deux par l'éclat du soleil de midi sur le dos trois fois couronné de la bonne. Niño Patiño avait des verres fumés, tandis que moi, je collais ma main droite sur mon front en guise de visière. Pressé par la gourmandise, mon camarade d'école avait laissé tomber dans la piscine des verres en plastique et d'autres ustensiles du même acabit que la fille s'efforçait en vain d'extraire de l'eau. J'ignore si c'est l'excès de ripaille, les effets du soleil ou, probablement, le résultat combiné des deux phénomènes qui avaient poussé Niño Patiño à abandonner son siège pour, avec un geste obscène et foudroyant, introduire sa main imprégnée de toutes sortes de graisses sous la jupe immaculée de Vilma. Carnivore et infâme, cette main représentait sans doute la goutte qui avait fait déborder la patience de la servante. Tout en se retournant avec la vitesse de l'éclair, Vilma avait décoché une gifle d'une telle violence qu'elle avait fait perdre l'équilibre à Niño Patiño, dont la tête était allée heurter de plein fouet le rebord en marbre italien de la piscine.

Ne m'étant pas réveillé à temps, je n'avais pas assisté à l'enterrement de Niño Patiño. Je l'avais probablement fait exprès. J'étais en total désaccord avec le sort que la famille de l'occis avait fait à Vilma. Elle avait été injustement accusée d'avoir déchargé tout son « ressentiment social » sur un mineur sans protection. En vain, j'avais expliqué à la police qu'elle était innocente. D'après moi, ce n'était que le fruit d'un malheureux accident. Lors d'un procès où les dés étaient pipés, elle avait été condamnée à purger une peine de trente ans de prison. L'idée que ce corps digne d'un culte allait pourrir dans un cachot m'avait fait grimper au plafond. Je m'en étais confié à mon père, lui qui aimait les femmes, afin qu'il fasse intervenir son avocat, mais il s'était contenté de me rappeler que le pays vivait des moments difficiles et que la justice ne savait plus où donner de la tête. Son manque d'appui et sa lâcheté m'avaient beaucoup déçu. Leda, quant à elle, s'était montrée plus compréhensive à mon égard. Son expérience de la brutalité policière y était peut-être pour quelque chose. Ma défense enflammée de la servante, malgré la perte de mon ami, m'avait ainsi rendu soudainement sympathique à ses yeux.

Par contre, je n'ai jamais su si le cercueil de Niño Patiño était en Tetra Brik ou en bois de chêne fait pour résister aux intempéries de son ultime demeure.

Cette nouvelle rencontre avec la mort m'avait profondément déprimé. J'étais resté enfermé plusieurs jours dans ma chambre en essayant inutilement d'oublier ce crâne fracturé et ce sang qui, en giclant à profusion, avait gommé le soleil d'un seul trait. Alors, pour la première fois, j'avais éprouvé l'absence de mon ami comme une perte que rien ne pourrait réparer. Quoique souvent excessif, voire immonde, Niño Patiño avait au moins le courage de transformer le quotidien pour en faire jaillir l'arc-en-ciel du désir. Ses promenades nocturnes sur les toitures encore brûlantes faisaient de ce morceau de terre face à l'océan Atlantique un port pour la fantaisie. Depuis son départ, j'avais compris que le monde serait plus obscur sans lui.

Un après-midi où le soleil jouait à cache-cache avec la mer, je suis retourné à la plage accompagné de Leda. Elle avait frappé à la porte de ma chambre pour m'inviter à chasser avec elle cette tristesse qu'on voyait dans le regard des gens à l'approche de la fin de l'été. Nous avons marché pieds nus, côte à côte, en laissant l'écume des vagues nous caresser comme si nous étions deux enfants pour qui le temps ne se mesurait pas en tranches de contraintes quotidiennes. C'était la première fois que j'éprouvais avec elle un tel sentiment de liberté. Puis, sans savoir comment, j'ai pris sa main. Tout à coup, j'ai serré très fort ses doigts fins de poupée de papa, comme pour m'assurer que je ne rêvais pas.
— Lâche-moi, tu me fais mal, a-t-elle dit.
Nos mains se sont séparées.
— Un jour, Paul, tu comprendras qu'une femme n'accepte la douleur qu'après avoir été aimée, a-t-elle ajouté, le regard fixé sur l'horizon.

II

Le moment de se déprendre de la vie arriva pour Rafael Escalante un soir d'été où sa femme — contrairement à ce qui avait été l'habitude jusqu'alors — n'était pas à la portée de sa voix. Le système sophistiqué de microphones sans fil qui le maintenaient en contact avec la maîtresse de maison n'avait pas fonctionné ou peut-être que celle-ci, dans un geste difficilement compréhensible, avait décidé que ce nouvel appel du malade serait, tout comme les autres, un pur simulacre grâce auquel son mari lui faisait parvenir les adieux qu'il multipliait à son égard depuis que le cancer et ses métastases avaient décidé que le monde n'avait plus besoin de lui. Cet entêtement de la vie à nous déclarer subitement *out of work* avait pris le malade au dépourvu. La nuit où la vie déserta son corps, les paroles d'une chanson d'enfance trottaient dans la tête de Rafael : *Sana, sana, culito de rana, si no sanas hoy, sanarás mañana.* À vrai dire, n'importe quel souvenir du passé était bon afin d'échapper au présent pris d'assaut par la maladie. Il avait tout le mal du monde à croire que cette vie dont il avait une conscience si claire et distincte pût, comme ça, tout à coup, lui filer entre les doigts. Or, quelque part, il était écrit qu'il devait mourir seul, loin des mains toujours empressées de Leda, et sans entendre la voix de ce fils lointain que, en dépit du temps écoulé et de la distance, sa mémoire ne se résignait pas à effacer. Quand la servante vint à son chevet, Rafael concentrait ses dernières énergies à imaginer un transfert vers l'au-delà sans perte de conscience. C'était stupide, mais c'était comme ça qu'il voulait se voir dans ce dernier transit. Il ressemblait à l'un de ces voyageurs qui, dans un train, lutte pour ne pas piquer du nez. En revanche, Leda, après plusieurs nuits sans dormir, avait traversé le jardin pour se laisser caresser par l'eau tiède de la piscine dans l'espoir d'apaiser ses inquiétudes et, avec un peu de chance, de parvenir enfin à s'endormir.

La mort de Rafael la surprit tandis qu'elle jouait encore avec l'idée que tant qu'il l'appellerait, elle ne serait pas seule. *Le*, syllabe magique qui résonnait au moins cent fois par jour entre les quatre murs de la chambre où il assistait impuissant au déclin de sa santé, pouvait signifier en fonction des circonstances : *Leda, viens, Leda, appelle la bonne, Leda, pourquoi les chiens aboient-ils dans le jardin ? Leda, apporte-moi un verre d'eau pour avaler cette maudite pilule, Leda, éteins la télé, Leda, fais-moi la lecture, Leda, penche-toi pour que je caresse ta poitrine.* Il exigeait qu'elle interprète ses besoins à partir de cette syllabe unique, qui retentissait telle une cloche d'église dans la tête de Leda, *Le, Le, Le.*

Lorsqu'elle vit la servante accourir vers elle, le cœur de Leda fit un bond dans sa poitrine. Elle ne laissa même pas le temps qu'on lui apprenne que *Don Rafael, pâle comme un cierge, semble ailleurs, il ne répond plus, Señora Leda* ; les cheveux collés sur son dos nu, elle regagna la maison pour constater que, cette fois, la syllabe magique resterait à jamais prisonnière de la gorge du défunt.

Au fur et à mesure que la maison se remplissait de fleurs sous cellophane, qui arrivaient dans de grands paniers d'osier ficelés avec des rubans noirs, Leda commença à sortir de sa carapace de veuve inconsolable. Les condoléances des autres lui rappelant, stéréotype à l'appui, que *la vie continue, Leda*, la maîtresse de maison finit par comprendre qu'il lui faudrait tuer le mort ou, tout simplement, se laisser mourir avec lui. Ce n'était pas une tâche facile parce que l'on tue mieux les vivants que les morts. Ce qui est irritant avec les morts, c'est qu'ils se débrouillent toujours pour que nous éprouvions de la culpabilité. En dépit de son amour absolu et sans restriction, Leda sentait que l'homme à qui elle avait donné le meilleur d'elle-même avait emporté avec lui des comptes qu'elle aurait souhaité régler avant leur séparation définitive. En dehors du fait qu'un négociant emporte immanquablement avec lui un cahier de créances, Rafael Escalante était parti avec le livre qui comprenait également de vieux rituels que les années avaient peaufinés. Ce livre expliquait pourquoi l'habillement de Leda changeait en fonction des jours de la semaine. Pour le défunt, une vie de couple sans théâtralité vestimentaire ressemblait à une mer dépourvue de vagues. Voilà pourquoi, même lorsqu'il était à l'étranger en voyage d'affaires, elle suivait le protocole associé à chaque soirée. Le décès de son époux un vendredi soir d'été l'avait surprise sans la jupe courte de lin blanc tissé main rapportée d'un dernier voyage à La Havane. Tout en contrevenant aux coutumes de la journée, Leda avait mis une robe de soirée sombre et discrète qui passait sous silence les rondeurs pulpeuses d'un corps que l'âge ne parvenait pas à flétrir. Avant même que Rafael ne passe de vie à trépas, il avait dû l'entrevoir, habillée de cette robe qui annonçait le deuil. Une de ces robes qu'il évitait quand il était question de la déshabiller debout dans la cuisine, dans le salon ou à l'heure du maté qu'il prenait sous les arcades côté jardin, même lorsque le médecin lui avait annoncé que les métastases du cancer faisaient de son corps le lieu d'une représentation où, inéluctablement, la maladie aurait le dernier mot. Jamais elle n'avait imaginé que le corps de son *hombre* serait le théâtre d'un tel drame. En ruine, ce corps serait abandonné comme les maisons que l'humidité condamne à la désaffectation à La Havane. Elle, qui aurait donné l'île perdue pour une dernière nuit dans les bras de Rafael, devait se contenter d'un nouvel exil. Car c'est ainsi qu'elle envisageait son veuvage imminent. Sa passion de nomade reviendrait peut-être un jour, mais il ne serait plus là. Alors, elle se maudissait mille et une fois de ne pas avoir mis la minijupe de lin tissé main du vendredi soir au lieu d'aller à la piscine où personne ne l'attendait avec le regard de l'amant qui commence par vous lécher les talons pour grimper ensuite entre les cuisses en faisant en sorte que le ventre se mette à battre à distance comme un écran de télé que notre main caresse à l'aide d'une télécommande, Señora Leda.

Paul arriva à Buenos Aires quatre-vingt-dix jours après la mort de son père. Il avait failli remettre le voyage à plus tard encore une fois, mais la peur de s'aliéner à tout jamais les bonnes grâces de Leda le persuada du contraire. Un courriel d'une concision extrême, *parti*, avait annoncé le décès. *Parti*, quand au juste ? Hier ? Avant-hier ? La semaine dernière ?

Personne ne s'était dérangé pour aller l'attendre à l'aéroport parce que, tout bonnement, il n'avait prévenu personne de son arrivée. Surtout pas Leda, car n'ayant pas eu le courage de dire qu'il n'assisterait pas à l'enterrement de son père, il s'était débrouillé pour entretenir l'espoir de la veuve jusqu'à la dernière minute. L'idée de loger dans la maison du défunt était à présent incompatible avec le sentiment de culpabilité qu'il éprouvait au moment de reprendre contact avec la Cubaine. La voix désabusée et amère du chauffeur de taxi qui les transportait, lui et sa valise, dans un petit hôtel de Suipacha et Arenales, loin de le déranger, apaisait son anxiété. En redécouvrant Buenos Aires à travers les commentaires tranchants d'un homme de la rue, il sentait que son deuil, comparé à la misère dont parlait le chauffeur de taxi, pouvait être mis entre parenthèses. *Que el mundo fue y será una porquería, ya lo sé. En el quinientos diez y en el dos mil también.* Ce qui sortait de la bouche de cet homme-là, c'étaient des lieux communs, des paroles de tango, des clichés que le voyageur recevait avec soulagement. Dans ce pays où tout allait toujours vers le pire, Paul trouvait que la mort de son père était dans l'ordre des choses. Assis sur le siège arrière du taxi qui le menait vers le centre-ville, il observa avec un pincement au cœur les progrès de la misère urbaine depuis le jour où il avait quitté la ville pour aller s'installer définitivement au Québec. Des milliers d'immeubles rectangulaires, gris et construits en série, bouchaient l'horizon comme une lèpre hostile à toute forme de verdure. Ces cités-dortoirs accompagnaient le regard du voyageur des deux côtés de la route. Puis, tout à coup, surgit la ville surpeuplée avec ses grandes avenues et ses monuments décatis que la pluie seule lavait en été. C'était un de ces jours ensoleillés d'hiver où les retraités, l'air égaré, partageaient leur maigre pitance avec les pigeons des places publiques. De temps à autre, à un coin de rue quelconque, un beau visage de jeune fille le réconciliait fugitivement avec la métropole. Un essaim de vendeurs ambulants occupait les trottoirs étroits aboutissant à la gare des trains. Retiro, le quartier où venaient s'entasser les immigrants à Buenos Aires, jouissait au moins d'une animation populaire, ce qui le tira de sa torpeur. Et il n'avait pas la laideur de la banlieue. La mocheté lui avait été épargnée au profit d'une pauvreté dynamique, jeune et non dépourvue d'une sensualité roturière qu'on découvrait dans les jeans serrés des femmes aux cheveux noirs qui pressaient le pas devant le regard lubrique des *hombres*.

Le taxi s'arrêta devant un petit hôtel à la façade noircie par la combustion incontrôlée des innombrables autocars qui sillonnaient les rues à longueur de journée. C'est là qu'il passerait sa première nuit dans la capitale. La couleur lugubre de son hôtel épousait le deuil qui l'avait mené jusque-là.

En dépit de l'enterrement survenu trois mois plus tôt, Paul ne parvenait pas à prendre totalement conscience de la disparition de son père. Il sentait que le fait de ne pas avoir été là avait pour ainsi dire empêché son père de mourir tout à fait. À bien y réfléchir, il se demandait si cette impression absurde ne venait pas du sentiment de culpabilité qui le taraudait depuis le jour où il avait décidé de ne pas donner suite aux appels pressants de Leda. Aussitôt franchi le seuil de l'hôtel, il sentit que son séjour à Buenos Aires ne devrait se passer qu'à la lumière de ce choix radical qui lui avait épargné d'assister à l'agonie du malade. Tout ce qui pourrait lui arriver de triste ou de mauvais augure serait à mettre sur le compte de la dette contractée entre lui et la mort de cet homme survenue alors que Montréal connaissait sa pire tempête d'hiver.

Paul énumérait les défauts de l'hôtel trouvé sur Internet, qu'un curieux mélange d'empressement et de paresse lui avait fait choisir comme la première étape de son voyage. Au fond, l'emplacement était la seule qualité de cet hôtel minable utilisé par des voyageurs de commerce, des revendeurs de drogue et une poignée de putes qui s'affairaient la nuit dans les rues adjacentes. Le soir même, Paul irait à pied jusqu'au carrefour de Lavalle et 9 de Julio pour faire le plein de films argentins, de musique locale et de revues de soccer qu'il lisait toujours passionnément. Histoire de se décontracter avant d'arranger une rencontre avec Leda. Ou, tant qu'à faire, pourquoi ne pas lui passer un coup de fil après son repas du soir ? Et s'il le faisait maintenant, afin de s'en débarrasser sur-le-champ au lieu de traîner ça comme un boulet ?

— C'est moi, Paul.

— Où es-tu ?

— À une heure de voiture de chez toi.

— Pourquoi ne m'as-tu pas prévenue de ton arrivée ?

— Je suis en train de le faire, n'est-ce pas ?

— Pourquoi n'es-tu pas venu ?

Il laissa s'écouler quelques secondes avant de répondre.

— Mon réveille-matin n'a pas sonné, dit-il sur le ton de quelqu'un qui fait une blague.

— C'est ta conscience qui n'a pas sonné.

La voix de Leda s'assombrissant tout à coup, il dut réprimer le désir de raccrocher.

— Faut-il que je te rappelle que, moi aussi, je suis en deuil, chère Leda ? demanda-t-il d'une voix à peine ironique.

— Il tenait tellement à te revoir, si tu savais.

La voix de la veuve s'était légèrement radoucie, mais Paul comprit que rien de ce qu'il aurait pu dire n'effacerait le ressentiment qu'elle éprouvait à son égard.

— Je lui avais promis que tu viendrais et, à force d'essayer de l'en convaincre, j'ai fini par me sentir responsable de ton absence, reprit-elle.

— Je ne suis pas venu parce que je n'ai pas pu, bredouilla-t-il.

— Tu n'as pas pu parce que tu n'es pas venu.

— Il y avait des tempêtes de neige et de verglas qui paralysaient les aéroports, se justifia-t-il sans y croire.

— C'est probablement ton cœur, verglacé lui aussi, qui t'a empêché de venir à l'enterrement de ton père. Ne compte pas sur moi pour t'aider à passer l'éponge, fit-elle sur un ton coupant.

— Ça fait longtemps que je ne compte plus sur toi, Leda. Par ailleurs, tu ne saurais compter, car tu t'es toujours arrêtée à deux.

— Que veux-tu dire par là ?

— Qu'en dehors de vous deux, papa et toi, le monde n'existait pas.

— Je me suis toujours conduite envers toi comme une mère.

— Oui, une mère emportée par un train un après-midi que Rafael Escalante travaillait à huis clos dans son bureau avec sa secrétaire.

— Je ne permettrai pas que tu salisses la mémoire de ton père.

— Ne compte pas sur moi pour t'aider à passer l'éponge, Leda.

Il dormit mal. Pire encore : il ne ferma pas l'œil de la nuit. Son souper dans un de ces restaurants où l'on respire le graillon avant de manger quoi que ce soit lui avait donné la nausée. Le souvenir de la voix ombrageuse de Leda expliquait aussi sa nuit blanche.

Assis à une petite table entourée d'hommes au visage de voyageurs de commerce, il chercha en vain un corps de femme à mettre dans son café. Le croissant, à moitié croqué, avait un goût de médicament hautement suspect. Il se demanda s'il ne venait pas d'un de ces hôpitaux publics toujours au bord de la faillite qui vendaient le petit-déjeuner de leurs patients pour payer le salaire des infirmières.

Paul quitta l'hôtel et, à neuf heures du matin, il était dans un taxi en direction de la maison de son défunt père. La vieille maison aux arcades coloniales apparut au bout d'un interminable parcours sur une autoroute bourrée de voitures qui changeaient continuellement de voie comme si elles cherchaient à humilier le véhicule le plus lent ou, du moins, le plus respectueux des règlements de la circulation.

— Où vont-ils si pressés ? s'étonna le voyageur.

— Ils roulent tous à tombeau ouvert, se contenta de répondre le chauffeur sur un ton désabusé.

— Alors toutes les voitures sont funèbres dans ce pays, grommela-t-il avec sarcasme.

— Personne ne veut être vieux ici. Avec leurs maigres pensions, ils n'arrivent même pas à acheter de quoi se torcher le cul, ronchonna l'autre.

En descendant du taxi, Paul se dit que le chauffeur, un homme au seuil de la soixantaine, devrait accélérer davantage à l'avenir s'il ne voulait pas être obligé d'avoir recours à de vieux journaux lorsqu'il irait aux toilettes.

Les chiens aboyèrent quand il s'approcha de la grande porte en fer forgé qui barrait l'accès à la propriété. Un petit homme à la peau cuivrée éloigna les chiens et permit le passage.

— Madame vous attend, dit-il avec un accent bolivien, le regard cloué au sol comme celui d'un Indien.

Paul s'engagea dans le jardin en faisant attention de ne pas se cogner le front contre les branches des arbres longeant le sentier qui menait au perron. Assise sur une chaise coloniale péruvienne, Leda fumait un cigare, les yeux probablement fixés au loin. Il la voyait de dos au milieu de la collection de peintures coloniales de Cuzco qui avaient fait la fierté de son père. Aussi voyait-il le parc et la piscine au delà du regard de la veuve. Une fumée épaisse flottait comme un halo sur la tête de cette femme dont le visage demeurait caché. Beaucoup de choses avaient changé depuis la dernière visite de Paul. Les meubles du salon où il était reçu rappelaient ceux des anciennes maisons de Lima dans lesquelles il ne manquait que le curé à l'heure du thé et la clochette en argent de Potosí pour appeler la bonne. Le défunt ayant toujours mis un point d'honneur à ne pas oublier l'origine péruvienne de son père, la maison regorgeait d'objets d'art rappelant le passé glorieux de Lima, l'ancienne capitale du vice-royaume du Pérou. La bibliothèque en chêne rouge faisait le tour de la pièce. Plusieurs gros volumes sur le sucre, en espagnol, portugais, anglais, français et allemand, témoignaient d'une recherche poussée dans le domaine.

— Veux-tu prendre quelque chose? demanda-t-elle en faisant pivoter le fauteuil sur son axe.

Alors il vit les traits parfaits de cette femme qui avait marqué son adolescence. Un zeste de sensualité traînait encore sur ce visage que la perte venait ruiner ici et là, à la manière d'une vague qui, sans faire disparaître complètement le château de sable, terrasse ses tours.

— Du café, s'il te plaît.

— As-tu pris ton petit-déjeuner?

— Disons que c'était le seul *remède*.

Elle esquissa avec la main un geste qui pouvait aussi bien dire *continue* ou *de quoi est-ce que tu parles?*

— Le croissant, que je n'ai pas terminé, semblait venir d'un laboratoire pharmaceutique plutôt que d'une boulangerie, ajouta-t-il en guise d'explication.

— Ce pays est malade. Il est sous perfusion. Normal, vois-tu, que le parfum qui t'accueille à ta sortie de l'aéroport ne soit pas celui de Chanel N° 5.

La voix de Leda conservait la sensualité grave de sa jeunesse. La pâleur de son visage contrastait avec la robe noire qu'elle portait. Il pensa qu'il y avait des femmes sans âge qui devaient être désirées jusqu'à leur mort.

— Le deuil te sied, Leda, dit-il avec la légèreté de quelqu'un qui n'a pas dormi.

— J'imagine que tu n'as pas fait un voyage de douze heures en avion pour me dire ça, n'est-ce pas? rétorqua-t-elle en le fixant dans les yeux.

— Je suis aussi venu pour rendre visite à mon père dans sa dernière demeure.

— Ça m'a tout l'air d'un cliché. Ta conduite à l'égard de ton père n'a pas d'excuse. Il va falloir que tu payes, Paul. Voilà ce que j'avais à te dire.

Piqué au vif, l'interpellé répliqua du tac au tac:

— Dès que j'aurai touché mon héritage, chère Leda, je te payerai. C'est promis.

Contre toute attente, sans une goutte d'humour, elle s'empara du sujet avec l'âpreté de quelqu'un prêt à garder, bec et ongles, les dépouilles du défunt.

— Il n'en est resté, hélas! que peu de chose : cette maison, un appartement en ville dont le loyer suffit à peine à maintenir ce que tu vois ici, trois autres loyers en banlieue. La maison et l'appartement, comme tu sais, sont à mon nom. Les propriétés sont occupées par des locataires ayant perdu leur emploi. Les gens n'ont tout simplement pas d'argent pour nourrir leur famille, voilà la réalité. Ton père t'a quand même laissé quelque chose. Afin d'entrer en sa possession, tu devras te rendre à Tucumán. *C'est loin et sucré*, comme disait ton père. C'est là qu'il allait chercher le sucre qu'il vendait ici. En temps et lieu, je te donnerai le nom et l'adresse de la personne qui te fournira toutes les informations nécessaires, au cas, bien entendu, où tu souhaiterais toucher ton héritage.

Ce fut ainsi à brûle-pourpoint que Paul apprit les dispositions testamentaires pour le moins étranges de son feu père.

Au bout d'un long silence pendant lequel la fumée gomma son visage, Leda ajouta :

— Il s'agit, je crois savoir, d'un certain montant en dollars américains qui ne te sera remis que si tu acceptes les conditions établies dans le testament de ton père.

Même si la voix était la même, le ton avait changé. Trois mois de veuvage avaient suffi pour effacer cette douceur que le souvenir n'avait fait qu'exagérer. Mais quelle était la voix de cette femme ? Au fond, il se pouvait fort bien qu'il ne l'eût jamais vraiment entendue, cette voix de Cubaine exilée. Pendant les deux heures qu'il passa en sa compagnie, Paul chercha inutilement la Leda du passé. Ayant l'air de préférer le dialogue avec les morts plutôt qu'avec les vivants, sa belle-mère ne quitta à aucun moment sa chaise d'époque coloniale sur laquelle trônait sa mélancolie. Tout en parlant, on aurait dit qu'elle gardait une oreille branchée sur l'au-delà. Il était clair que, pour elle, le défunt faisait corps avec son environnement quotidien. Et si elle était folle, folle à lier ? L'idée traversa l'esprit du visiteur, mais il la rejeta aussitôt, car il connaissait le goût de Leda pour le confort matériel, et il se pouvait fort bien que tout cela ne fût qu'un masque afin de ne rien céder. Il faudrait qu'il demande à voir le testament de son père s'il tenait à dissiper ses doutes mais, tout compte fait, cela ne l'intéressait pas. Curieusement, il n'avait jamais songé à hériter quoi que ce soit de son père comme si, de ce côté-là, tout était écrit d'avance. Au demeurant, dès qu'il avait terminé l'école secondaire, il s'était débrouillé pour obtenir une bourse du gouvernement du Québec dans le but de faire une maîtrise en traduction à l'Université de Montréal. Parlant français, espagnol et anglais, il se retrouva très vite sur le marché du travail. Installé à son compte, libre de tout engagement, il menait la vie faite d'intensité quotidienne d'un célibataire du Plateau-Mont-Royal. Diligent et responsable, il s'attira une fort bonne clientèle qui payait rubis sur l'ongle. Il ne retournait à Buenos Aires qu'à la faveur des crises économiques pendant lesquelles un pécule en dollars américains permettait l'acquisition de petits appartements bien situés, et faciles à louer. Il acheta et vendit des briques presque sans profits, rien que pour le goût de loger des gens, jusqu'au jour où il comprit que c'était sa manière de maintenir l'illusion qu'il avait une famille en Argentine. Puis, sur un coup de tête, il vendit presque tout avec le projet un peu démesuré d'acheter une de ces victoriennes qui le faisaient rêver lorsqu'il traversait le carré Saint-Louis pour se rendre dans une salle de cinéma du Quartier latin. De ces séjours en trompe-l'œil à Buenos Aires, il lui restait encore, du côté de San Telmo, un appartement modeste occupé par une Péruvienne très peu empressée de s'acquitter des mois de loyer en retard. Il lui rendait toujours visite dans l'espoir de récupérer son dû. De même s'efforçait-il en vain de lui vanter le charme des quartiers bourgeois où, suggérait-il, mi-sérieux, mi-blagueur, elle pourrait se trouver un protecteur. Pour des raisons qu'il ignorait, elle s'entêtait à vivre dans un appartement d'un quatrième étage sans ascenseur, dans un quartier en déclin que les guides touristiques présentaient sous l'euphémisme de lieu _haut en couleur_. Les dimanches, des antiquaires improvisés et des camelots en goguette vendaient en après-midi des meubles et des objets d'art que des familles bourgeoises criblées de dettes avaient bradés le matin. Et parce que c'était dimanche justement,

Paul marchait, les mains dans les poches, attentif à ce déploiement de dépouilles qui en disaient long sur le naufrage de certains secteurs de la société locale. Il observait les façades craquelées, les trous dans les trottoirs, l'odeur d'urine se dégageant des ruelles. Fétide et intime à la fois, ce quartier lui remonta pourtant le moral après son entrevue avec Leda. Tout avait été si rapide, sans transition. Il avait besoin de digérer les paroles dites sans ménagement qui s'agitaient dans sa tête.

Dès son arrivée à l'hôtel, il avait téléphoné à Telma, sa locataire de San Telmo, qui le recevrait dimanche, *jour du Seigneur*, dit-elle d'une voix moqueuse.

Enterré dans la pénombre, l'escalier qui montait au quatrième étage dégageait des odeurs épicées venues d'ailleurs. Le quartier comptait le plus grand nombre d'immigrés de la capitale argentine, notamment des Péruviens et des Boliviens.

— *Welcome home*, Pablo Scala.

— Escalante, Telma, Paul Escalante. C'est le comble que tu ne respectes même pas le nom de ton propriétaire.

— Entrez, s'il vous plaît, et faites comme si vous étiez chez vous, dit-elle, solennelle et badine à la fois.

Grande, mince, de longs cheveux noirs à la hauteur des reins, Telma avait sur les lèvres le même sourire espiègle qu'elle traînait dans les rues de Paris l'automne où ils s'étaient connus. Une petite bague dorée respirait dans sa narine gauche. Une odeur d'encens flottait dans l'air. Rien n'avait changé depuis sa dernière visite. Un désordre méticuleux régnait dans le petit salon juste à côté de l'entrée. Beaucoup de livres ouverts à différentes pages découvraient la vaste géographie des intérêts ésotériques éparpillés de la locataire : astrologie, théosophie, bouddhisme tantrique, religions précolombiennes, mysticisme hindou, alchimie berbère, mathématiques, kabbale. Des coussins de formes, couleurs et épaisseurs distinctes invitaient le visiteur à déposer ses fesses à même le sol.

— Qu'est-ce qui t'amène dans ce pays dont le besoin de dollars américains rend le visage des gens vert d'envie ?

— Il vaut mieux ne pas mentionner la corde dans la maison du pendu, fit-il, satisfait de pouvoir entrer en matière sans avoir à tourner autour du pot.

— Si je te payais tous les mois le loyer, je ne pourrais pas aller chez le dépanneur du coin afin de réapprovisionner mon garde-manger. Veux-tu, Pablo, interrompre cette chaîne élémentaire qui permet au commerce local de survivre ?

— Appelle-moi Paul, comme tout le monde. J'ai fait mes comptes, Telma : tu as six mois de retard.

— C'est que je n'ai pas assez d'argent pour aller chez le gynéco, Pablito.

— Tu connais les règles, Telma, si ça continue, il va falloir que je demande ton expulsion.

— Je ne connais que les règles qui mouillent ma culotte, Pablito.

— Je suis peut-être patient, Telma, mais pas *tampax*.

Le rire de Telma, vif et irrépressible, mit quelque temps à être suivi par celui de Paul, mais on voyait bien que c'était forcé. Tandis que, dans la gorge de la locataire, la gaieté trouvait spontanément la note juste, dans celle du proprio, le registre sonnait faux. À vrai dire, cela faisait déjà un bon bout de temps que Paul regrettait amèrement d'avoir accepté de loger cette copine nomade qui, somme toute, s'était avérée beaucoup plus fauchée que prévu.

— Tu ne sais pas rire, Pablito, lâcha-t-elle, sur le ton de quelqu'un qui ne peut que constater un fait indéniable.

Depuis combien de temps, en effet, le rire de l'enfant avait-il cédé la place chez lui à cette inquiétude permanente pour le lendemain qui le faisait épargner comme un écureuil et qui, comme chez l'écureuil, lui faisait oublier de reprendre sa mise au moment où les conditions du marché étaient les plus favorables ?

— Je suis allé rendre visite à la femme de mon père, dit-il en guise d'explication.

— Leda ?

— Leda.

— La Cubaine.

— La Cubaine.

— Et sur quelle musique danse-t-elle à présent ?

— Triste comme un tango.

— On voit bien que tu n'as pas su trouver le rythme.

— Danser le tango avec une veuve n'est pas de tout repos, tu sais.

Telma, bouche cousue, lui prit la main droite et se mit à la lire sans lui demander sa permission.

Le geste qu'elle faisait comme ça, à l'improviste, et spontanément, le débarrassa pendant quelques secondes du poids d'exister.

Elle dit :

— Avec elle, je parle de ta belle-mère, bien sûr, tu seras à couteaux tirés jusqu'à ce que tu acceptes de reprendre la route, comme ton père.

Maintenant, il comprenait pourquoi il était là, un dimanche en fin d'après-midi, au quatrième étage sans ascenseur d'un immeuble obscur aux murs couverts de graffiti obscènes. Puis il sentit les yeux de Telma dans la paume de sa main ouvrir, une à une, les tanières dans lesquelles la haine du père cherchait refuge. Les guenilles de l'âme sortirent ainsi à la queue leu leu, mais Paul ne s'en aperçut que lorsqu'il s'entendit dire :

— Mon chemin ne sera jamais celui de mon père.

Telma redressa la tête et le fixa.

— La rancune est la manière la plus mesquine qu'a le passé de nous rappeler que nous n'avons pas été heureux, dit-elle.

Elle parlait sans lâcher sa main, en prenant appui sur les savants échafaudages d'une lecture en profondeur. Chiromancienne et péripatéticienne en périodes de vaches maigres, Telma prenait entre ses mains le futur de ses amis.

Alors Paul fit le récit de l'époque où Leda était apparue dans le bureau de son père pour occuper ensuite tous les couloirs de la maison. On n'y voyait, selon lui, que le trémoussement de ses hanches sous les jupes en coton qu'elle mettait l'été.

— J'ai toujours senti que je n'arriverais jamais à lui parler avec la voix d'un homme. Après mes balbutiements, j'avais honte de moi-même. Je passais mes journées à me demander pourquoi je n'avais pas pu faire jaillir ma vraie voix au milieu de toutes ces bulles de noyé qui sortaient de ma bouche.

Paul ne se rappelait pas avoir découvert des sentiments aussi intimes à quelqu'un depuis la mort tragique de Niño Patiño. C'était comme si les souvenirs de sa mémoire argentine l'attendaient dans les yeux grands et obscurs de cette locataire qui, à défaut de lui payer un loyer, se penchait au moins sur les lignes de sa main pour y lire son exil. Peut-être parce que c'était dimanche, et que sa famille rapetissait comme une peau de chagrin, il abandonna encore un peu plus sa main avec le secret désir de se perdre dans la toile d'araignée d'intuitions tissée par Telma. Pendant un instant, il sentit que donner sa main à Telma, c'était comme la remettre au destin. Livre de chair et de sang, Paul s'ouvrait aux yeux d'une femme qui, faute d'argent, lisait dans le vécu des gens. Il parla sans s'arrêter en un flux où le passé, le présent et le futur faisaient corps avec la mémoire. Des images en espagnol, de l'espagnol de son enfance, parfois âpres et dures, des images d'une mère ailleurs, sur les rails à l'heure du dernier train qui l'efface du paysage, et qui laissent une dépouille dont personne ne veut, *Pablo, parce que, rappelle-toi, tu n'as jamais enterré Anna.*

— Son corps a été ramassé morceau après morceau, par des gens avec des gants qui les déposaient dans des sacs en plastique noir.

— Ça, tu ne l'as pas vu, Pablo, on te l'a rapporté par la suite.

— Appelle-moi Paul, comme tout le monde. On m'a empêché d'aller la voir.

— Ce n'était plus un corps, toute forme humaine ayant disparu, Paul-comme-tout-le-monde.

— Je cherchais le visage de maman au milieu des débris que j'imaginais éparpillés au delà de la cour, là-bas, entre les voies du chemin de fer.

Il avait cru pouvoir traverser le deuil avec un masque de carnaval, d'estivant imperturbable, mais voilà qu'il comprenait sa méprise, car Anna, la vraie Anna, ne l'avait jamais quitté.

Alors Telma le regarda avec tendresse, puis elle dit :

— Bien avant que tu ne frappes à ma porte, il a fallu que j'allume de l'encens pour chasser l'haleine de mort qui te précédait.

— Il n'y a pas de désodorisant contre la mort, Telma.

— Il est temps que tu te taises afin que je puisse te dire quel sera ton passé dans quelques années.

— Je croyais que tu lisais l'avenir, dit-il sur un ton moqueur.

— Je ne lis que le passé. Le futur est juste la rencontre avec le passé. Le futur est toujours passé, Pablito, c'est pour ça que je peux le lire. Puis notre paix ne vient pas de ce que nous ferons, mais de ce que nous avons fait avec ce qui sera.

— Tu es une locataire trop intello, Telma, je ne te comprends pas, fit-il, un sourire triste à la bouche.

Telma sourit à son tour tandis qu'il en profitait pour lui serrer la main dans un geste dont la signification demeura en suspens.

Telma prétendait qu'il n'y avait rien à manger chez elle mais, en un clin d'œil, des plats surgirent, épicés, préparés comme par enchantement. Était-elle une sorcière de cuisine, cette fille mince à la poitrine lourde et probablement brune tout comme son visage où le sang espagnol camouflait à peine les traits indiens ? Ils burent une boisson dans laquelle macéraient des tranches d'agrumes et des morceaux de pommes que la Péruvienne se garda d'appeler *sangría* car, précisa-t-elle, le vin rouge y avait été remplacé par une mixture dont l'origine remontait à sa grand-mère. De cette grand-mère-là, il serait d'ailleurs question plus tard lorsqu'elle ouvrirait son cœur au voyageur venu du Nord. La musique, elle aussi, venait d'ailleurs. La flûte des Andes s'y taillait la part du puma. Ce fut avec une certaine tristesse que le regard de Paul fixa la poitrine de sa locataire penchée sur une table basse en bois clair. Décidément, ils avaient grossi, ces seins dont la turgescence retenait lascivement l'attention du visiteur. C'était la première fois que la mélancolie ne l'empêchait pas de bander. Et ne fût-ce que pour cela, le verre haut, il proposa un toast. *Je suis content de te revoir, Telma de San Telmo, si fringante et si vivante alors que le deuil prospère* as usual *sur les trottoirs de Buenos Aires*, murmura-t-il, surpris par l'audace soudaine de ses propres mots.

À partir de là, la nuit se fit intime tandis que de grosses gouttes tambourinaient à la fenêtre. Le breuvage concocté par sa locataire, à défaut d'alcool, devait contenir une certaine dose d'alcaloïde, car très vite il lui monta à la tête. Comme si de rien n'était, faisant même semblant que tout ça coulait de source, il laissa sa main traîner jusqu'à la poser délicatement sur le sein gauche de Telma, là où les battements du cœur rendaient le galbe encore plus arrondi.

— Pourquoi faut-il que tu insistes, à chacune de tes visites, pour me faire l'amour, alors que tu sais que je ne suis pas une femme pour toi? s'enquit-elle sans amorcer le moindre geste pour chasser la main coquine du visiteur.

— Je persisterai aussi longtemps que tu ne te seras pas acquittée de la dette que tu as envers moi, dit-il sur un ton mi-goujat, mi-moqueur.

— Faudra-t-il que je lise mes propres mains pour savoir si un tel événement risque un jour de se produire?

Les lèvres humides de la jeune femme brillaient sous la lampe du petit salon.

Alors, tout à coup, il l'embrassa sur la joue en guise de réponse.

— Tu ne me feras pas jouir, Pablo, parce que tu es en deuil, et on ne peut pas faire l'amour à une femme avec un cercueil sur le dos.

— Papa est mort, Telma, et il n'y a plus rien à dire, fit-il en retirant sa main de la poitrine dont il convoitait et la tiédeur et le parfum de cannelle que l'échancrure de son corsage laissait échapper comme une promesse de bonheur.

— Un père ne meurt jamais, Pablo, sa voix saura toujours te retrouver.

Il ne dit rien pendant quelques secondes, puis, avec l'accent de quelqu'un qui a du mal à se retrouver dans le labyrinthe du deuil, il s'exclama:

— Je le tuerai jusqu'à ce qu'il meure.

Telma le regarda sans souffler mot. Un sourire ironique s'insinua entre ses lèvres fines de Liménienne habituée aux mensonges des hommes.

— Il ne m'a rien laissé, le salaud, presque rien, quelques dollars américains, paraît-il, dans une lointaine province, et des exigences testamentaires que je devrai respecter au cas où je voudrais les empocher. Voilà mon héritage, Telma. J'y vais ou je n'y vais pas, *that's the question*, reprit-il d'une voix désenchantée.

Telma de San Telmo reprit la main de son proprio pour la balayer encore une fois de ses grands yeux noirs de sorcière du tiers-monde, de femme marginale experte dans l'art de transformer le quotidien en épices et sangrías aphrodisiaques. Ses cheveux noirs, eux aussi, étaient des essaims de deuil sur les avant-bras de Paul. *Pablo, papa, vois-tu, bat ici et là, comme un tambour que la nuit frappe, mille et mille fois, jusqu'à ce que mort s'ensuive.*

— Tu te rendras dans cette lointaine contrée, Pablo, mais pas exactement pour l'argent, augura-t-elle.

— Tu dis n'importe quoi, Telma. Tu ferais mieux de te trouver un travail, comme ça tu aurais les deux pieds sur terre et tu comprendrais qu'il n'y a que l'argent qui déplace les gens.

— Je te répète que tu iras là-bas, et que non seulement tu ne toucheras pas un sou mais que tu y perdras jusqu'au dernier.

La voix de Telma de San Telmo était trop douce pour qu'il la prenne au sérieux. Alors Paul opta pour un sourire amusé.

— Tu es folle. Je ne resterai ici que deux semaines, puis je repartirai pour Montréal et Ottawa comme d'habitude. Au Nord, où j'habite, les gens travaillent, Telma, dit-il avec sarcasme.

En silence, et avec la douceur extrême des femmes que le franchissement des frontières a blessées, elle détourna son regard pour fixer la nuit à travers la fenêtre du salon.

Il se présenta le lendemain chez la veuve, dont la maison, grande et cossue, rappela au fils encore une fois la fortune du défunt. Pourquoi l'avoir négligée à ce point, cette fortune, qui, après tout, lui revenait ? Pourquoi avoir affiché pendant tant d'années une indifférence aussi marquée à l'égard d'un patrimoine qui fait toujours corps avec la dépouille d'un père ? Le quartier huppé dans lequel Rafael Escalante avait vécu ses dernières années ne connaissait ni les bruits ni les mendiants de Buenos Aires, tout y était passé au philtre d'une sélection par l'argent. C'était donc l'argent qui, en *Argent-Inn*, se taillait la part du lion. *Dis-moi où tu habites et je te dirai qui tu es.* C'était comme ça depuis qu'il était tout petit. *Où habitent tes parents ?* C'était la première chose qu'il se faisait demander en franchissant le seuil de la porte lorsqu'il était invité chez un camarade de classe.

Elle était là, dans le salon, accrochée à sa voix grave comme un aigle sur un piton rocheux du haut duquel il guette sa future proie. Paul comprit tout de suite que la mort de son père, loin de lui couper l'herbe sous le pied, n'avait fait que la rendre plus coriace. Voilà ce qu'il pensait, en tout cas, incapable de pénétrer le deuil qui était le sien. Et puis, pourquoi aurait-il eu pitié d'une femme qui, plus que toute autre, avait tiré profit au maximum du défunt ?

— Tu aurais pu me passer un coup de fil avant de venir, dit-elle.

— Pourquoi ? demanda-t-il d'une voix faussement naïve.

— Je me serais débrouillée pour ne pas être là.

— Je croyais que tu attendais une réponse de ma part.

— Le téléphone aurait suffi, dit-elle d'une voix qu'il trouva beaucoup trop vive pour une veuve de fraîche date. Je n'attends plus rien de toi, Paul.

Il garda le silence comme à l'époque où il habitait à Mar del Plata, et que Leda, cette Cubaine aux hanches généreuses dont son père s'était entiché sans rime ni raison, parlait à tort et à travers afin d'être toujours l'objet d'attention du maître de maison.

— Tu es venu pour parler argent, n'est-ce pas ? l'interrogea-t-elle de but en blanc.

Il la regarda avec une expression de tristesse dans les yeux. Elle s'était mise debout et ses cheveux en liberté sur ses épaules étaient blancs de fumée. Derrière elle, à travers la fenêtre du salon, il vit la pergola sous laquelle son père aimait prendre le maté après la sieste. Une lumière grise écrasait des plantes rigoureusement taillées en rang d'oignons. Il songea à Anna en se demandant s'il ne l'avait pas rêvée. Une mère comme elle, ça ne peut pas exister, voyons, Anna Lambert, la Québécoise, n'était plus qu'un cauchemar, un ramassis d'images tordues, alambiquées, sanguinolentes, que tout le monde voulait jeter aux oubliettes.

— Tu as peur que je réclame mon dû, voilà pourquoi tu adoptes cette attitude hostile à mon égard. L'attaque est la meilleure défense, n'est-ce pas Leda ?

Il parlait d'une voix lasse, avec l'impression bizarre d'avoir déjà vécu cette scène. Peut-être parce que son imagination avait anticipé ce dialogue, il ne ressentait plus le désir de le poursuivre. Après tout, les restes du défunt auraient au bout du compte la vermine comme dernière et unique héritière.

— Je ne te demande rien, Leda, mais je ne te dois rien non plus.

— Il t'a donné la vie, mais tu n'es pas venu à l'heure de sa mort. Voilà tout.

— Tu n'as pas besoin de me culpabiliser, Leda, pour garder l'argent de mon père.

— Tu cherches encore une fois à te défiler, constata-t-elle avec amertume.

Il ne répondit rien.

— Ta décision de faire la sourde oreille à l'appel de ton père sur son lit de mort est un crime qu'il te faudra payer, Paul, tôt ou tard. Personne n'échappe à sa conscience. Te connaissant, je te dis que tu seras ton propre bourreau.

Puis elle se tut tandis que des larmes ruisselaient sur ses joues, ou peut-être pas, difficile à dire, car la fumée épaisse de son cigare la protégeait du spectacle pénible de ceux qui ne peuvent ou ne veulent pas contrôler leur douleur en public.

— Je suis venu pour que tu me donnes le nom et l'adresse de la personne qui a des informations pour moi.

La voix de Leda s'éclaircit soudainement comme si elle avait attendu cette phrase-là pour cesser de pleurer.

— Il s'appelle Remigio Quispe, et il habite à l'angle de Corrientes et Suipacha. Tu trouveras son numéro de téléphone dans l'annuaire, dit-elle.

Avant même de quitter la maison de sa belle-mère, Paul voyait l'appartement de Telma comme le seul refuge possible après une décision qui l'ébranlait de fond en comble.

— Parle-moi de Leda, Telma, dis-moi ce qu'elle a dans le ventre, l'implora-t-il.

Assise à ses côtés, l'immigrée le regarda avec une sorte de pitié avant de se pencher sur les mains grandes et striées de veines du visiteur.

— Peu de femmes ont aimé autant qu'elle. L'intensité que je perçois vient de très loin et n'a pas de fin, elle continuera dans d'autres corps, elle se reproduit à l'instant présent.

— Tu veux dire qu'elle ne ment pas quand elle parle de papa ?

— Elle peut mentir mais pas son corps.

— Ne commence pas avec tes énigmes, parle-moi avec clarté si tu ne veux pas que j'augmente le prix de ton loyer, plaisanta-t-il d'une voix faussement sévère.

— On ne badine pas avec l'amour, Pablo, surtout pas quand je suis en transe, chose qui m'arrive de moins en moins souvent, d'ailleurs, faute d'un ventre dûment rempli, j'imagine.

Il demeura silencieux en écoutant la voix grave de cette éternelle étrangère, perdue dans l'hiver de San Telmo, lui annoncer que Leda, sa belle-mère, n'avait que vingt-quatre mois de vie devant elle.

— Sept cent trente jours, c'est beaucoup et peu de temps à la fois. Quand on est femme, c'est peu pour faire rejaillir le désir d'un corps calciné, et c'est beaucoup pour rejoindre le feu qui l'a embrasé, précisa-t-elle d'une voix douce et monocorde.

Paul ne crut pas Telma sur le coup. Pour lui, Leda était immortelle tellement elle lui avait toujours paru d'une force que rien ne remettait en cause.

— Je crois que sa douleur de veuve n'est qu'un simulacre, marmonna-t-il entre ses dents.

— Tu dis ça parce que tu as toujours aimé de l'extérieur, Pablo, en t'appuyant sur les murs, comme si tu avais peur de te casser la gueule.

Il faisait nuit, et le froid se faufilait à travers les fenêtres.

— Tu n'as pas mis le chauffage ?

— On m'a coupé le courant hier. Avant de payer les factures d'électricité, je dois d'abord remplir mon garde-manger, ne serait-ce que pour nourrir mon proprio, sinon de quoi est-ce que j'aurais l'air ?

Elle se leva puis revint avec un cierge dérobé probablement dans une des églises du quartier. Tout à coup spectral, son visage paraissait se détacher du tronc jusqu'à toucher le plafond. Assis sur un coussin à même le sol, Paul l'observait en contre-plongée en se demandant dans quel film d'épouvante il avait déjà vu un visage comme le sien :

— Je crois que si Leda te voyait, elle rendrait l'âme bien avant les deux ans de vie que tu lui donnes, fit-il avec une pointe de moquerie.

— Tu me trouves si moche que ça ? demanda-t-elle, quelque peu vexée.

— T'es pas si moche que ça, Telma, mais tu fais peur.

— C'est le propos le plus galant qu'on m'ait adressé depuis bien longtemps. Ce n'est pas ça qui va me donner envie de te payer le loyer que je te dois, tu sais.

— Les hommes ne doivent pas trop te draguer, n'est-ce pas, Telma ?

— Pourquoi tu dis ça ?

— Parce qu'un homme ne demande pas qu'on le lise mais qu'on l'aime. Voilà pourquoi.

— Je ne suis pas née pour être analphabète en amour, dit-elle en regagnant sa place à côté de lui.

Il sentit de nouveau le contact de ses mains tout en éprouvant le sentiment qu'il pouvait y abandonner l'inquiétude qui lui collait à la peau depuis sa dernière rencontre avec Leda.

— Dis-moi qui est Quispe et ce qu'il peut bien vouloir de moi, la pria-t-il, incapable de cacher son anxiété.

— Je n'ai pas besoin de lire les lignes de tes mains pour te le dire.

— Pourquoi ? s'écria-t-il, surpris.

— Je le connais personnellement. C'est un homme de Cuzco, qui s'est exilé ici quand sa fille a été assassinée au Pérou.

— Et quel est le rapport avec mon père ?

— Je sais qu'il travaillait pour le marché du sucre. J'ignore ce qu'il fait à l'heure actuelle.

Tout en feignant de n'y être pour rien, il se débrouilla pour que sa main glisse jusqu'à toucher l'une des cuisses de la fille. Les yeux fermés comme si le sommeil avait eu raison de ses craintes et de ses scrupules, Paul se laissa aller dans un geste qui aurait au moins le mérite, songea-t-il non sans humour, de réduire la dette qui le séparait de Telma.

Remigio Quispe de Assín y Fresia était un sexagénaire aux cheveux argentés, portant une bague en or massif à l'annulaire droit, et un nez busqué aussi hybride et sonore que son nom. Il parlait d'une voix flûtée et artificielle de poupée Barbie. Niché à un septième étage à l'angle de Corrientes et Suipacha, son appartement aux murs blancs contrastait par son dépouillement avec l'élégance recherchée et guindée du personnage. Avec beaucoup d'espace entre les meubles, les lieux dégageaient une froideur monacale. C'était à se demander si Remigio Quispe y habitait vraiment.

— Vous êtes donc le fils de Rafael Escalante, dit-il comme s'il avait besoin de se persuader lui-même que ses yeux ne lui jouaient pas un mauvais tour.

Rien n'embêtait davantage Paul que d'être le fils de quelqu'un. Combien de fois avait-il souhaité être plus vieux que son père, plus vieux en mélancolie et en expérience, afin de le regarder enfin avec tendresse ?

— Vous êtes donc le père de la fille qu'on a tuée au Pérou.

Bien des années après cette rencontre, Paul ne comprendrait toujours pas ce qui l'avait poussé à lâcher cette phrase comme ça, tout à coup, sans ménager son interlocuteur qui, visiblement mal à l'aise, rétorqua :

— Comment savez-vous qu'elle a été tuée ?

— Telma, la Péruvienne qui habite à San Telmo, me l'a dit, fit-il, gêné.

— Je vois qu'en plus d'être le fils de Rafael Escalante, vous fréquentez des sorcières.

Remigio Quispe, ayant repris du poil de la bête, fixa le voyageur avec un petit sourire sarcastique.

— Je fréquente des êtres humains, indépendamment de l'étiquette qu'on peut leur coller dessus.

— Je ne suis pas sûr que Telma appartienne à notre propre espèce.

Quispe ne riait pas, mais quelque chose en lui rigolait ouvertement. À le regarder de près, Paul songea que c'était son nez : aquilin, rapace, à cheval entre deux sangs. Alors l'image du corps nu de Telma refit surface dans sa mémoire, et il la revit se lever, après l'amour, dans l'obscurité du salon pour aller chercher une couverture. L'appartement s'étant refroidi encore un peu plus pendant la nuit, elle n'avait pas voulu que son propriétaire attrape un rhume qui aurait augmenté la dette contractée à son égard.

— Ceux qui sont trop humains, nous les voyons comme des Martiens, dit-il comme s'il se parlait à lui-même.

Un sourire cynique traversa le visage cuivré de Remigio Quispe. Paul se rendit compte alors qu'ils ne seraient jamais amis.

— Est-ce pour me parler de l'humanité de Telma que vous vous êtes donné la peine de venir chez moi ?

— Je suis venu pour connaître les dispositions de mon père dans son testament.

Quispe sourit encore une fois, sa manière probablement de se dérober au dialogue. Qui était ce petit bonhomme étrange à qui son père avait fait confiance au moment d'écrire ses dernières volontés ? Paul regrettait que Telma n'eût pas jugé nécessaire de lui en dire plus sur son compte. Le titre d'avocat qui figurait à côté de son nom à l'entrée de l'immeuble l'inquiétait aussi.

— Il y a un certificat en dollars américains que vous pourriez toucher au cas où vous feriez le voyage.

— Un certificat ?

— À taux fixe et en monnaie étrangère afin qu'il échappe
à l'inflation qui gruge toutes les économies dans ce foutu
pays. Il faut voyager pour toucher ces billets verts.

— Voilà donc pourquoi je suis venu.

— Non, vous n'êtes pas venu pour faire le voyage. Vous
êtes venu pour me voir, et décider ensuite si ça vaut la peine
d'entreprendre le déplacement.

— Et ça vaut la peine ?

— Si votre héritage vous intéresse, et que vous êtes prêt à
vous conformer aux clauses établies dans le testament, la très
lointaine ville de Tucumán, au nord-ouest de Buenos Aires,
pourrait être votre destinée.

— Un certificat à taux fixe n'est pas un héritage, juste un
papier donnant accès à d'autres papiers qui ne m'ont jamais
empêché de dormir, aussi verts soient-ils.

— C'est ce que je vois dans vos yeux, et voilà pourquoi
je me demande si vous êtes homme à faire le voyage à
Tucumán.

C'était un samedi avec un arrière-goût d'amour vénal et
de caniveau provoqué par le désir qu'éveille la croupe populaire dans les quartiers où le chômage et le désœuvrement
prostituent les jeunes filles en fleur. Incapable de se tenir
tranquille, curieux impénitent, Paul usait les semelles de ses
souliers (c'était ce qu'il savait faire de mieux) dans l'espoir,
quelquefois exaucé, de déboucher sur une voix de femme.
Depuis une bonne heure, il marchait vers San Telmo tout en
s'égarant parfois pour se retrouver au détour d'un coin de rue
quelconque. En parcourant des rues et des places, il observait
la démarche délurée et lascive de certaines filles dont le
manque de ressources matérielles ne les privait pas pour
autant d'imagination au moment de montrer leur seul bien
sur terre, soit un beau cul bien frétillant en dépit de la misère
environnante, et un brin de provocation dans la manière de le
trémousser.

— Je pensais que tu ne viendrais pas, fit Telma, la voix
étouffée par un masque de carnaval rapporté de son dernier
séjour au Pérou.

Amusé, le visiteur s'esclaffa :

— Je comprends pourquoi on te prend parfois pour une sorcière.

— Si j'étais une sorcière, mon escarcelle serait moins vide, dit-elle en ôtant le masque.

Des cierges d'église volés brûlaient aux quatre coins du salon. Il y avait une bouteille de vin rouge, et du fromage de chèvre bien entamé sur un gros dictionnaire par terre. Tout semblait attendre Paul, mais en lui signifiant en même temps qu'aucun effort spécifique n'avait été consenti en son honneur. Il n'eut pas besoin de regarder de près l'étiquette de la bouteille pour savoir qu'il s'agissait d'un vin de table ordinaire. Bien qu'il ne s'attendît pas à un grand cru de Bordeaux, pour une locataire qui ne payait pas son loyer, il trouva tout de même qu'elle aurait pu y mettre un peu du sien. Mais ce soir-là, le désir était bien plus grand que le malaise qu'il éprouvait face à cette dette qui s'accroissait de mois en mois.

Lorsqu'ils s'assirent côte à côte, il lui prit la main, un peu comme elle l'avait fait pour lire entre les lignes ce futur que les hommes cachent dans leur passé.

— J'aime sentir ta peau contre la mienne à l'heure où la lumière s'estompe et où le derrière des filles monte à la tête comme un vin chaud, dit-il.

— J'aime ta voix d'homme quand elle sort sans fausse pudeur et trempe dans les ruelles avant de se joindre à la mienne. Tu as bien fait, en revanche, de ne pas t'arrêter à parler avec celle qui t'a fait les yeux doux depuis le seuil de sa porte parce qu'elle a un herpès qu'elle se garde bien de montrer à ses amants d'occasion.

Paul avait fini par prendre goût à l'humour divinatoire de la fille. Ses prédictions ne manquaient pas du sel sans lequel même la vérité la plus noble ne produit que de l'ennui.

— Puisque tu es capable de dépister un virus vénérien sur un seuil de porte anonyme sans faire un pas en dehors de ta maison, dis-moi ce qui m'attend à Tucumán, au cas où je déciderais de m'y rendre, la sollicita-t-il avec ironie.

— Pourquoi me demander ce que tu sais déjà ?

Le sourire s'éteignant sur les lèvres de Telma, il comprit que l'éventualité de cette séparation ne plaisait guère à la fille.

— Je n'ai jamais mis les pieds dans ce coin perdu ; je crois savoir que mon père ne s'y rendait qu'en raison de son travail.

Telma prit le litron de gros rouge et remplit à ras bord deux verres de plastique qui traînaient par terre.

Après une bonne gorgée, le regard droit comme si elle ne parlait à personne, Telma emprunta allègrement sa voix de pythonisse de pacotille :

— Tu finiras par t'y rendre, c'est tout ce que je peux te dire. Le reste appartient au chemin. C'est lui et lui seul qui parlera en temps et lieu.

— Pourquoi ? Pourquoi dois-je m'y rendre ?

— Ce n'est pas tout à fait l'appât du gain qui t'y amènera en fin de compte. Je suis bien placée pour le savoir, moi qui profite de ta générosité. D'ailleurs, tu as raison de ne pas trop t'intéresser à l'argent de ton père, car il se peut fort bien que tu ne le touches jamais, comme je te l'ai déjà annoncé.

— Alors, pourquoi diable aller à Tucumán ?

Il y eut un silence, puis la voix un peu traînante de Telma retentit encore une fois :

— Parce que le mort t'appelle.

La compagnie de Telma devint importante pour lui. Ignoré par Leda malgré son retour à Buenos Aires, il avait le sentiment d'être un paria, quelqu'un en tout cas dont la présence n'était plus souhaitée. *Persona non grata*, en somme. L'attention avec laquelle Telma écoutait ses plaintes et ses inquiétudes le réconfortait. Ses visites à San Telmo étaient devenues quotidiennes. À la tombée du jour, il se rendait chez elle avec l'espoir de savoir enfin ce qui l'attendait au bout de son voyage, au cas où il se déciderait finalement à l'entreprendre.

Un dimanche en fin d'après-midi, il retrouva Telma, le regard ailleurs, assise sur le seuil de l'immeuble. Il l'embrassa sur les deux joues, à la québécoise, et s'assit à ses côtés. Puis il garda le silence, décidé cette fois-ci à ne pas l'interroger sur son avenir incertain d'héritier. Après tout, vouloir à tout prix savoir ce que le temps nous réserve est une forme de lâcheté, un désir puéril de nous mettre à l'abri des surprises. Outre le fait que l'obsession du futur, obsession de mort finalement, négligeait le présent dans lequel vivaient des gens comme Telma dont il ignorait à peu près tout, excepté la pauvreté manifeste qui l'entourait. Sans rien dire, silencieux comme un couple qui aurait tacitement décidé de regagner l'intimité dans laquelle il se plaisait, Telma et le voyageur montèrent l'escalier menant à l'appartement. À la grande surprise de Paul, le vin rouge qui les attendait au beau milieu du salon était un Cafayate de qualité supérieure. Voyant la bouteille passablement entamée, il prit l'initiative d'en remplir deux verres avant que le délicieux nectar ne s'évaporât complètement. Après un toast murmuré du bout des lèvres, la voix grave de Telma refit surface. Avant ce toast, elle avait célébré le décès d'une ancienne ennemie de sa famille. Le récit de l'immigrée allait lui donner la chair de poule. Elle raconta que, vers midi, les premiers signes d'une visite posthume s'étaient manifestés dans la maison. Un bruit sourd avait précédé l'apparition d'un souffle de chair et d'os qu'une tige de poussière torsadée maintenait en suspens entre plancher et plafond. Agapita Reyes, ensorceleuse de son état, venait enfin rendre compte de sa conduite passée afin d'exaucer la volonté de vengeance que la grand-mère de Telma avait exprimée à son égard. À l'âge où les enfants commençaient à se préparer pour leur première communion, Telma avait dû assister à l'enterrement d'une mère qu'un processus foudroyant de décomposition avait précipitée dans le tombeau en l'espace de quelques jours. La puanteur que dégageait le cadavre avait provoqué le vide autour de lui et rendu la cérémonie des adieux d'autant plus triste. Seule avec sa grand-mère, Telma s'était fait promettre que, un jour, elle, sa petite-fille, verrait l'ensorceleuse traîner comme une âme en peine avant de se transformer en poussière. C'est donc ainsi que la Péruvienne avait assisté d'un regard froid au dernier râle de ce rebut du passé. Quoique Paul attribuât ce récit pour le moins excentrique à l'excès d'alcool, il n'en demeurait pas moins que Telma venait de lui révéler d'elle une absence de miséricorde qui refroidit quelque peu ses ardeurs.

Une nuit, après avoir fait l'amour, Telma l'invita à rester auprès d'elle plutôt que de retourner à l'hôtel. Le carillon d'une église voisine venait de sonner vingt-trois heures et l'idée de partager le lit de fakir d'une seule place de la fille ne plaisait pas particulièrement au visiteur.

— Demain, il fera beau. Je voudrais qu'on fasse une promenade du côté des quais, proposa-t-elle.

Le lendemain matin, un soleil radieux confirmait les pronostics de la Péruvienne. Paul, bien reposé en dépit de ses appréhensions, s'était réveillé agréablement collé au dos de Telma, dont la tiédeur lui transmettait une agréable sensation de complétude. Contre toute attente, la journée commençait bien pour lui. Convaincu que rien ne justifiait à présent qu'il quitte le lit, il laissa traîner ses mains gourmandes sur la peau brune et lisse de la fille. Pourtant, il avait beau multiplier les caresses, sa locataire ne semblait pas du tout souscrire à l'idée saugrenue selon laquelle un homme et une femme qui dorment dans un même lit partagent *a priori* un désir commun. À ses dépens donc, il apprit que Telma n'écartait ses cuisses que lorsque le cœur y était.

Le café, silencieux et noir, fut agrémenté de croissants que la locataire servit avec du miel, comme pour se faire pardonner son refus d'obtempérer au désir matinal de Paul.

Ils descendirent dans la rue. C'était la première fois qu'il sortait en public avec elle. Il observa de biais le profil aquilin de la métisse sans maquillage et mal fagotée, étrangère de la tête aux pieds. Alors, tout à coup, il eut honte en songeant que cette fille marginale qui se tenait à ses côtés était devenue sa maîtresse.

Elle dit avec le calme de quelqu'un qui glisse sur le côté mesquin des choses :

— Trois fois, comme Judas, tu me renieras, Pablo. Il n'en manque plus que deux.

Il rougit.

— Arrête de lire ce que je pense, je ne renie jamais les femmes avec qui je couche, bredouilla-t-il, mal à l'aise.

— Alors ne pense pas ou, mieux encore, pense un peu moins fort.

Ils rirent ensemble, et l'atmosphère se détendit.

Les premières rues avaient la tristesse anonyme des quartiers habités par une pauvreté en uniforme. Habillés à la même enseigne, ses habitants se fondaient dans une grisaille commune qui effaçait leurs traits.

— La misère frappe dur ici, commenta-t-il en serrant les mâchoires.

— À force de penser, tu as oublié de regarder, Pablo. Tu ne sais pas ce qu'est la misère. Laisse-moi te donner mes yeux d'enfant pour que tu la voies, corrigea-t-elle avec un certain agacement.

Ils prirent un autobus qui les déposa sur la Costanera, au bord du Río de la Plata. Une odeur âcre montait des quais. Le vent agitait les très longs cheveux de la fille. Il pensa à une araignée renversée dont les pattes se refusaient à reconnaître sa chute. Pourtant, pour lui, Telma occupait le bas de l'échelle sociale ; sans travail, dépourvue de diplômes, à la merci des crises économiques qui secouaient fréquemment la société argentine, elle ne pouvait voir le monde qu'à la hauteur d'un paillasson.

Elle choisit le banc public le plus abîmé, le plus moche aussi, comme pour s'assurer que personne ne viendrait interrompre son récit. Elle s'y assit, les yeux rivés au large. Un paquebot traversait l'horizon avec une lenteur d'escargot. Paul prit place à ses côtés. Alors elle lui prêta ses yeux, et il la vit enfin, à treize ans, un point à peine perdu sur ce chemin de terre et de déchets qui lèche les montagnes de Lima jusqu'à toucher ce chancre nommé *barriada*, bidonville. De la tôle ondulée, des panneaux d'aggloméré, du carton-pâte pour boucher les trous abritaient des centaines de familles qui devaient s'attacher avec des tuyaux d'arrosage volés pour ne pas dévaler la falaise les jours de tremblement de terre. Il la vit en route vers sa maison de fortune, pieds nus, ses cheveux de jais encore plus longs qu'aujourd'hui. Suivi par des chiens errants, il entra avec elle dans l'obscurité du conglomérat de débris qui lui tenait lieu de foyer. Le corps de la mère de Telma se décomposait dans un coin. Il pourrissait à vue d'œil depuis quelques jours. Des essaims de mouches vrombissaient autour de la gisante. L'enfant traversa la puanteur de l'air tout en sortant une poignée de pièces de monnaie que des mains charitables avaient laissées tomber dans sa casquette usée de mendiante de la rue. Mais la malade ne les compta pas parce que ses yeux, grands et noirs comme ceux de sa fille, ne s'intéressaient plus à l'argent. Originaire d'un petit village de la cordillère des Andes, elle cherchait probablement à y retourner avant que le pourrissoir qu'était devenu son corps ne l'en empêchât à tout jamais. Impuissante et assommée par cette vision d'enfer, l'enfant, sans savoir trop ce qu'elle faisait, déposa ces espèces sonnantes et trébuchantes sur le ventre infect de sa mère. La mort bavait sur le seuil de leur porte et la jeune Telma se retrouvait seule, chassée par des voisins qui craignaient un début de peste. Cela faisait deux jours que sa grand-mère était descendue en ville chercher un médecin afin d'arrêter ce mal étrange qui corrompait le corps de sa fille. Le service des urgences où elle se présenta n'avait qu'un seul praticien, et autant de patients que l'on comptait de maladies dans le monde. La préposée à l'accueil afficha un sourire ouvertement cynique lorsque la grand-mère de Telma pria humblement qu'une ambulance fût envoyée sur la colline où s'entassaient les immigrés qui venaient des hauts plateaux. Et devant l'insistance de la vieille femme, elle dit que si les urgences à Lima étaient engorgées, c'était à cause des gens comme elle qui, au lieu de rester avec leurs lamas dans les montagnes, venaient infecter la capitale. Bien que de longues années de dialogue avec les esprits de ses ancêtres aient fait d'elle une femme sereine, la grand-mère de Telma ne put s'empêcher de gifler l'insolente. On appela les flics, et la grand-mère fut jetée sans ménagement au fond d'un cachot. Dans l'étroitesse pestilentielle de sa prison, la vieille femme finit par comprendre que sa fille avait été victime des agissements démoniaques d'Agapita Reyes, femme dont la jalousie exacerbait sa tendance à écourter le séjour sur terre de ses rivales. Blandón el Tierno, le fiancé poète de l'ensorceleuse, se plaisait à faire l'éloge de la beauté de la mère de Telma. En vain avait-on expliqué à la sorcière que cette mère célibataire demeurait sourde à l'inspiration de Blandón el Tierno, occupée qu'elle était à améliorer le sort de sa famille.

. Après l'enterrement de sa fille, la vieille femme déménagea sans jamais oublier qu'un jour Agapita Reyes devrait rendre compte de ses actes. Privée d'arbres, la falaise où elle avait élu domicile regardait la ville avec la morgue d'une ancienne aristocrate dépossédée de tous ses privilèges. La nuit, observé depuis le sommet de cette misère hautaine, Lima brillait comme une étoile abîmée. Parfois, quand le vent arrachait leur frêle toiture, l'enfant demandait à la grand-mère de l'emmener là où habitaient les lumières.

— Ma petite Telma, ce n'est pas parce que nous n'avons pas d'électricité qu'il faut oublier que l'espérance du pauvre est toujours sur des chemins qui montent, répondait la vieille femme.

À force de ne voir le monde qu'à partir de ses restes, l'enfant comprendrait un jour que la précarité, au cas où elle ne la tuerait pas, pouvait se transformer en source d'énergie.

Assise face au fleuve, sous un ciel rayonnant, Telma-enfant et Telma-femme jouaient à reconfigurer un itinéraire pour que Paul vive avec elle ce passé qui n'avait jamais cessé de la hanter.

Alors il dit d'une voix nouée par l'émotion :

— Je suis vraiment désolé de m'être toujours rendu chez toi en aveugle. Merci de m'avoir prêté tes yeux pour que je te voie.

Il éprouva le contact tiède et amical de la main de Telma caressant sa joue.

Elle dit :

— Le désir est aveugle, Pablo, voilà pourquoi ta main droite ignore ce que fait ta main gauche.

Entre rester à Buenos Aires et entreprendre le voyage à Tucumán, Paul choisit de ne pas choisir. Ce fut Telma, comme à l'accoutumée, qui éclaira sa lanterne :

— Tu finiras par t'y rendre. C'est là-bas, dans cette contrée reculée, que ton père t'a fixé rendez-vous.

— Ne pas choisir, voilà mon choix, Telma, pourquoi faut-il qu'il en soit autrement? C'est la meilleure manière de ne pas me tromper.

Revendiquant les vertus de l'indécision, Pablito, petit escargot des grands espaces américains, se précipita dans une lenteur que l'ironie de l'immigrée ne rendait que plus coupable.

En vain Telma s'efforça-t-elle de lui faire comprendre qu'il perdait son temps à Buenos Aires. Alors il traîna, c'était après tout ce qu'il savait faire de mieux, jusqu'à ce que la voix flûtée et maniérée de Remigio Quispe vienne le rappeler à l'ordre. Ce fut bien entendu Telma qui, en bonne télépathe, la lui fit entendre:

— Remigio Quispe est en train de parler, en ce moment même, avec ta belle-mère. C'est de toi qu'il parle, tu sais, de ton retard, et il dit aussi que la volonté du défunt devrait être respectée.

Penchée sur des voix étrangères, et pourtant si proches, Telma ferma les yeux comme si elle cherchait à ne pas laisser échapper le moindre mot susceptible d'intéresser le voyageur.

Faisait-elle semblant? Se moquait-elle de lui? Le plus étonnant, c'est qu'il la croyait. Il croyait cette immigrée au chômage qui passait sa vie à se perdre en divagations sur la mort des autres.

— Celle que tu appelles Leda, nom qui correspond au désir de ton père et non pas à celui de sa naissance, est assise sur une chaise sombre dont le dossier en cuir arbore l'écusson d'une famille patricienne d'origine espagnole. Elle aimait ça, Leda, que ton père l'entoure de vieux meubles ayant appartenu à des gens de qualité. Quispe la regarde avec des yeux de crapaud amoureux de la lune, mais elle ne veut pas le voir. Depuis la mort de ton père, le désir de cet homme n'a fait que s'enflammer. Il sait que ce qui semblait impossible, il y a à peine un an, devient à présent envisageable. Ça fait longtemps qu'il la convoite, en silence, en coulisses et aux aguets. Il est patient, Quispe, et rusé avec ça. Il n'ignore pas qu'un jour ou l'autre, la veuve, la solitude de la veuve, sera plus forte que son deuil. Voilà pourquoi il se rend serviable. Toujours prêt en cas de besoin. *Vous pouvez compter sur moi, Leda. N'ayez crainte, je connais la manière de passer à travers le dédale des procédures concernant la succession. Reposez-vous sur moi. Vous avez déjà assez souffert, Leda.* Ce sont ses mots que je te rapporte, Pablo, tels qu'ils sortent de sa bouche. Il ignore jusqu'à quel point le cœur de Leda est fermé comme un poing. Ils parlent de ton père maintenant, des derniers jours, quand il attendait la mort, de son espoir frustré de ne pas recevoir la visite du fils lointain, toi, et de cette lente déprise que la mort apporte comme un baume dans ses valises. Mais elle répète que le défunt, jusqu'au bout, a mordu là où son cœur battait. *Même sa mort, il l'a vécue avec passion,* concède-t-il avec le ton mi-figue, mi-raisin de ceux qui éprouvent envie et admiration tout à la fois. Mais Leda, celle que tu appelles Leda — robe onomastique signée par ton père comme tout ce qu'il lui a laissé, je te le rappelle encore une fois —, ne l'écoute plus parce que son corps est sous les arcades face au jardin où il sirotait son maté après la sieste l'été. Cette boisson typique de l'Argentine dont l'ingestion provoque une exaltation des passions de l'âme, selon les paroles d'un tango célèbre, comme tu sais, amarrait ton feu père à un fauteuil à bascule qu'il ne quittait que pour rejoindre le bercement des hanches pleines de sa femme.

Telma rouvrit les yeux. Une tristesse sucrée de pomme défendue s'y lisait, bizarre, très bizarre, songea-t-il sans savoir quoi faire à présent de cette fille qui lisait son avenir à partir d'un passé à jamais révolu. Était-ce cela, le temps, cette drôle de façon qu'avaient les fragments d'une vie de se télescoper dans le regard mélancolique de la femme avec qui il faisait l'amour quand l'occasion s'y prêtait?

Alors il réfléchit à haute voix:

— Tu dis qu'ils parlaient de moi, mais c'est d'eux qu'ils parlent en réalité.

— Parler de ses semblables, c'est une autre manière de parler de soi-même.

— Elle ne me connaît pas, elle n'a jamais voulu me connaître.

— On hait mieux ceux qu'on ne connaît pas.

— Pourquoi me dis-tu qu'elle me hait? demanda-t-il, interloqué.

— Parce qu'elle ne te connaît pas. Elle croit que tu es de la mauvaise graine, comme on dit. Ou disons plutôt que ça l'arrange de croire ça.

Il y eut un silence pendant lequel il s'efforça de comprendre ce que Telma voulait dire. Puis il affirma avec un regain de voix qu'il voulut appuyer en hochant la tête de gauche à droite:

— Je ne l'ai jamais haïe, moi, même si son irruption dans nos vies a précipité la mort de maman.

Telma le fixa sans concession, comme elle faisait lorsqu'elle flairait la mauvaise foi:

— Tu veux dire que tu as préféré contempler son cul plutôt que de faire le deuil de ta mère.

— Il y a quelques années, en effet, j'ai éprouvé du désir pour elle, et ça me fait mal de la voir aujourd'hui fermée comme une pierre.

— Il suffit d'une toute petite goutte par jour pour pénétrer une pierre, Pablo.

— J'accepte mal qu'elle ne puisse pas me voir.

Telma se remit debout tout en projetant ses cheveux en arrière d'un geste lent de la main.

Sa voix grave retentit encore une fois comme une cloche d'église qui rappelle aux fidèles que l'heure de faire pénitence est venue:

— Peut-être qu'il faudrait que tu prennes la route de Tucumán pour qu'elle te voie de nouveau.

III

En dépit de tous les vols transatlantiques accumulés dans le passé, je prends l'avion à mon corps défendant. Et toujours la peur au ventre. J'ignore pourquoi voler provoque en moi ce sentiment dont je ne suis pas fier. Je me rappellerai toujours un vol de Santiago du Chili à Mendoza en Argentine dans lequel, outre le pilote, le vent Zonda faisait partie de l'équipage. Rien ne m'a jamais autant secoué que ce court trajet au-dessus des sommets enneigés de la cordillère des Andes. Tel un cheval ayant perdu contact avec les rênes, notre avion piquait du nez dès que les turbulences devenaient trop fortes, et j'avais l'impression de ne plus avoir de selle sous ma croupe. À califourchon dans le vide, je m'étais sérieusement demandé si ma dernière heure n'avait pas sonné, comme ça, à l'improviste, sans crier gare. Persuadé que le maudit vent Zonda s'était emparé du gouvernail de l'avion, j'avais demandé à l'hôtesse de l'air de distribuer des chapeaux de cow-boy aux passagers afin qu'on périsse au moins comme au cinéma.

Le vol qui m'avait amené à Tucumán n'avait pas trouvé de montagnes sur son chemin ou, alors, elles n'étaient pas assez hautes pour permettre aux Zondas indigènes de monter dans la cabine. De tous les derrières qui avaient épuisé l'étroit couloir de l'avion d'Aerolíneas Argentinas pendant la traversée, un seul avait éveillé mon intérêt de voyageur aux aguets. Il se tortillait langoureusement dans le dos d'une mulâtresse dont la démarche sensuelle avait réussi à suspendre entre ciel et terre ma peur de mourir écrasé sur la crête d'une montagne. Le volume considérable de son cul l'obligeait presque à se déplacer de côté, comme les crabes, afin de ne pas s'accrocher aux sièges qui flanquaient le couloir. De blanc vêtues, ces deux fesses hyperboliques me faisaient toutefois craindre pour l'équilibre de l'avion. J'avais alors chuchoté à l'oreille de mon voisin, qui, lui aussi, semblait l'avoir remarquée, qu'une beauté pareille méritait d'être assise comme une reine magdalénienne au milieu de l'avion, à la place de l'hôtesse de l'air, juste derrière la cabine de pilotage.

Mon voisin, quant à lui, était un de ces commerçants d'origine libanaise capables de vendre la tour Eiffel en pièces détachées. Il apportait dans ses valises un nouveau gadget américain dont il se disait le représentant exclusif pour tous les pays de l'Amérique du Sud.

— Il s'agit d'une carte bioélectronique qui indique le nombre d'années qu'il vous reste à vivre en fonction de l'usure subie par votre organisme.

Le nouveau gadget venait accompagné, selon lui, d'un thermomètre rectal atomique susceptible de détecter les signes avant-coureurs d'un éventuel effritement des fondements de l'Être, comme ça, avec majuscule s'il vous plaît.

Abasourdi par autant d'arrogance technologique typiquement américaine, je m'étais contenté de supputer que les gens, pour la plupart, n'aimeraient probablement pas connaître à l'avance le jour où ils changeraient leur fusil d'épaule.

— Je ne partage nullement votre avis, cher covoyageur, avait-il protesté d'une voix obséquieuse.

Profitant de mon silence, il s'était empressé d'ajouter :

— On calcule à l'avance les naissances, les mariages, les vacances, le moment de la retraite. Ne croyez-vous pas que nos épousailles avec la mort constituent un événement tout à fait digne de figurer sur nos calendriers électroniques ?

Alors, à brûle-pourpoint, je lui avais demandé combien d'années il lui restait à vivre. Sans se départir d'un sourire sournois qui lui collait aux lèvres comme une marque de commerce, il avait répondu :

— Il s'agit d'une information confidentielle, bien entendu, que je ne partage qu'avec mon docteur et certaines de mes maîtresses.

L'humour mercantile de mon voisin avait quelque peu remué mon estomac. Vendre des dates de décès était un projet pervers destiné à créer un peuple de condamnés à mort. Si ce nouveau produit commercial venait à être payé avec une carte de crédit, la métaphore, diabolique et prémonitoire, serait complète : achetée à crédit, notre mort nous coûterait moins cher.

Le taxi m'avait déposé au cœur fumant de la ville désignée par le testament de mon père. Des retraités en colère brûlaient des pneus usagés aux quatre coins de la place principale. Tout autour, des policiers casqués, matraques à la main, repoussaient une foule d'hommes et de femmes que la misère rendait pyromanes et bruyants tout à la fois. Je suis parvenu tout de même à découvrir le nom de mon hôtel non loin de là, Pacífico del Norte, en dépit de la fumée dégagée par le caoutchouc et les échauffourées.

— Ne vous avisez surtout pas de vous y rendre à pied, m'avait averti le chauffeur de taxi.

Peut-être à cause de son ton autoritaire ou parce que, tout simplement, j'avais envie de me dégourdir les jambes, j'étais descendu du taxi avec l'attitude désinvolte de quelqu'un qui ne voulait surtout pas être pris pour un touriste. Je me suis dirigé ensuite vers le centre de la place San Martín, en attendant que les esprits se refroidissent. Au bout de quelques minutes, je me suis demandé ce que je foutais là avec une valise et un petit sac à dos, entouré de tous ces poings fermés dont je ne partageais pas la haine qui les faisait se lever contre le ciel.

En un clin d'œil, j'ai vu ce qu'il fallait voir : le palais du gouvernement provincial, un ramassis de colonnes et de balcons néoclassiques dans un état de délabrement fort avancé, et la cathédrale, dont la construction plutôt bâclée ne remontait qu'au XIXe siècle. Il y avait également une *heladería* aux vitrines décorées de cornets en plastique dégoulinant de crème glacée (elle aussi en plastique) aux différents parfums servis par la maison, un magasin de vente de meubles, Delaporte Hnos, et deux maisons coloniales qui menaçaient de tomber en ruine.

Dès que la fumée eut commencé à se dissiper, ils sont apparus comme des rats en période de peste. Ils ne devaient pas avoir plus de dix ou douze ans. Des cireurs de chaussures qui, pieds nus, se sont mis à arpenter la place de long en large en quête de clients. Une poignée de filles faisait partie du troupeau. En attendant de pouvoir tirer mon épingle du jeu, j'ai confié mes pieds à la première qui s'est accroupie devant moi.

— Comment tu t'appelles ?

L'interpellée a redressé la tête tout en me regardant comme si je venais d'une autre planète.

Cette volonté de prendre soin de ma présence à partir d'un regard étonné d'enfant pour qui la rue est toujours source d'émerveillement m'a touché.

— Luzmila. Ceux qui me connaissent mieux m'appellent Lumy, avec un *Y* à la fin, a-t-elle précisé à ma grande surprise.

— Quel âge as-tu ?

— Douze ans depuis la dernière fois qu'on a fêté mon anniversaire, m'a-t-elle informé tout en cirant mes chaussures avec application.

— Est-ce qu'on ne le fête pas toujours ?

— Des fois, on oublie chez moi, et alors là, j'oublie de vieillir.

J'ignorais si elle se moquait de moi ou si c'était sa manière de captiver mon attention.

— Tu ne vas pas à l'école ?

Elle a fait non avec la tête tout en cirant avec un regain d'énergie.

— Si tu ne vas pas à l'école, quel métier pourras-tu exercer quand tu seras plus grande ?

— Pute, m'sieur, a-t-elle dit en levant ses yeux vers moi.

Son sourire à peine esquissé m'a passablement troublé. Décidément, à force de vivre à l'étranger, j'avais perdu contact avec les idéaux de la jeunesse du pays de mon père.

Lumy avait une voix grave d'adulte au point que je me suis demandé si je n'avais pas affaire à une naine déguisée en cireuse de chaussures. Alors j'ai décidé de changer de sujet de conversation :

— C'est quoi, cette manifestation ? me suis-je enquis en regardant autour de nous.

— Ça fait plus d'un an qu'ils ne reçoivent plus leurs pensions.

— Et pourquoi faut-il que les piétons comme moi, et les automobilistes, payent les pots cassés ?

— On voit bien que vous n'êtes pas d'ici.

Elle avait redoublé d'effort dans son travail, comme si elle cherchait à faire briller le cuir de mes souliers pour l'éternité.

J'ai dit :

— Vas-y doucement, il n'y a pas le feu.

Alors elle a pouffé de rire en s'arrêtant d'un coup :

— Si, justement, a-t-elle rigolé en regardant aux quatre coins de la place.

Puis, elle a demandé :

— Pourquoi est-ce que vous avez mis deux cadenas à votre valise ? Un seul ne suffit pas ?

— Je suis quelqu'un qui fait confiance aux gens, comme tu peux le constater.

— Quel est votre hôtel ?

— Pacífico del Norte.

— Je connais un raccourci qui mène tout droit à la porte arrière de l'hôtel. Comme ça, vous éviterez les retraités qui risquent de mettre le feu à votre valise, malgré ses deux cadenas, a-t-elle proposé.

J'ai failli accepter, mais je me suis ravisé aussitôt.

— Qui m'assure que tu ne vas pas me conduire dans un de ces culs-de-sac où l'on plume les touristes sans crier gare ? ai-je demandé, méfiant.

— Tôt ou tard, vous serez volé, m'sieur, personne n'y échappe ici.

Lorsqu'elle eut enfin fini de cirer mes chaussures, j'ai payé ses services.

Ses cheveux étaient d'un noir si profond qu'ils en avaient des reflets bleutés. Un pull troué, trop grand pour son tronc d'enfant, lui tenait lieu de robe. Par-delà les nuages de fumée qui remplissaient la place, ses yeux paraissaient scruter la géographie secrète de mon désir.

— Je ne fais pas que cirer des chaussures, a-t-elle murmuré en me dévisageant effrontément.

J'ai contemplé mes chaussures que la fumée n'empêchait pas de briller.

— Tu es habile de tes mains, en effet.

C'est alors qu'elle a lâché une phrase dont le souvenir hante encore ma mémoire. Une phrase qui, venant tout compte fait d'une enfant, n'a fait qu'accentuer mon malaise:

— Je me sers aussi de ma bouche, m'sieur, les hommes aiment ça.

J'ai tout de suite compris que, si je la laissais faire, l'intensité de son haleine pouvait être plus forte que tous les feux allumés autour de la place.

Ma voix parvenait encore à se faire entendre en dépit des cris de la foule, mais j'ai senti que, si je ne partais pas immédiatement, quelque chose en moi ferait craquer le masque que je m'efforçais de garder.

— Va-t'en, s'il te plaît. Je suis fatigué et je n'ai plus de travail pour toi aujourd'hui.

Une nouvelle fois, elle a fixé sur moi ses yeux noirs comme deux charbons que rien ni personne ne pourraient jamais éteindre. Puis elle a demandé:

— Et demain?

Après avoir réussi tant bien que mal à me frayer un chemin jusqu'au Pacífico del Norte, j'ai pris possession de ma chambre au dernier étage de l'hôtel. La ville semblait moins moche vue d'en haut. Écrasé en quelque sorte, le côté hideux de son urbanisme chaotique s'estompait derrière un paysage où le vert des patios finissait par l'emporter. Du coup, à considérer mes semblables de ma perspective plongeante, je me suis dégagé de leur rage incendiaire. Puis, bizarrement, en songeant à Lumy, je me suis senti moins seul. Le ciel irradiait quelques parenthèses de bleu intense qui venaient des montagnes dont la ville était encerclée. Proches et lointaines en même temps, leurs crêtes haut perchées se moquaient des fumerolles de la capitale. La fureur urbaine cédait aussi la place au vol des pigeons qui, de clocher en clocher, découvraient un chapelet d'églises disséminées tout autour de la ville.

Avant de m'endormir, j'ai passé un coup de fil à Telma pour lui tracer un portrait de la situation. Je n'ai pas omis de lui parler de ma rencontre avec la cireuse de chaussures ni de mon désir de reprendre l'avion afin de la retrouver à San Telmo, dans la pénombre de cet appartement qui était devenu le terminus de chacune de mes flâneries. Ensuite, pour la première fois, je lui ai dit tout à coup que je l'aimais. En riant d'un rire quelque peu gêné, elle m'a répondu que je devais me sentir désespérément seul pour lui sortir un truc pareil. Elle a ajouté qu'au bout de quelques jours je ne penserais plus à elle.

Le lendemain, à onze heures trente, je me suis rendu à un immeuble à bureaux de la rue Congreso. J'ai parlé avec un avocat appelé Jodosa figurant sur ma liste d'épicerie apportée de Buenos Aires, *José Jodosa à votr'service*, a-t-il dit d'une voix à peine audible tellement les piles de dossiers accumulées sur son bureau devaient l'écraser. Remigio Quispe l'avait décrit comme un homme de loi efficace, et fin connaisseur des procédures légales à l'œuvre dans cette région reculée de l'Argentine. Embusqué derrière de gros verres de myope, son regard fuyant n'annonçait rien de bon. J'ai dû attendre plus d'une demi-heure avant d'avoir accès à son bureau. Il s'en est excusé en prétextant je ne sais quelle grève des tribunaux ainsi qu'une surcharge de travail. Je lui ai expliqué que mon affaire était fort simple, car je n'avais qu'un certificat en dollars américains à toucher. Son visage empâté a esquissé un sourire.

— On voit que vous n'êtes pas d'ici, a-t-il dit.

— C'est la deuxième fois qu'on me le fait remarquer depuis que je suis arrivé. La première, c'était une apprentie pute. Elle s'appelle Luzmila et cire des chaussures sur la place principale. Peut-être la connaissez-vous ?

L'espace d'une seconde, il m'a regardé comme si je méritais une riposte du tac au tac, mais il s'est vite ravisé.

— Non, je n'ai pas cet honneur, s'est-il contenté de répondre d'une voix faussement affable.

— Remigio Quispe a dit que vous m'aideriez à toucher mon héritage, ai-je repris.

Le visage bouffi replongé dans un fatras de dossiers, il s'est remis à parler comme s'il s'adressait à tout le monde et à personne en même temps :

— Par les temps qui courent, toucher un héritage, comme vous dites, relève d'une entreprise parfois hasardeuse, mon ami.

— Pensez-vous que je suis venu de Buenos Aires pour m'entendre dire que je dois confier au hasard le sort de ce que mon père m'a laissé en mourant ?

— Les gens de Buenos Aires sont toujours pressés. Le temps ici n'est pas le même. Votre défunt père l'avait bien compris, voilà pourquoi il a laissé beaucoup d'amis dans la province.

— Désolé, mais je n'ai nullement l'intention de faire un séjour prolongé dans votre ville.

Il a griffonné quelque chose sur un bout de papier.

— Allez voir Albújar, Leoncio Albújar, qui est au courant des clauses stipulées dans le testament de votre père. Revenez me voir dès que vous aurez fait ce qu'il vous indiquera.

J'ai failli me mettre en rogne. Je n'étais pas une balle de ping-pong après tout. Je me suis pourtant calmé en songeant à Telma. *Rien de ce qui est humain dans cette vie ne mérite notre colère. Garde ton courroux pour les dieux qui nous ont abandonnés,* m'aurait-elle suggéré, un sourire aux lèvres.

J'ai gagné la rue de fort mauvaise humeur. Sans savoir comment, je me suis retrouvé sur la place San Martín. Il était midi passé. Je n'avais pas pris de petit-déjeuner à l'hôtel, mais l'idée de m'engouffrer dans un restaurant sentant le graillon m'a fait traîner sur la place. Alors je l'ai revue, elle, Luzmila, au pied d'un vieillard avec un œillet rouge à la boutonnière. Je me suis demandé si, après les souliers, elle ne lécherait pas aussi sa cravate. Sans trop réfléchir, je suis resté sur place à l'observer comme on observe un oiseau d'une espèce rare qui aurait élu domicile au centre du bruit et de la fureur. Même si elle était encore occupée par son client, elle a repéré ma présence avec la rapidité des gens qui font de la rue leur milieu de vie. Puis elle est venue aussitôt me rejoindre. Ça m'a amusé, la manière désinvolte dont elle s'était débarrassée du vieux monsieur. Un sourire d'enfant qui viendrait de jouer un tour à quelqu'un rayonnait sur son visage.

— La mauvaise herbe se rencontre toujours, s'est-elle exclamée sur un ton guilleret qui m'a désarçonné sur le coup.

— C'est pour moi que tu le dis ? ai-je demandé sous l'effet de la surprise.

Elle a souri. Sa peau était moins sombre que la dernière fois. Peut-être même qu'elle avait pris une douche. Ni le sourire ni la lumière crue de midi ne parvenaient à gommer ses lèvres lippues, qui donnaient à son visage un air précocement obscène.

« La mauvaise herbe se rencontre toujours », c'est ce qu'on dit chez moi chaque fois que je rentre au bout de deux ou trois jours d'absence.

J'ai voulu savoir si elle avait déjà mangé. Elle a fait non de la tête. En blue-jean effiloché, et avec une veste en similicuir usé jusqu'à la corde, Luzmila avait les yeux braqués sur moi. L'attention qui accompagnait son regard me fascinait. C'était comme l'œil fixe du serpent que rien ne paraît pouvoir détourner.

Elle connaissait une taverne dans le quartier du Bajo où l'on mangeait bien et pour pas cher ; personne, en outre, ne m'y reconnaîtrait, d'après elle. Pour que quelqu'un me « reconnaisse », ai-je précisé, encore faudrait-il qu'il m'ait connu avant. Elle a froncé les sourcils, peu impressionnée par ma remarque.

— Vous êtes trop grand pour passer inaperçu. Toutes les personnes de votre taille sont forcément connues, a-t-elle tranché.

Je n'ai pas saisi la logique géométrique qui animait son cerveau. Elle connaissait également, tout près de la gare d'autobus, un hôtel-restaurant qui incluait, paraît-il, la sieste dans son menu. Cette formule gastronomique pour le moins novatrice ne m'intéressait guère, mais j'ai voulu savoir si elle l'avait déjà pratiquée. Elle m'a répondu que j'étais trop loin de sa bouche pour que je puisse l'entendre. Alors je me suis penché sur elle.

— Oui, a-t-elle murmuré à mon oreille, *j'ai fait la sieste avec eux.*

— Qui, «eux»?

— *Des hommes seuls, des voyageurs, parfois quelques curés qui avaient l'âge de mon père.*

Une érection instantanée s'est déclenchée en moi comme si j'avais quinze ans, et j'en ai eu honte. Que faisais-je avec cette adolescente, presque une enfant, au milieu de cette place du bout du monde? Oui, je l'avoue, j'ai éprouvé à ce moment-là un sentiment où le désir et la culpabilité, main dans la main, réveillaient mon impression d'exister, d'être là, à portée d'une faute irréparable qui donnerait subitement un sens à ma vie. Il suffirait de me laisser guider par Lumy pour sombrer corps et âme dans une chute qui n'aurait pas de fin. Tomber enfin pour de bon en bas de moi-même, tout en bas, et voir le monde avec les yeux d'un cafard condamné à risquer sa vie chaque fois qu'il quittera sa tanière.

Dans un sursaut de lucidité, je me suis ressaisi. J'ai alors sorti un billet de vingt pesos que j'ai donné à la cireuse de chaussures pour qu'elle achète les deux sandwiches au jambon et au fromage les plus succulents des environs.

— Nous les mangerons ici même, sur ce banc public, assis comme deux écoliers qui attendent la fin de la récré, ai-je proposé.

Ma voix était calme, mais je n'en menais pas large. Je sentais que quelque chose en moi avait basculé du côté de l'irrationnel, et que cette fille était devenue un danger pour moi.

Je l'ai attendue longtemps. En vain. L'heure de la sieste avait peut-être sonné pour elle plus tôt que je ne le pensais.

J'ai rencontré hier Leoncio Albújar dans un café au coin des rues 25 de Mayo et Mendoza. Osseux, les cheveux gominés, et un sans-fil à la main qu'il ne lâchait pas même pour aller pisser. Il était près de onze heures du matin. Les clients fumaient en prenant leur café. Ça parlait fort et ça gesticulait également, tout comme les Napolitains dès que le jour se lève et que le bruit des ruelles envahit leurs maisons. Jaser, fumer et boire du café : misère de l'homme argentin sous le joug conjugué de la nicotine et de la caféine sur une terre désertée par les dieux. La fumée me rappelle papa, sans doute parce que je n'ai jamais réussi à toucher du doigt la nudité de son visage.

Albújar avait travaillé pour lui pendant quelques années avant de s'établir à son compte. Il était toujours actif dans le marché du sucre malgré son intérêt croissant, m'a-t-il informé, pour les affaires immobilières. Ce secteur connaissait à l'heure actuelle un boom relié, selon lui, à l'arrivée massive de narcodollars. Comprenant immédiatement que l'état de l'économie locale était le dernier de mes soucis, il est rapidement entré dans le vif du sujet :

— Pour toucher ce que votre père vous a laissé, il faudra que vous vous installiez ici, pendant un certain temps tout au moins, a-t-il précisé.

Je me suis efforcé de garder tout mon calme. Ça ne me servirait à rien de m'emporter contre cet homme qui, après tout, était d'un abord plutôt sympathique. Sa peau brune, ses yeux grands et vifs, ses tempes grisonnantes, lui donnaient l'air d'un Omar Sharif sorti tout droit d'un écran de cinéma. Il parlait d'une voix agréable et mesurée.

— Je ne suis que de passage. Mon séjour ici sera bref. Pour ne rien vous cacher, monsieur Albújar, je n'ai qu'une hâte : rentrer à Buenos Aires.

Avec la lenteur de ceux qui n'habitent pas dans les grands centres urbains, il a sorti un paquet de Marlboro flambant neuf qu'il s'est scrupuleusement appliqué à débarrasser de sa cellophane. Puis il me l'a planté devant le nez, un sourire à la bouche, un peu comme dans ces publicités où le personnage, coiffé d'un chapeau de cow-boy, a l'air de présenter sa quéquette sur un plateau. À la suite de mon refus, il s'en est pris une avec le geste chevronné d'un fumeur invétéré.

— J'ignore si on vous l'a dit, mais il est stipulé dans le
testament de votre père qu'il faut faire un séjour prolongé ici.
Si vous partez tout de suite, cette clause-là — je crois qu'il y
tenait beaucoup — ne sera pas respectée.

Je suis resté muet comme une carpe l'espace de quelques
secondes. Puis je me suis mis à respirer profondément, mais
l'air pollué de l'endroit n'était guère engageant. Mon impression soudaine d'étouffer n'en a été que renforcée.

— Je commence à en avoir marre de toute cette histoire
autour d'une poignée de dollars qui me reviennent de droit,
puisque mon père les a couchés sur son testament pour moi.
Je suis là pour que vous m'aidiez à respecter sa dernière
volonté. Voilà tout.

— Je crois que, vous et moi, on ne va pas se comprendre.
Il vaut mieux que vous parliez à Jodosa, a-t-il dit sur un ton
où il n'y avait pas l'ombre d'une irritation.

Je crois qu'on aurait pu lui annoncer qu'il avait un cancer
terminal aux poumons sans qu'il bronche d'un poil. Au fait,
en dehors de son portable, rien ne semblait vraiment l'altérer.

— J'ai déjà rencontré Jodosa.

— Excusez-moi, mais soit vous ne l'avez pas compris,
soit il ne vous a pas tout dit.

Malgré mes efforts, je commençais à perdre patience.

— Qu'est-ce qu'il doit me dire de plus ? ai-je demandé.

À ce moment précis, son cellulaire a fait entendre
quelques notes de l'*Arlésienne* de Bizet. C'était son associé qui
réclamait sa présence de toute urgence à ses côtés. Albújar
m'a demandé si j'avais quelque chose à faire. Je lui ai dit que
non, excepté toucher mon argent. Il m'a proposé de l'accompagner afin que nous poursuivions la conversation *on the
road*. Les mots en anglais avaient été dits avec un air de
complicité qui frisait le style bande dessinée. Une fois dans sa
voiture, une fort vénérable Corvette jaune canari si basse de
caisse qu'on ressentait presque l'aspérité de l'asphalte sous
les fesses, il a quitté sur les chapeaux de roue le centre-ville
pour s'engager dans une avenue peuplée de jacarandas aux
fleurs roses. J'avais du mal à comprendre qu'un homme aussi
lent dans ses gestes et ses paroles puisse conduire aussi vite

dès qu'il se tenait derrière un volant. Il a insisté pour nommer l'avenue — Mate de Luna — sur laquelle roulait sa Corvette, comme si le nom devait évoquer quelque chose pour moi. Étrange, je ne comprenais pas sa logique. De grandes maisons au style colonial flanquaient l'avenue. Des grilles en fer forgé les maintenaient à distance du vacarme de la circulation. À ma grande surprise, Albújar n'était pas le seul qui roulait vite. D'un pas de tortue lorsqu'ils marchaient, voilà que les habitants de la ville appuyaient sans retenue sur le champignon dès qu'il s'agissait de se rendre chez eux en voiture. Qui plus est, les feux rouges et autres signaux de circulation devenaient lettre morte devant leur empressement. Le piéton devait être une espèce en voie de disparition dans cette ville.

Alors que je craignais qu'il n'oublie pourquoi nous étions ensemble, il s'est remis à parler de papa. De quelques dettes qui, selon lui, pourraient être acquittées rien qu'avec les intérêts du montant que j'allais toucher. Il s'agissait de dettes mineures, ce type de dettes que les hommes qui aiment vraiment le cul n'hésitent pas une seconde à contracter, a-t-il précisé en clignant de l'œil droit comme s'il s'adressait à un vieux complice. *Les hommes qui aiment vraiment le cul*, sa phrase m'a heurté de plein fouet. Ce n'était pas tant son côté cru, vulgaire, que ce qu'elle révélait tout à coup du passé de mon père dans cette ville si éloignée de Buenos Aires. Puis, sans aucune espèce de transition, il s'est mis à parler d'une maison à flanc de colline, dans un endroit appelé El Corte, en dehors de la ville.

— Don Rafael, quand il travaillait parmi nous, avait beaucoup de collaborateurs. Moi, je m'occupe de payer les impôts fonciers de la maison en question, qui ne cessent d'augmenter. Il faut dire qu'elle se trouve dans une zone classée touristique. Tout y est plus cher, vous savez.

— Et qu'est-ce que j'ai à faire avec ça ?

Albújar évitait les nids-de-poule avec dextérité et une pointe de plaisir pervers, un peu comme ces adolescents devant l'écran de leurs jeux Nintendo.

— C'est là qu'il passait ses fins de semaine quand il était ici, a-t-il ajouté d'une voix à peine audible, comme s'il livrait un secret.

Je suis demeuré coi devant ces informations qui venaient du passé de papa.

— Y a beaucoup d'arbres autour de cette maison, vous savez. On y trouve aussi des citronniers, des avocatiers dont les fruits d'un vert foncé vous remplissent une main d'homme avec autant de conviction qu'un téton de femme enceinte.

Voilà que le chauffeur de la vieille Corvette jaune devenait poète tout à coup, tandis que moi, j'y perdais mon latin. Rien de ce qu'il racontait ne m'aidait à comprendre la situation pour le moins bizarre dans laquelle je me retrouvais.

Les bureaux d'Albújar étaient à l'entrée d'une galerie commerciale sur l'avenue Aconquija, une prolongation en plus étroit de la Mate de Luna. Tout au fond, on voyait la crête des montagnes se détacher d'une épaisse verdure.

Il m'a demandé de l'attendre dans une pièce bourrée de pancartes immobilières. Il y en avait partout : appuyées aux murs, sur une petite table, par terre, contre la porte. J'ai donc poireauté, la mine basse, déçu de cette nouvelle entrevue qui n'éclairait toujours pas ma lanterne. Pourquoi tous ces inter-médiaires entre le testament de mon père et moi ? Au bout d'une demi-heure, il est revenu avec quelques signes d'in-quiétude sur son beau visage de galant mûr.

— Il y a quelque chose qui ne va pas ? ai-je demandé.

— Des clients qui ne veulent pas honorer leur promesse d'achat, a-t-il marmonné entre les dents.

Je n'éprouvais aucune pitié pour lui. Même que cela me soulageait de voir qu'en dépit de sa Corvette jaune canari il était humain comme tout le monde.

J'aurais voulu qu'il m'explique le rapport entre la maison à flanc de colline et le testament de mon père, mais sa secrétaire est venue le chercher pour lui dire qu'il avait un appel de Buenos Aires. J'ai immédiatement réalisé qu'il s'agissait du propriétaire de la maison dont on n'honorait pas la promesse d'achat. Albújar m'a alors poliment congédié en m'assurant qu'il me rappellerait à l'hôtel afin de me donner le nom de la personne qui avait les clefs de la maison, au cas, bien entendu, où je voudrais toucher mon héritage.

En fin d'après-midi, j'ai téléphoné à Telma pour la mettre au courant de ce qui m'arrivait. Elle m'a prévenu que, sans une patience infinie, le passé demeurait incompréhensible pour la plupart des gens. J'étais venu à Tucumán, selon elle, pour régler mes dettes avec le passé, le passé de mon père, et non pas pour m'occuper de mon avenir.

— Je me refuse à conjuguer ma vie au passé, Telma de San Telmo, ai-je dit dans un sursaut de lucidité que ma locataire s'est chargée d'écraser d'une de ses petites phrases assassines :

— Passé nous avons été et passé nous serons, Pablito.

J'ai tout à coup eu envie de la blesser, de l'appeler sorcière du tiers-monde, ou encore pire, mais je me suis tu.

J'ai quitté l'hôtel les mains dans les poches, la mine renfrognée, écœuré par tous les atermoiements, tous les intermédiaires, tous les sous-entendus et toutes les énigmes entourant le testament de mon père. Je marchais sans but précis. Ici et là, les premières ombres de la nuit découvraient des mendiants accroupis aux coins des rues, comme ces Indiens au Mexique qui tendent leur main dans un geste rituel d'indigence essentielle faisant partie d'un destin que rien ni personne ne peuvent changer. En passant devant le parvis de l'église San Francisco, je suis tombé sur une loqueteuse qui vendait des fleurs en plastique aux fidèles. Les roses étaient phosphorescentes, et on les voyait de loin. *Made in China* probablement, comme tout ce qui ne coûtait pas cher. Peut-être que la vendeuse, elle aussi, était une poupée chinoise échappée d'un de ces magasins à un peso qu'on trouvait dans ce coin reculé de pays. En effet, ses yeux en amande et son sourire figé qu'on aurait dit dessinés à la chaîne étaient eux aussi à vendre. Dès que je me suis approché, dans un geste mécanique, elle a élargi l'échancrure de son corsage afin d'exhiber ses deux nichons d'adolescente promise au marché. Je me suis dit que le maquereau qui la mettait sur le trottoir devait se tenir aux aguets tel un pêcheur au bout de sa ligne. Dommage, car elle n'était pas laide avec ses longs cheveux noirs et cette poitrine fraîche prête à étancher la soif des passants.

J'ai traversé le centre-ville sans m'accrocher aux vitrines des cafés dont je craignais le pouvoir de séduction. Il me fallait éviter les coins de rue sur lesquels le néon déferlait, obscène et brutal. Je ne voulais surtout pas me ramollir. C'étaient les bottes d'un dur à cuire qu'il me fallait chausser si je ne voulais pas me transformer en une bouchée de pain pour tous ces corbeaux qui attendaient ma chute afin de regarnir leurs escarcelles.

Une place peuplée de jacarandas et d'oliviers m'a accueilli tout au bout de la 25 de Mayo, l'artère commerciale de la ville. Une musique faite de percussions est venue à mes oreilles au moment où je traversais la dernière avenue qui séparait la ville d'une sorte de no man's land où tout devenait feuillage et poussière. Là où l'espace urbain n'avait plus pied commençait un rythme syncopé de *bombos* et de tambours qui donnaient leur pouls à la nuit. En l'écoutant, j'ai éprouvé le sentiment de baigner dans un élément liquide. Au fur et à mesure que j'avançais, la musique a fait entendre de plus en plus fort les vibrations de ses cordes. J'ai tout à coup perdu la mémoire de la ville pour basculer dans un espace anonyme où le seul point de repère était cette musique qui guidait mes pas. J'ai croisé des voies de chemin de fer abandonnées, et deux ou trois égouts qui nouaient leurs pestilences comme ces ivrognes que la nuit rassemble pour un dernier vomissement. Des lampions accrochés aux branches éclairaient le sol. Les premières maisons que j'ai aperçues étaient en terre cuite et n'avaient ni portes ni fenêtres. Elles ne semblaient pas avoir été construites pour des êtres de chair et d'os. Des percussions de *bombo* de plus en plus distinctes venaient d'un chapiteau entouré d'arbres et d'un amoncellement de pneus usagés. L'espace étant fermé comme un œuf, la musique qui s'en dégageait ne pouvait être que primitive et intime. Semblable à un écran de télé qu'on ne pénètre jamais, mais dont les images maintiennent notre attention en haleine, ce chapiteau était pour ainsi dire le cœur de l'univers. Alors, j'ai enfin compris que j'étais tombé sur un bordel pour les âmes en peine. Il n'y avait pas là commerce de chair mais des mélancolies se frottant les unes contre les autres dans une promiscuité anonyme. De temps à autre, le bruit sourd d'une peau de tambour qui se déchire donnait un peu de vie à cette sonate de spectres. C'était donc là que les murmures de la ville venaient mourir. Au lieu d'un cimetière, la ville débouchait ainsi sur un lieu où les morts purgeaient leurs peines dans le huis clos d'une représentation nocturne à laquelle les étrangers comme moi assistaient ébahis. Or ce lieu étrange, séparé de l'espace urbain et de son vacarme, exigeait plus qu'un regard de passage pour être compris.

À pas de tortue, je me suis approché du chapiteau avec l'espoir de voir de plus près ce qui s'y tramait, mais l'épaisseur de la toile m'en a empêché. Impossible d'y accéder sans un mot de passe que la mort seule pouvait me donner.

Vous êtes donc le fils de Don Rafael, avait dit l'homme qui s'appelait Andújar, Filomeno Andújar, *à vos ordres*, dont le regard cherchait manifestement une ressemblance physique avec le défunt qu'il ne trouvait pas.

— Je n'y suis pour rien, ai-je précisé pour le tirer d'affaire.

— Votre père me faisait confiance. J'espère qu'il en sera de même avec vous, a-t-il dit en esquissant un sourire qui avait tout le mal du monde à s'installer pour de bon sur ses lèvres.

D'un naturel probablement méfiant, Andújar tâtait le terrain avant d'engager sa parole.

Il était dix heures à l'horloge murale de la cafétéria de l'hôtel. Il n'avait pas voulu que je me déplace pour aller le rencontrer. Sa ponctualité m'avait pris au dépourvu. Dix minutes avant le rendez-vous, sa main calleuse d'homme à tout faire serrait la mienne avec la douceur d'un ours mal léché.

Je l'ai invité à prendre un café. Encore jeune, le visage buriné de ceux qui travaillent à l'air libre, il portait un jean délavé et un blouson de cuir ayant perdu deux de ses boutons.

Sur le ton de quelqu'un qui fait une confidence, il m'a informé que Don Rafael avait été un excellent patron.

— Et comme père, il a été un excellent vendeur de sucre, ai-je révélé en le regardant comme si je m'adressais à un vieil ami.

Avec l'air de ne pas comprendre très bien mon humour, il a allumé une cigarette sans me demander la permission.

C'était lui qui s'occupait de la maison à flanc de colline habitée par mon père lorsqu'il venait ici. Une maison au milieu d'un grand terrain sur lequel on trouvait des citronniers et des orangers, a-t-il tenu à me faire savoir. Puis, brusquement, sans la moindre transition, il a sorti une petite enveloppe de la poche de son blouson de cuir et l'a mise sur la table.

— Voici les clefs de la maison, a-t-il dit en lâchant une grosse bouffée de fumée.

J'avais du mal à croire que cette enveloppe, d'un bleu pâle et maculée de taches apparemment de graisse, contenait une maison et une colline couverte d'arbres. Il suffirait de l'ouvrir pour que le chemin menant vers la montagne s'éveille comme un serpent qui abandonne sa sieste.

Avec la main levée, j'ai fait un geste de refus.

J'ai alors vu mon interlocuteur froncer les sourcils.

— Albújar m'avait annoncé que vous vouliez toucher votre héritage, a-t-il dit d'une voix déçue.

Comment pouvais-je comprendre ce qu'ils ne semblaient pas réaliser eux-mêmes? Je me suis alors résigné à poser des questions élémentaires, à jouer en quelque sorte le rôle de l'idiot:

— Je ne vois pas le rapport entre la maison et le testament de mon père, ai-je objecté sans parvenir à occulter un certain énervement.

L'étonnement est venu s'ajouter à la déception chez mon interlocuteur:

— Je vous rappelle que c'est là que votre père logeait quand il venait de Buenos Aires. Il aimait le silence des montagnes, vous savez.

Le regard d'Andújar s'est fait tout petit, comme s'il fixait au loin le flanc de colline sur lequel s'accrochait la maison.

— Sa femme n'aimait pas les montagnes. Elle ne rêvait que de mer, ai-je dit d'une voix bourrue.

Andújar a gardé le silence pendant quelques instants. Visiblement, il cherchait la réponse la moins désagréable.

Finalement, il a dit:

— Don Rafael ne parlait pas d'elle. En fait, il ne l'a jamais amenée ici.

Il a semblé hésiter avant d'ajouter :

— Pour nous, c'était comme si elle n'existait pas.

L'idée que Leda n'ait pas laissé de traces dans cette maison à flanc de colline me réjouissait.

— J'irai y jeter un coup d'œil, ai-je dit avec un enthousiasme soudain dont je ne me croyais plus capable.

— Allez-y en taxi. Ça prend à peine une quarantaine de minutes pour être au pied de la montagne. Puis ça coûte rien. Le village s'appelle El Corte. Dites au chauffeur de prendre la rue Los Pinos, puis de monter par Los Tarcos. C'est un chemin en terre qui conduit à la colline sur laquelle se trouve la maison.

J'ai pris l'enveloppe. Au moment où nous allions nous quitter, j'ai dit à Andújar que je le rappellerais pour lui remettre la clef.

— Cette clef appartenait à votre père, elle est à vous à présent, a-t-il rétorqué en me serrant la main.

Le chauffeur de taxi qui est venu me prendre à l'hôtel avait des petits yeux de mouffette. Sans même me dire bonjour, il m'a demandé si j'étais de Buenos Aires. Je lui ai répondu que le jour où je saurais d'où j'étais, je le lui ferais savoir. Sa curiosité s'est arrêtée là. En montant à bord de la voiture, je me suis rappelé le titre d'un fait divers lu dans un journal à l'aéroport le jour de mon départ :

Chauffeur de taxi bavard assassiné
par un passager en colère qui voulait voyager en silence

Si j'avais fait partie du jury, j'aurais sans doute absous le meurtrier.

Au delà de l'avenue Aconquija commençait El Corte, dernière agglomération urbaine avant le déferlement de vert et d'ocre de la montagne. Les maisons grimpaient avec la route en dissimulant leurs toitures entre les arbres. En un clin d'œil, le sommet enneigé du volcan Aconquija a fait son apparition à l'horizon, et ce coin perdu de pays s'est mis à palpiter comme un cœur à ciel ouvert. Tout à coup, alors que j'étais à des milliers de kilomètres du mont Royal, sa croix cousue de fil blanc la nuit a refait surface dans ma mémoire. J'ai alors mesuré dans un flash le décalage entre ce Nord urbain et paisible logé au cœur de la ville, et le Sud volcanique, indéchiffrable et barbare, dans lequel je m'aventurais.

Le taxi avait quitté l'asphalte pour s'engager dans un chemin cahoteux. Des crevasses profondes accentuaient l'étroitesse de la rue Los Pinos. On ne voyait personne car la végétation cachait tout, comme si elle voulait effacer d'un trait les traces de l'homme sur la montagne. Au bout d'un virage en épingle, le moteur du taxi, mis à rude épreuve par la raideur de la pente, a failli caler.

— Voici votre rue Los Tarcos. Si le moteur casse, il va falloir que je mange des rats comme tous ces retraités qu'on voit traîner dans les rues, a maugréé, grincheux, le chauffeur.

Du coup, il m'a fait de la peine, mais je n'allais tout de même pas descendre pour gravir la pente à pied tel Sisyphe sous le poids de son rocher. Le chauffeur a appuyé lourdement sur la première, et son taxi — une de ces vieilles Ford des années cinquante qui, dans un pays normal, se trouverait dans un musée plutôt que dans les rues de la ville — a laborieusement accepté de reprendre haleine. Une pancarte à moitié couverte de lierres au bord du chemin nous avait appris qu'on était à Lomas de Imbaud. Soudain, perchée à flanc de colline, j'ai vu la maison dont j'avais la clef.

— C'est ici ! me suis-je exclamé avec l'entrain d'un enfant qui aurait retrouvé un jouet perdu depuis longtemps.

Pierre grise sur pierre grise, le mur qui la chaussait comme des sabots de cyclope lui donnait un air austère et solide à la fois. Je suis descendu du taxi après avoir payé.

Le silence était total, un silence dont la densité se mesurait par la capacité du moindre insecte à faire entendre son plus humble battement d'ailes. Alors, sans savoir pourquoi, j'ai eu envie de me pencher et de toucher la terre que mes pieds foulaient. Un peu comme lorsque j'étais enfant et que le sable, dans sa tiédeur infinie, me rappelait que la mer n'était pas loin.

La porte en fer, entrebâillée, était noire. J'ai monté l'escalier étroit et raide qui débouchait sur une grande terrasse encerclée de plantes. Le sol en céramique d'un ocre rougeâtre s'étalait à perte de vue ; en fait, il faisait le tour de la maison, qui était trop petite par rapport à l'immensité du terrain en pente auquel elle s'accrochait avec la nonchalance d'un lézard sous le soleil de midi. Instinctivement, j'ai levé les yeux pour embrasser le paysage à partir de la terrasse et, encore une fois, j'ai vu le sommet de l'Aconquija enchâssé dans la verdure comme un gâteau de mariage. De toute ma vie, je ne me rappelais pas avoir vu autant de vert ensemble. C'était presque l'idée que je me faisais de la forêt amazonienne observée du hublot d'un avion. Au bout de quelques minutes, presque à regret, j'ai tourné le dos à la montagne pour scruter la maison. Toutes les fenêtres avaient des grillages en fer forgé. Pourquoi un lieu apparemment si paisible exigeait-il une telle protection ? La terrasse se poursuivait sur les côtés dans une sorte de patio-pergola en fer à cheval qui, tout en faisant le tour de la propriété, la séparait des nombreux arbres qui couvraient la colline. En me déplaçant vers les limites de la terrasse à l'ouest, j'ai remarqué les bords d'une piscine creusée à même le flanc de la colline. D'un pas curieux, et sur un coup de tête, j'ai emprunté le sentier qui y conduisait. La perception du temps qu'on y avait différait totalement de celle de la ville. Le temps se laissait découper, pour ainsi dire, en tranches de lenteur qu'imperceptiblement je me suis mis à goûter avec gourmandise.

Ayant glissé la clef de la maison dans la poche de mon jean, je me suis laissé captiver par la surface bleutée de la piscine que j'apercevais au bout du sentier. Après avoir écarté les branches d'un saule pleureur qui obstruait le chemin, je suis enfin arrivé au bord de la piscine. C'est à ce moment-là que les chiens ont fait leur apparition. D'un seul coup, sans crier gare, avec une rage que l'effet de surprise rendait encore plus menaçante. Deux molosses dont les aboiements ont brutalement rayé de la carte le charme de ce paysage bucolique. Entre l'eau de la piscine et le vide dans lequel se terminait en bas la colline, j'ai ardemment imploré le Ciel de me fournir des ailes d'ange afin de préserver mes testicules, passablement ébranlés, des crocs de la fatalité qui, à quatre pattes, s'entêtait à me rappeler que je n'étais pas né pour me la couler douce. Des deux bêtes, j'ignore laquelle était la plus affreuse, mais j'affirme que les grognements de la plus noire auraient probablement fait dresser sur sa tête la crinière d'un lion. J'ai vite calculé le temps qu'il me faudrait pour grimper sur l'arbre le plus proche, et je me suis dit que, outre mes couilles, je perdrais également dans l'aventure l'une de mes fesses et une bonne moitié de l'autre. Faute de mieux, j'ai donc décidé de me transformer en statue tout en m'efforçant de contrôler mes émotions afin de ne pas laisser transpirer ma peur. On sait que ces animaux-là ont dans le nez un radar qui les pousse vers les froussards. Trapus, les pattes en forme de croissants, les deux fauves semblaient n'attendre qu'un mouvement de ma part pour me sauter à la figure. Dans la poche de mon jean, la clef de la maison me brûlait la cuisse droite comme une bûche inutile. J'ai alors regretté d'avoir accepté cette clef menant à la rage. J'anticipais déjà la morsure implacable du destin sur ma cuisse d'héritier lorsque la Providence a fait un signe — ou le Diable peut-être, la suite du présent journal devant m'éclairer là-dessus.

— Mocho! Gitan! Ici!

La voix était venue de la partie arrière de la maison, là où la galerie se transformait en cour intime bordée d'orangers en fleur et de citronniers. Elle avait chassé les chiens comme par enchantement. Une voix de fille qui avait probablement été témoin de ma peur face aux deux cerbères. J'ai en vain essayé de bouger, mes jambes ne répondaient pas. J'ai eu honte de ma poltronnerie ; à tout prix, il faudrait que je me rattrape. J'ai trouvé une maigre consolation en me disant que c'étaient les bêtes qui me faisaient chier dans mon froc plutôt que les hommes.

La présence de la clef dans ma poche a fini par me ramener à la réalité, et je me suis rappelé que j'étais venu pour entrer dans la maison. Mais je voulais aussi aller vers cette voix de fille qui m'avait débarrassé de la rage. Du coup, j'ai songé qu'elle appartenait à l'univers de la maison et que la clef était alors de trop. Mais pourquoi Andújar n'avait-il rien dit concernant sa présence?

Avec un petit pas de nouveau-né, je me suis dirigé vers un muret blanc peint à la chaux servant de limite entre la piscine et la maison.

Dans l'un des angles de l'allée en fer à cheval, il y avait un four en terre cuite encastré entre deux troncs d'arbres dont le foisonnement des branches empêchait de voir la cour au grand complet. On y distinguait un gril avec des cendres. J'ai franchi le muret avec précaution, toujours inquiet d'un retour des chiens.

— Pourquoi ne sonnez-vous pas à la porte au lieu de marauder comme un voleur dans une propriété privée?

La voix, fraîche et espiègle, venait de derrière une porte en fer forgé dans la partie arrière de la maison. J'ai alors cherché ses yeux.

— Désolé. On m'a remis une clef, mais j'ai préféré faire un tour avant de m'en servir, ai-je dit, quelque peu abasourdi par la douceur du regard qui avait probablement été témoin de mon arrivée sur les lieux.

— Ils m'ont annoncé que vous viendriez, mais ils n'ont jamais précisé quand.

Progressivement, à travers les arabesques du fer, les traits de son visage apparaissaient un peu comme dans un puzzle. Elle avait une peau très blanche et des cheveux châtains. On voyait un grand frigo derrière elle. Des casseroles en terre cuite et des cuillères en bois étaient accrochées au mur, à côté de l'évier. Beaucoup de pots de confiture s'entassaient pêle-mêle sur une table dont le rouge vif trahissait le *quebracho colorado*[1] qui lui avait prêté sa texture noueuse et solide à la fois.

— On ne m'a pas dit que la maison était habitée.

— Je vis ici accompagnée de deux chiens.

— Comme comité d'accueil, on ne trouverait pas mieux.

Son regard s'est fait encore plus accueillant, comme si elle cherchait à se faire pardonner:

---

1. Arbre du nord-ouest de l'Argentine (note de l'auteur).

— Ils surveillent la maison depuis les miradors, tout en haut. Des sentinelles de montagne, qu'on appelle ça.

Sa voix était sereine et chaleureuse. Une de ces voix qui vous font oublier le scandale d'être né.

Je ne comprenais toujours pas ce qu'elle faisait là ; une fille belle à croquer dans un coin éloigné de la ville, ça n'avait pas de sens. Alors, sans y aller par quatre chemins, je lui ai posé la question :

— Qu'est-ce que vous faites là ?

— J'ai pris soin de la maison en attendant votre arrivée, a-t-elle répondu en esquissant un sourire.

Puis elle m'a suggéré de faire le tour et d'entrer par la porte principale.

J'ai encore une fois été surpris par le vert intense qui assaillait littéralement la maison. Comme un vin chaud qui vous monte à la tête, tout ce vert accélérait les battements de mon cœur. J'ignore pourquoi, mais j'avais l'impression que jamais je ne réussirais à franchir le seuil de cette maison. C'était comme si je devais faire le tour de la terre. Et alors ce seul et unique poème que maman récitait par cœur lorsque la nostalgie l'étreignait m'est tout à coup revenu en mémoire : *Heureux qui, comme Ulysse, a fait un beau voyage, et puis est retourné plein d'usage et raison vivre entre ses parents le reste de son âge.*

De peine et de misère, après avoir traîné en cours de route, je suis parvenu à gagner cet endroit de la terrasse qui menait tout droit à la porte principale. Je l'ai alors vue, elle, cette fille dont personne ne m'avait soufflé mot, dans la nudité de son visage pâle, debout sur le seuil de la grande porte, intéressée par mon regard ébahi, probablement intrusif, d'étranger en retard, deux fois étranger donc. Sans savoir pourquoi au juste, je me suis senti coupable de ne pas être venu plus tôt, de ne pas avoir frappé directement à cette porte derrière laquelle elle m'attendait, histoire aussi d'éviter les chiens, leur rage de cerbères attentifs aux moindres signes d'inquiétude de leur maîtresse. Habillée en noir, la blancheur de son visage n'en était que plus frappante. Il m'a fallu un certain temps pour comprendre qu'elle me faisait entrer avec les prévenances dues au maître de maison. En descendant deux escaliers, je l'ai suivie dans le salon meublé de fauteuils en cuir blanc et des tableaux aux couleurs vives accrochés au mur. Sans dire un mot, elle est disparue discrètement, et j'ai pu observer à mon aise le mobilier de la maison. Les murs blancs et le bois chichement distribué donnaient à l'ensemble un air monacal. Rien ne semblait de trop. Mais rien non plus ne venait offrir au voyageur de passage un confort supplémentaire.

Il y avait un bouquet de fleurs jaunes sur une table ronde en acajou d'Amérique, rougeâtre et facile à tailler ; l'hydre de Lerne, finement ciselée, y déployait son anatomie multiple. Bizarrement, l'une de ses sept têtes pendouillait à une extrémité de la table. J'ai songé que ce débordement pour le moins cocasse faisait probablement partie du projet qui sous-tendait la construction du meuble, mais la fille, de nouveau sur place, m'a aussitôt détrompé :

— C'est arrivé quand votre père est mort, a-t-elle dit avec le naturel de quelqu'un qui parlerait du temps qu'il fait.

Pour la première fois, je l'ai contemplée de la tête aux pieds telle une toile sur laquelle le monde, aussi étrange soit-il, trouvait sa place. Elle était revenue avec un plateau en argent entre les mains. Un café fort, parfumé à la cannelle, a embaumé le salon. Un sucrier en cristal taillé en forme de cygne et une pince à sucre accompagnaient le tout. À ma grande surprise, il n'y avait qu'une seule tasse. J'y ai mis cinq petits morceaux de sucre qui ont presque fait déborder le café. Puis j'ai pris ma première gorgée tout en me précipitant dans la lenteur du voyageur qui rentre d'un long périple. Pendant ce temps dont je savourais chaque instant, elle est restée debout, un sourire aux lèvres, comme si elle attendait qu'on lui dise quoi faire de son corps.

Alors j'ai pris une deuxième gorgée de café, encore plus longue que la première, et surtout gourmande, conscient du privilège d'être servi face à cette montagne qui découpait l'horizon.

Le sucre, l'énergie du sucre conjuguée à celle du café m'ont insufflé un tel désir de quiétude que je me suis demandé

pourquoi diable je n'avais jamais considéré dans ma chienne
de vie de me faire moine.

— Vous aimez le sucre, comme les enfants, a-t-elle dit
sans se départir de son sourire.

— Ma mère, qui était Québécoise, mettait du sirop
d'érable sur tout. C'était peut-être sa manière d'amadouer
l'enfant qui criait en elle. On l'avait beaucoup blessée, ai-je
dit, étonné moi-même de découvrir ce fragment impromptu
de souvenir que je m'étais refusé à voir pendant des années.

Loin d'en être incommodée, la fille a réfléchi pendant
quelques secondes, puis elle a dit en me regardant :

— Vous ne semblez pas être quelqu'un qu'on aurait
beaucoup blessé dans la vie.

— Je me suis fait mal tout seul, en me cognant contre moi-
même.

— D'habitude, on se cogne contre les autres.

— Je n'ai jamais été l'ami de moi-même. Je suppose que
je suis trop méfiant pour me faire confiance, ai-je dit sur un
ton léger.

C'est quelque chose qui arrive quelquefois, a-t-elle murmuré
en baissant les yeux tandis que je terminais mon café.

J'ai mis à profit ce silence pour observer la salle à manger
installée sur une mezzanine. Ménagé entre deux niveaux, ce
petit entresol devait offrir une vue imprenable sur la montagne. Curieusement, la table en chêne sombre qui y trônait
n'avait qu'une chaise. Une bibliothèque en bois rustique,
creusée à même le mur, accueillait les gros volumes de ce qui
semblait être une encyclopédie. Divers objets en céramique
introduisaient une note d'artisanat local sur les étagères.

La fille avait de nouveau les yeux posés sur moi. L'immobilité de mon hôte, une immobilité de modèle d'atelier,
m'inquiétait et m'intriguait à la fois. J'ai déposé la tasse vide
sur la petite table basse au centre du salon, sans pouvoir
résister au désir de fixer pour une fois ouvertement la nudité
de ce visage dont la blancheur contrastait avec la robe
sombre. Elle s'est penchée sur la table pour ramasser la tasse
et j'ai vu, l'espace d'une seconde, à travers l'échancrure de
son corsage, la pâleur d'une poitrine à ses débuts. Puis, sans

faire de bruit, elle est repartie du pas leste et précis d'une infirmière dont la présence est toujours sollicitée dans plusieurs endroits en même temps.

Je croyais qu'elle reviendrait. Alors je l'ai attendue. En vain. Je me suis remis debout. J'ai regardé la montagne dans le cadre de la fenêtre. La lumière crue de midi écrasait ses contours, mais le vert demeurait là, inébranlable. J'aurais voulu l'appeler, elle, la fille aux pieds de geisha, mais j'ignorais son nom. Je ne commettrais pas non plus la faute de m'aventurer dans la maison sous le prétexte que j'en avais la clef.

Alors je me suis dirigé vers la porte principale et, une fois que je me suis trouvé sur la terrasse, toute cette végétation m'a fait sentir son souffle unanime et humide.

J'ai descendu lentement l'escalier pour regagner le chemin en terre, sinueux et abrupt, qui menait à la grande route où je comptais héler un taxi. J'ignore si c'était le café ou la fille qui l'avait préparé, mais les chiens, à ce moment-là, ne me faisaient plus peur.

Je n'ai pas fermé l'œil de la nuit en pensant à la maison. Même si j'avais décidé d'en rendre la clef, j'éprouvais le besoin d'y retourner. C'était absurde, mais avant de remettre la clef à Andújar, je sentais qu'il me fallait comprendre. Plus que la maison, la présence de la fille seule à flanc de colline m'intriguait. J'ai composé le numéro de téléphone d'Andújar sur mon cellulaire Motorola A840 que j'avais apporté de Montréal.

— Pourquoi ne m'avez-vous pas dit qu'il y avait quelqu'un là-haut? ai-je demandé sans détour.

— Je ne vous ai jamais dit que la maison était vide, s'est-il contenté de répondre sans trop appuyer sur les mots.

Il parlait comme s'il marchait sur des œufs. Ça m'a toujours irrité, la lâcheté, quand il s'agit de dire ce qu'on a dans le ventre. Andújar était donc comme les autres, il passait tous ses mots au peigne fin. Rien de ce qu'il disait ne venait directement de son cœur. J'ai fait un effort pour ne pas lui crier au téléphone.

— Qui est la fille qui habite là-haut ? me suis-je enquis en respirant profondément, histoire d'apaiser mes nerfs.

Je m'étais gavé de café au petit-déjeuner à l'hôtel, et je savais que ma voix finirait par trahir mon énervement. Ça, je le savais, et je le regrettais à l'avance.

— La maison, comme vous avez pu le constater, est dans un endroit retiré. Il faut que quelqu'un s'en occupe.

— Mais pourquoi ne m'avez-vous donc pas parlé de la fille qui l'habite ? Franchement, à quoi pensiez-vous ? Quelles sont exactement les fonctions de cette fille ? Vous ne m'aviez pas non plus prévenu qu'il y avait des chiens de garde. Ils m'auraient d'ailleurs mis en pièces si elle ne les avait pas arrêtés à temps.

— Désolé pour les chiens, mais je n'étais pas au courant, s'est-il excusé après un silence qui a exacerbé mon malaise.

— Cette fille était-elle dans la maison quand mon père venait de Buenos Aires ?

Et voilà, c'était la vraie question, celle qui me brûlait les lèvres depuis le début.

— Tout est resté tel quel, a-t-il grommelé au bout de la ligne.

Alors j'ai compris qu'il n'irait pas plus loin.

— Comment s'appelle-t-elle ?

Un nouveau silence, puis il a dit d'une voix qui s'exprimait à regret :

— Votre père l'appelait Poma.

J'ai pris un taxi pour me retrouver face à face avec la fille qui avait peut-être été le seul témoin des derniers pas de mon père sur la terrasse de cette maison à flanc de colline.

J'ai monté l'escalier en évitant de répéter l'erreur de m'égarer dans le jardin. J'ai appuyé au moins trois fois sur le bouton de la sonnette, mais personne n'est venu ; puis, la main soudainement crispée, j'ai frappé à la porte au cas où la sonnette serait en panne. Je sentais mon cellulaire dans la poche de ma veste en cuir, et j'ai regretté de ne pas avoir demandé le numéro de téléphone de la maison à Andújar, au cas où il y en aurait un. Impatient et inquiet, j'ai moi-même ouvert la porte en me servant de la clef. Il n'y avait personne dans le salon. Sur la table de la salle à manger, un bouquet de fleurs récemment cueillies embaumait la mezzanine. C'était un bon début. J'ai alors commencé l'exploration de la maison tout en me tenant sur mes gardes. Je suis tout d'abord entré dans une chambre à coucher, attenante à la salle à manger, avec deux grandes fenêtres qui donnaient respectivement sur les montagnes et la piscine. Un lit double en chêne flanqué de deux tables de nuit en *quebracho* rouge occupait le centre de la pièce. Tout de suite, l'image de mon père a si vivement refait surface que j'ai dû chercher appui sur le lit pour reprendre mon propre souffle. Pendant un instant, j'ai eu le sentiment qu'il était là en train de me regarder, comme lorsque j'étais un enfant et qu'Anna, la pauvre Anna, s'en remettait à ses cris. Et alors ce regard-là, je le sais à présent, faisait porter sur moi la responsabilité de tous ces cris qui peuplaient le jardin. Dans la chambre, il y avait une armoire sur laquelle on avait posé des miroirs ; ils multipliaient non sans obscénité la grandeur du lit. Sur l'oreiller, une petite couronne en fleurs tressées indiquait l'endroit où la tête de l'homme qui avait utilisé ce lit devait se placer pour contempler le paysage qui s'offrait à lui. Un frisson a parcouru mon échine, et j'ai précipitamment quitté cette pièce pour découvrir, de l'autre côté de la mezzanine, deux autres chambres avec des lits simples impeccablement faits. La plus grande des deux avait un bureau tout en longueur au pied d'une fenêtre depuis laquelle on voyait la partie arrière de la colline hérissée de citronniers et de mandariniers. Une citerne d'eau peinte à la chaux se hissait au départ d'un sentier qui se perdait au milieu de la végétation. Des fleurs fraîches parfumaient aussi l'atmosphère de cette chambre qui invitait au recueillement. J'ai eu presque envie de m'y asseoir afin de rassembler mes dernières impressions, mais l'idée d'être surpris par l'arrivée de la fille a coupé court à mon élan. Son absence me sidérait, mais la présence des fleurs indiquait qu'elle ne devait pas être bien loin.

J'ai regagné la terrasse pour jeter un coup d'œil aux environs. Il faisait vingt degrés centigrades au soleil selon l'écran multifonctionnel de mon portable. L'espace de quelques secondes, je me suis accordé la permission de me sentir comme si j'étais heureux. Mon Motorola A840 toujours à la main, j'ai arpenté la terrasse en respirant l'air tiède de cette fin de matinée pendant laquelle j'attendais Poma avec le sentiment que je suivais un chemin ayant été défriché par quelqu'un d'autre avant moi. Aussi, de manière inattendue, presque par défi, me suis-je mis à fredonner un de ces vieux tangos que mon père aimait tant :

> *Adios, muchachos, compañeros de mi vida,*
> *barra querida de aquellos tiempos,*
> *debo alejarme de mi buena muchachada...*

Quelque part, j'avais lu que le tango avait été inventé pour convaincre les Argentins que le bonheur était impossible sur terre. Je m'apprêtais à changer de registre musical, histoire de tromper cette nostalgie que le passé transforme en parfum, quand j'ai remarqué que, jumelé à la fenêtre du salon dans lequel j'avais bu mon premier café, il y avait un grillage noir derrière lequel se cachait une sorte d'atelier en pierre avec un accès probable par la partie arrière de la maison, là où la galerie-pergola en fer à cheval se terminait. J'ai collé mon nez contre les barreaux torsadés tout en pressant mes yeux comme deux vieux citrons dans le but d'ausculter ce lieu sombre qui avait échappé à ma première inspection. Tout y était obscur, mais j'ai quand même réussi à distinguer un chevalet en bois. Alors je me suis rappelé que papa aimait peindre, quand j'étais haut comme trois pommes et que maman n'avait pas encore été prise par les cris. J'ai songé que ce paysage de montagne, c'était pour lui l'endroit rêvé pour reprendre sa première vocation, celle que les cris de maman avaient peut-être brisée. Tout à coup, les aboiements de chiens descendant en trombe du sentier m'ont brutalement arraché à ces remémorations. J'ai couru vers la porte principale, décidé à rentrer dans la maison bien avant que les deux molosses aux crocs redoutables ne se rappellent à mon souvenir. Retranché derrière la porte, tous les verrous bloqués, y compris celui qui s'enfonçait dans le plancher, j'ai entendu leurs jappements barbares envahir la terrasse. J'ai regardé au loin le volcan étincelant sous le soleil d'hiver. Cette fois-ci, je ne serais pas le témoin impuissant de ma propre peur.

Un grincement de charnières rouillées m'a pourtant fait sortir de mes gonds. Telle une vieille porte, je n'ouvrais que sur un paysage peuplé de frissons. Du coup, j'ai senti que j'avais perdu mon regard d'enfant. Pétrifié, mon regard ne battait qu'au rythme de mes craintes. Que s'était-il passé dans ma vie pour que j'en arrive là ? Serait-ce que, à force de vivre recroquevillé dans le froid du Nord, j'avais laissé périr le nerf vif qui anime le regard espiègle et curieux qu'on trouve si fréquemment dans les pays du Sud ? Alors le souvenir de Niño Patiño est lui aussi remonté à la surface, et j'ai songé avec mélancolie à son regard qui balayait tous les obstacles ainsi qu'à l'intensité avec laquelle il osait explorer le moindre recoin de sa maison-monde.

Les aboiements des chiens avaient cessé, mais leur halètement était encore perceptible à travers le mur du salon. Je n'aimais pas me sentir coincé, obligé de rester enfermé comme un rat alors que la vraie vie était sur la terrasse, sous ce soleil si fort qu'il transformait l'hiver austral en éternel printemps. De l'autre côté du mur, dans cette espèce d'atelier creusé à flanc de montagne, quelqu'un déplaçait des objets (était-ce Poma ?), et je restais là sans savoir quoi faire. À force de fixer cette cloison mitoyenne, j'ai fini par remarquer une petite fenêtre qui, en trompe-l'œil, se présentait comme un tableau. Avide de découvrir le côté obscur de la maison, j'ai alors placé une chaise au pied du mur.

Vêtue de blanc, les cheveux en cascade sur le dos, Poma peignait devant le chevalet. Les portes ouvertes de l'atelier permettaient à la lumière de se frayer un passage jusqu'à la toile. J'ai scruté l'atelier sans trouver la moindre trace des chiens. Les avait-elle congédiés ou était-ce ma phobie des bêtes qui les avait imaginées là, aux pieds de leur maîtresse ? Cependant, je les entendais encore vrombir dans mes oreilles comme deux gros frelons me coupant la route du bonheur. Était-ce le silence de ces montagnes qui provoquait en moi des hallucinations auditives ou cette peur devant l'inconnu que ma vie au Canada, réglée comme du papier à musique, avait pour ainsi dire voilée ? Il faut dire que mes contrats de traduction avec le gouvernement fédéral m'ayant obligé à trouver un domicile à Ottawa, je faisais partie de ces francophones nomades pour qui le franchissement de la frontière entre le Québec et l'Ontario est leur tasse de thé. D'ailleurs, ma vie dans le quartier de la Côte-de-Sable, tout près de l'Université d'Ottawa, m'avait permis de connaître le côté charmant d'une ville qui sait garder l'équilibre entre les besoins administratifs du gouvernement fédéral, le dynamisme propre à une agglomération en pleine expansion et le bourgeonnement des activités artistiques francophones qui donnent à la capitale nationale sa touche de distinction cosmopolite. Prévisibles, programmés longtemps à l'avance, mes voyages entre Ottawa et Montréal, ma vie à cheval entre ces deux villes fort distinctes l'une de l'autre, loin de m'inquiéter, renforçaient mon impression de vivre dans un pays où les gens savaient cohabiter en harmonie en dépit de leurs différences linguistiques et culturelles. Ici, en Argentine, il n'en était rien. Les frontières ne faisaient qu'aiguiser les haines entre les uns et les autres. Au lieu de servir de ponts interculturels, elles creusaient les identités, les rendaient incompatibles les unes avec les autres. Conflit plutôt que lieu de passage, la frontière entre Buenos Aires et Tucumán m'apparaissait insurmontable.

Quoi qu'il en soit, j'ai pu observer à ma guise le trait sûr et précis qui animait le pinceau de la fille. Elle retouchait les lignes sinueuses d'un paysage de montagne. On aurait dit qu'il s'agissait de la colline à laquelle s'agrippait la maison.

— Pourquoi êtes-vous parti comme un voleur hier ?

Sa voix était douce, naturelle, rien chez elle ne transpirait l'effort ou l'affectation. Elle n'avait pas eu besoin de se retourner pour savoir que j'étais là, aux aguets sur une chaise bringuebalante. J'ai eu doublement honte, tout d'abord d'être parti sans la prévenir la veille et puis d'être de retour avec un regard d'espion.

Il m'a fallu improviser une excuse :

— Je suis parti parce que je ne savais pas comment vous nommer.

Elle s'est tournée vers moi. J'ai senti qu'elle me regardait, moi et non pas les masques que je traînais comme les grelots d'un lépreux partout où j'allais.

— Quand votre père est venu ici pour la première fois, j'étais en haut, tout près des miradors, à l'ombre d'un pommier en fleur. C'était l'été, et, pour la première fois, il m'a appelé Poma. J'ai su à ce moment-là quel était mon nom, a-t-elle dit d'une voix douce et sereine.

— C'est un nom qui fleure le terroir, ai-je concédé, me sentant tout à coup ridicule d'être là-haut, accroché au mur avec le cou en piteuse posture.

— Alors est-ce que vous êtes revenu pour rester ou allez-vous repartir furtivement ? a-t-elle demandé en se retournant vers la toile, comme pour me donner le temps de réfléchir à la réponse que je comptais lui donner.

— Je ne suis ici que de passage. On m'attend à Buenos Aires, ai-je répondu d'une voix mal assurée.

Elle a poursuivi son travail avec le pinceau tout en parlant sur un ton posé et grave qui en disait long sur l'importance qu'elle accordait à cette maison juchée sur la colline et à tout ce qui s'y rattachait :

— Ici, c'était beaucoup plus qu'un lieu de passage pour votre père.

Malgré la douceur de sa voix, un parfum de reproche se dégageait des mots qu'elle prononçait. Sans savoir pourquoi au juste, j'ai senti que j'étais encore une fois en retard, et que j'aurais dû venir bien plus tôt dans cette maison. Je me suis alors efforcé de reprendre l'initiative au lieu de me laisser mener par le bout du nez.

— Qu'est-ce qu'il faisait, mon père, lorsqu'il était ici ?

Au bout d'un long silence, Poma m'a regardé de nouveau :

— Il n'est pas juste de parler des morts, a-t-elle dit en se défilant.

— Pourquoi ? ai-je répliqué, partagé entre l'étonnement et le sentiment d'être arrivé aussi en retard dans ce dialogue-là.

— Parce qu'ils ne peuvent pas corriger les mensonges que nous débitons sur eux. Voilà pourquoi.

L'esquisse d'un sourire se dessinait sur son visage mais je n'en étais pas certain, car la lumière se concentrait sur la toile, et les traits de Poma, happés par la blancheur de sa robe, demeuraient flous, imprécis, comme si une main invisible les empêchait de s'éclairer de l'intérieur.

— Allez-vous rester ici, aujourd'hui ? s'est-elle informée.

— Il n'est pas juste de parler des vivants, ai-je répondu avec une pointe de sarcasme.

— Peut-on savoir pourquoi ?

Sa voix s'était adoucie davantage. Rien que du sucre, tout comme ces champs plantés de canne à sucre à perte de vue que mon père parcourait à longueur d'année afin d'en évaluer la valeur sur le marché.

— Parce qu'ils ne veulent pas ou, peut-être, ne peuvent pas s'empêcher de mentir.

Je me suis réveillé ce matin dans la chambre dont l'une des fenêtres donne sur la montagne et l'autre sur la piscine. Il faisait beau et la lumière découpait le paysage avec le tranchant précis d'un dessin à l'encre de Chine. Puis il y avait ce silence que la terre gorgée de soleil macérait à flanc de colline en attendant que l'arôme du café se transforme en parole. Avant même que je n'ouvre les yeux, l'odeur grisante du café de Poma a fait sonner les cloches de toutes les églises qui sommeillaient en moi. C'était le seul rêve que je me rappelais avec clarté : de clocher en clocher, je volais tel un oiseau dont les pattes n'étaient plus qu'un prétexte à un nouveau départ. À force de fixer le sommet des montagnes, j'avais fait corps avec ce ciel haut perché d'un bleu vif d'émail toujours à la racine de sa lumière.

Après avoir enfilé une robe de chambre bordeaux en velours ayant sans doute appartenu à mon père, j'ai ouvert la porte de la chambre. Le café noir de Poma, son parfum de cannelle qu'elle semblait prendre un malin plaisir à présenter comme allant de soi, minutieusement préparé au petit matin dans le plus grand des secrets, trônait déjà sur la table de la salle à manger. Le nez tout près de la cafetière, j'en ai aspiré l'arôme comme si c'était la dernière chose que je faisais dans ma vie. C'est dans cette attitude qu'elle m'a surpris en sortant de la cuisine. En jean délavé qui moulait son corps, les cheveux ramassés en chignon sur la nuque, elle arborait un sourire doux avec une pointe de mélancolie qui la préservait comme une cloche de cristal. Sa peau paraissait encore plus blanche que d'habitude. Il était autour de neuf heures, et le soleil en traversant le grillage de la fenêtre projetait les arabesques du fer forgé sur le sol en céramique de la pièce. Elle m'a demandé si j'avais bien dormi tout en déposant sur la table un plateau en bois contenant des toasts et de la confiture de framboise maison. *J'ai très, très bien dormi, Poma, si j'avais pu le faire toujours comme ça, ma vie ressemblerait moins à un road movie*, ai-je dit en plaisantant.

— Aimez-vous les road movies ? a-t-elle demandé en me regardant droit dans les yeux.

Je me suis accordé quelques secondes de réflexion avant de répondre. À vrai dire, j'ignorais pourquoi j'avais dit que ma vie ressemblait à un road movie. Elle était probablement comme celle de millions de gens issus d'un mariage mixte. Je suppose que si Anna n'avait pas été Québécoise, je serais resté bien au chaud dans le Sud. Mais voilà, allez savoir pourquoi, il a fallu qu'à un moment donné j'aille vivre là où elle avait accouché de son petit bâtard. Montréal, ville d'Anna Lambert, méduse de montagne, repliée sur elle-même l'hiver, ouverte aux bras des rivières l'été, mais toujours intense, pour le meilleur et pour le pire, tout comme maman, cri entre deux eaux, à cheval entre le haut du ciel et le bas du ventre, lorsque le ventre se fait pierre et qu'il vous précipite sur les rails d'un train en marche, la nuit, ou un beau matin, comme ça, tout à coup, à l'improviste, au pied levé, parce qu'il faut en finir, et que le voyage a déjà assez duré, n'est-ce pas maman ?

— Je ne sais pas. J'aime le cinéma. J'y vais souvent à Montréal, à Ottawa aussi du reste, au cinéma By dans King Edward, ai-je bredouillé, la bouche pâteuse, sans m'apercevoir que je lui parlais de lieux qui n'évoquaient rien pour elle.

C'était clair que j'avais besoin d'une bonne tasse de café, mais la présence de la fille m'intimidait quelque peu.

— Montréal, Ottawa, c'est loin tout ça, a-t-elle dit sur un ton tout à coup rêveur.

Elle a souri en reprenant le plateau en bois. Le jean mettait en relief ses hanches bien dessinées. Elle portait un pull brun clair en alpaga style péruvien. La finesse de la laine épousait à merveille celle de ses cheveux châtains. Elle assortissait les couleurs avec grâce. Je me suis promis de lui demander à un moment donné de me laisser voir sa peinture.

Elle m'a servi du café puis, sans rien me demander, elle a étalé de la confiture de framboise sur deux tranches de pain grillé.

— Votre père mangeait toujours une pomme avant le café. En voulez-vous une ? s'est-elle renseignée.

Puis, tout en souriant avec un regard taquin, elle a ajouté :

— *An apple a day keeps the doctor away.*

L'excellente prononciation de son anglais m'a carrément épaté.

— Maintenant qu'il est six pieds sous terre, ce sont plutôt les pommes qui se nourrissent de ses restes, ai-je dit sur un ton qui se voulait cocasse.

J'ai vu son sourire se figer sur sa bouche. Une expression d'incrédulité avait gagné son visage. J'ai regretté de l'avoir froissée, mais c'était trop tard. Elle devait penser que je n'aimais pas mon père ou bien que j'étais un sacré goujat. À quoi bon lui expliquer qu'entre un fils et son père c'était souvent le malentendu qui se taillait la part du lion ? Plus tard, je me suis aussi dit qu'elle avait probablement fait un rapprochement entre son nom, Poma, et les « pommes » dont je parlais, et que c'était peut-être ça qui l'avait vraiment froissée. En tout cas, le mal était fait, mais je n'ai pas renoncé à déguster mon café jusqu'à la dernière goutte. Mon Dieu qu'il était bon, ce café ! Tout, il faisait tout oublier, y compris ma gaucherie devant une fille à laquelle je ne comprenais rien, excepté qu'elle était belle.

Elle a attendu là, sagement, que je finisse mon café, dans cette attitude de disponibilité qui me mettait mal à l'aise, car je ne savais pas quoi lui dire. Ses grands yeux étaient fixés sur moi sauf lorsque, de temps à autre, je croisais son regard, et qu'elle penchait la tête vers le sol comme le ferait une de ces Indiennes des hauts plateaux andins.

Mon petit-déjeuner aussitôt terminé, je lui ai annoncé que je descendrais en ville pour me raser et changer de vêtements.

— Vous ne comptez pas quitter l'hôtel?

Sa question reflétait une certaine inquiétude qui m'intriguait et me plaisait à la fois.

— Pourquoi le ferais-je? ai-je demandé à mon tour.

— N'êtes-vous pas mieux ici qu'à l'hôtel?

Cette fois-ci, sa voix traduisait une crainte que j'avais du mal à comprendre. Qu'est-ce que ça pouvait bien lui faire que je reste là ou que j'aille à l'hôtel? J'aurais voulu lui parler d'Andújar et de la chaîne de voix qui m'avaient conduit jusqu'à ces montagnes, mais la crainte de la décevoir une nouvelle fois m'en a empêché.

Je suis revenu à la maison juchée à flanc de colline un peu avant le coucher du soleil. J'étais content de quitter la ville et toute cette foule de va-nu-pieds qui s'égosillait dans ses rues. Le taxi qui m'a ramené dans ces montagnes était conduit par un gros bonhomme n'arrêtant pas de pester contre le gouvernement en place. Il a tenu le crachoir pendant tout le trajet en faisant l'éloge des militaires qui, selon lui, étaient les seuls à pouvoir mettre au pas un pays comme l'Argentine. L'air bougon, il a ajouté qu'à présent il n'y avait du travail que pour «cette racaille» qui nous venait des pays voisins, et même de plus loin. Pas besoin qu'il me fasse un dessin pour comprendre que s'il avait été en France, il aurait voté Le Pen. En descendant du taxi, ma valise à la main, je lui ai fait savoir que je garderais mon pourboire pour un de ces étrangers qu'il aimait tant.

J'ai monté ma valise sans trop d'empressement. L'escalier en pierre venait d'être aspergé d'eau. J'ai aspiré à pleins poumons l'odeur âcre de la pierre lavée au soleil. Aussitôt en haut, je l'ai vue, debout sur le seuil de la porte. Elle portait une jupe noire, et ses pieds nus, pâles et menus, contrastaient avec le rouge des céramiques. Un ruban bleu, qu'on appelle ici *vincha*, tenait en laisse sa chevelure châtaine. Tout naturellement, elle m'a débarrassé de ma valise en se rangeant sur le côté pour que je puisse entrer.

Un parfum de gardénia embaumait la maison. J'ai tout de suite repéré, sur la table basse du salon, la lampe Berger qui en faisait brûler l'huile aromatisée. Qui avait appris à cette fille tous ces détails grâce auxquels un homme se sent accueilli comme s'il était chez lui ?

Ma valise a été déposée dans la chambre. Le lit y avait été fait, et une serviette de toilette bleue, nouée en cygne comme on en voit dans les hôtels, flottait au-dessus de la couverture. Je n'ai pu m'empêcher de sourire.

— Où avez-vous appris à faire ces figures ? ai-je demandé, curieux.

— C'est maman qui me l'a appris. Elle travaillait pour le tourisme, a-t-elle répondu sans fausse modestie.

— Est-ce que vous la voyez souvent, votre mère ?

Elle est restée bouche bée, comme si les mots avaient du mal à trouver leur voie.

J'étais sur le point de lui demander d'excuser mon indiscrétion quand sa réponse est sortie d'un coup :

— Elle est partie en Espagne.

Peut-être à cause de la tristesse que je ressentais dans sa voix ou parce que j'avais du mal à croire qu'elle pouvait être si seule, j'ai insisté :

— Et votre père ?

Cette fois-ci, la réponse ne s'est pas fait attendre :

— Je ne l'ai jamais connu.

Il n'y avait pas de tristesse à ce moment dans sa voix, mais sa douceur n'était plus la même. On aurait dit qu'un voile la couvrait comme un linceul. Du coup, je me suis dit qu'il valait mieux que j'arrête de lui poser des questions.

— Voulez-vous que je vous prépare un maté ? a-t-elle demandé comme si elle cherchait à dissiper mon embarras.

J'ai hoché la tête de haut en bas tout en me délectant à l'avance du goût amer et stimulant des feuilles infusées dans de l'eau chaude. La boisson préférée de papa, qu'il sirotait en silence après la sieste. C'était l'heure de la journée qui réclamait pour lui la cérémonie intime et conviviale d'une boisson qu'il prenait souvent les yeux rivés sur le corps de Leda.

J'ai sorti mes vêtements de la valise et les ai rangés un à un dans le placard avant d'aller au salon où m'attendait déjà le maté en calebasse d'argent du Potosí et le sucrier en cristal taillé. Puis il y avait la *bombilla*, elle aussi en argent, tige creuse dont l'extrémité aplatie et perforée trempait dans l'eau afin de filtrer la quintessence des feuilles macérant au fond de la calebasse. Tout à côté, sur un plateau en *quebracho*, se trouvait la bouilloire qui servait à renouveler l'eau de l'infusion.

J'étais confortablement installé dans le fauteuil, le dos appuyé contre un coussin qui semblait avoir été placé là pour l'occasion, quand j'ai vu la fille traverser la terrasse en direction de l'atelier. Du coup, j'ai eu l'impression que sa jupe s'était raccourcie et qu'une partie de ses cuisses était à découvert. Juste un flash que ma raison s'est aussitôt empressée de remettre en question. Voilà qu'au lieu de m'apitoyer sur cette fille seule entre quatre montagnes, mon instinct de célibataire toujours aux aguets revenait au galop. Peu fier de moi, je me suis rendu dans la cuisine avec l'intention de remettre de l'eau chaude dans la bouilloire. J'y ai aperçu des morceaux de poisson cru dans un plat. Des tranches de patates douces, des oignons finement hachés ainsi que des feuilles de laitue s'entassaient dans un bol. Le jus de plusieurs citrons récemment pressés attendait patiemment le retour de la cuisinière pour aciduler l'ensemble. À mon très grand étonnement, j'ai aussi remarqué des roses et des cerises dans de l'eau-de-vie. Le *ceviche* qui macérait dans cette maison ne semblait pas conforme à la tradition culinaire réclamée par l'appétit de papa quand j'étais enfant et que maman vivait encore avec nous.

Une fois de retour dans le salon, j'ai continué à prendre du maté jusqu'à la tombée de la nuit. J'ai réfléchi sur les conséquences de mon séjour dans ces montagnes. En prenant conscience que je n'avais pas songé à Telma une seule fois pendant la nuit, j'ai éprouvé le regret des traîtres. Le visage de Poma chassait celui de ma maîtresse, et le monde continuait de tourner comme si de rien n'était. Beaucoup plus que les corps, c'étaient les visages des femmes qui me séduisaient. Des paysages dans lesquels je cherchais des raccourcis imaginaires. Un passage où le sourire serait au bout du chemin. Le paysage change, mais la soif de reconnaissance, elle, demeure toujours la même. Personne jamais ne pourrait fournir ce qui *n'avait pas été donné* dès le début. Je corrige : ce qui n'avait pas été donné, voilà ce que j'avais reçu en partant. Je pensais à Anna, bien sûr. Au huis clos de ses cris. Ces cris qui avaient éteint mon dernier rire d'enfant. À quoi bon m'acharner sur chaque visage de femme qui croisait mon chemin ? me suis-je demandé dans l'espoir de ne pas céder à la tentation d'une nouvelle défaite. Je pressentais que la relation que je pourrais avoir avec cette fille qu'on appelait Poma se terminerait, tout comme les autres, là où avait commencé ce qui *n'avait pas été donné*.

J'ai entendu des bruits dans la cuisine. Ça ne pouvait être que Poma. Elle avait dû entrer par la porte qui donnait accès à la cour, en arrière de la maison. Après une dernière gorgée de maté, je me suis mentalement préparé afin de m'organiser pour la poignée de jours que durerait mon séjour à flanc de colline. Comme je n'ai jamais eu de talent d'organisateur, mes préparatifs ont été brefs. J'ai remis la calebasse en argent, la *bombilla* et la bouilloire sur le plateau et me suis dirigé vers la cuisine. La fille, penchée sur le plat de *ceviche*, s'affairait à y saupoudrer des épices multicolores. J'ai observé sa jupe noire, la même que lorsqu'elle m'avait reçu. Ce n'était pas la première fois que je voyais du nu là où il n'y avait que des voiles de novice. J'avais donc rêvé des cuisses nues de Poma sur la terrasse ou peut-être que je faisais de la fièvre. J'ai discrètement porté une main à mon front ; en me tâtant, j'ai senti que ma tête brûlait comme une citrouille qu'on aurait trop rapprochée d'un four. Je me suis rappelé que j'avais un thermomètre de voyage dans ma valise. Inquiet, j'ai pris ma température dans la chambre en serrant bien le bras droit pour concentrer toute la chaleur dans l'aisselle. Étalé sur le lit, la tête appuyée sur le cygne de Poma, je me suis endormi.

Sur le cygne de Poma, j'ai dû rêver de Leda parce que mon thermomètre de voyage, retrouvé entre les plis des draps, était noir comme le ciel d'une veuve. Je me suis réveillé le lendemain après avoir dormi douze heures d'affilée. Cela faisait très longtemps qu'une chose pareille ne m'était pas arrivée. En quittant le lit, je me suis senti comme un poussin qui venait de casser la coquille de son œuf. Tout autour de moi respirait le début d'une nouvelle vie : la chambre dont la blancheur des murs contrastait avec le ton sombre du bois de l'armoire, le vert intense s'étalant partout à travers le grillage des fenêtres, la colline et les montagnes qui entouraient la maison. Pendant quelques instants, j'ai éprouvé la sensation curieuse d'assister à une seconde naissance. Au moment où j'ai franchi le seuil de la porte, l'arôme du café m'a ramené à la réalité âpre et pressante de mon désir. Et si c'était pour ce café-là que j'étais revenu dans le Sud ? Un si long voyage juste pour goûter le parfum à la cannelle d'un café qui sortait tout chaud des mains de Poma. Peut-être parce que le sentiment d'être heureux me semblait insoutenable, je me suis dit que je ne resterais pas longtemps dans cette colline, à peine les jours nécessaires pour me reposer des bruits de la ville.

Je suis allé m'aérer sur la terrasse. Des montagnes, des collines, des arbres, un chemin qui monte et un autre qui descend. J'essayais de comprendre ce qui avait pu attirer mon père dans un endroit comme celui-là, si éloigné des lieux qu'il fréquentait d'habitude, lorsque la voix de la fille s'est mise à résonner dans mon dos comme une cloche d'église :

— Le petit-déjeuner est servi, dit-elle.

En me retournant d'un mouvement brusque, je l'ai vue sur le seuil de la porte, habillée en bleu, les cheveux caracolant sur les épaules. Tandis que mes yeux étaient posés sur elle, je me suis vu en train de la regarder, là sur cette terrasse en céramique rouge, comme si son apparition s'inscrivait dans l'ordre des choses, comme si son appel et ses prévenances à mon égard faisaient dorénavant partie de ma vie. Et voilà que, soudainement, j'ai, contre toute attente, éprouvé les premiers symptômes de rejet de la greffe qu'elle représentait pour moi. Ni la maison, ni la voix de la fille, ni le paysage qui les entourait n'étaient à moi, ni la tasse de café qu'elle venait de mettre sur la table de la salle à manger, ni l'émoi qui accélérait mon pouls quand ses yeux croisaient les miens.

Pourtant, je me suis assis à la table de la salle à manger en me conformant à l'image de cet hôte gourmand qu'elle semblait attendre de moi. Son café d'abord, capiteux, imprégné d'épices, fondant en bouche comme du chocolat noir, puis ses tartines de confiture à la framboise maison. L'idée que j'étais injuste avec elle me tourmentait, car j'ignorais ce qui justifiait vraiment son séjour dans ce lieu retiré. Par moments, je songeais que la routine, la simple et entêtante routine qui rouille jusqu'à l'air qu'on respire, expliquait sa conduite. Mais une analyse plus approfondie de la situation révéla d'autres possibilités. À vrai dire, je manquais de l'objectivité et du recul nécessaires pour analyser ses motivations. Quoique, pour d'obscures raisons liées à l'argent laissé par mon père, elle ait attendu mon arrivée, je ne pouvais que bouleverser, me semblait-il, l'ordre de sa vie. Le fait qu'elle n'en souffle mot m'irritait et me déconcertait tout à la fois ; ses gestes de soumission tacite obéissaient à un rituel dont la logique m'échappait, ce qui rendait son silence d'autant plus insupportable. Briser le silence, voilà ce dont j'avais envie ce matin où mon cerveau revigoré par douze heures de sommeil ininterrompu paraissait prêt à me faire croire que j'étais capable de comprendre ce qui se passait dans ma vie.

— Poma, il faut que je vous parle.

Je me sentais ridicule en la vouvoyant. Elle avait l'air très jeune, et je préférais ne pas lui demander son âge. Mais vingt ou vingt-huit ans, après tout, qu'est-ce que cela pouvait bien changer ? Il valait mieux, me semblait-il, ne parler que de ce qui la liait à mon père. Moins j'en apprendrais sur elle, plus je me sentirais libre de repartir le plus tôt possible. J'avais l'intuition qu'elle représentait une sorte de trappe dans le testament de papa, une femme-trappe plus exactement, dont le but serait de mettre à l'épreuve ma capacité à jongler avec les restes de l'occis.

Elle m'a regardé sans surprise, comme si ma demande de dialogue était, elle aussi, inscrite dans l'ordre des choses.

— Je me pose des questions depuis mon arrivée ici, ai-je murmuré en cherchant mes mots avec difficulté.

Je l'ai fixée droit dans les yeux, mais elle n'a rien dit. Son visage demeurait imperturbable, avec moins de douceur dans les traits mais de la douceur tout de même.

— Je veux savoir à qui appartient cette maison, comment vous faites pour vous en occuper toute seule, qui est derrière tout ça. J'imagine que quelqu'un donne de l'argent pour payer la nourriture, l'électricité, l'eau, les taxes… que sais-je? Connaissez-vous Andújar ou Albújar ou l'autre dont je ne me rappelle pas le nom en ce moment? ai-je demandé, incapable de mettre de l'ordre dans mes pensées.

— Comment voulez-vous que je vous dise si je connais quelqu'un dont vous ne me donnez pas le nom? a-t-elle riposté avec la vivacité d'une enfant espiègle.

— Répondez aux autres questions, je vous prie, me suis-je exclamé tout en me demandant si, d'une façon ou d'une autre, elle ne se moquait pas de moi.

— Je n'en sais rien ou très peu. Votre père prenait tout en charge quand il était ici. Pendant ses absences, qui étaient parfois longues, il y avait quelqu'un qui réglait tout.

— Quel est son nom? Vient-il toujours?

— Oui, il s'appelle Manuel.

— Ce nom ne figure pas sur ma liste, ai-je dit en fronçant les sourcils.

— Et pourquoi devrait-il figurer sur votre liste?

Alors j'ai répliqué du tac au tac et, pour la première fois, avec une pointe d'énervement dans la voix:

— Parce que je veux savoir où je mets les pieds, voilà pourquoi.

— Ici, vous êtes à la montagne: on monte ou on descend, voilà tout.

Quelques secondes se sont écoulées avant que je ne pose ma prochaine question. Je me sentais désarçonné par l'aplomb dont faisait preuve la fille.

— Que fait-il au juste, « Manuel »?

— Il s'occupe des factures, tous les quinze jours, il approvisionne le garde-manger. Il apporte des papiers, et il remporte des papiers. Je le vois peu, il vient et il s'en va. Il a une clef de la maison.

J'ai sursauté à l'idée que, en plus d'Andújar, d'autres personnes avaient accès à la maison.

— Est-ce qu'il vous donne de l'argent ? ai-je demandé de
but en blanc.

— Je vous ai dit qu'il apporte des papiers, a-t-elle répondu.

Le ton froid et détaché avec lequel la fille parlait d'argent
m'étonnait. Pour quelqu'un qui était dans une situation aussi
précaire, le peu d'empressement qu'elle mettait à clarifier les
choses me paraissait suspect.

— Et d'où vient-il, cet argent ? l'ai-je interrogée.

Son regard s'était quelque peu durci, bien que son visage
conservât cette douceur qui, comme un masque, la protégeait de mes questions, et de ce qu'elles pouvaient avoir
d'invasif.

— Votre père l'avait laissé au cas où il ne serait plus là.

Tout à coup, ses yeux s'étaient humectés, et je me suis
aperçu que si je continuais avec mon interrogatoire elle écla-
terait en sanglots.

Mes questions se sont donc arrêtées là où commençait sa
douleur.

Dans la chambre que papa utilisait comme bureau, tout
était resté inchangé. J'ai reconnu l'ordre strict, presque
maniaque, qui régnait dans ses dossiers. Il me serait facile d'y
mettre le nez et de découvrir de nouveaux chemins qui mène-
raient à sa mémoire. Il me serait par contre difficile de résister
à la tentation de devenir un fils-limier après avoir été un fils
absent. Mais en dépit de tous mes efforts, il m'a été impossible d'ouvrir une armoire métallique qui était verrouillée. Je
me suis promis d'en demander la clef à Poma dès qu'elle
serait de retour. Elle était allée chez les Urtubey. Ils avaient un
fils-grenouille. C'était du moins ce qu'elle m'avait donné
comme prétexte pour monter tout en haut de la colline où
nichait leur maison. Pas besoin de me donner des expli-
cations, elle était libre de faire ce que bon lui semblait, lui
avais-je précisé. Elle m'a longuement regardé comme si mes
paroles n'étaient pas claires. Je lui ai répété qu'il n'était pas
nécessaire de me demander la permission pour sortir de la

maison. Elle a quand même tenu à m'expliquer que les dimanches — on était dimanche, en effet —, elle avait pris l'habitude de monter aux miradors, là où le chemin se terminait, juste en face de la maison des Bustani prise par la famille du fils-grenouille depuis trois ans. Les Bustani, à vrai dire, personne ne les avait jamais vus, une de ces familles riches de la province dont les maisons de campagne accaparaient les sommets des collines qui donnaient sur la ville. Seul le jardinier venait une fois par semaine s'occuper de la propriété mais, une nuit de pleine lune, on avait retrouvé son cadavre au bord de la rivière où pullulent les *charognards*. On appelle comme ça ici les gens sans domicile fixe qui vivent de rapines, de vols et de vandalisme. Sans surveillance, la maison des Bustani était devenue la proie des Urtubey qui, un matin d'hiver, lui avaient mis le grappin dessus. Poma s'était empressée de préciser qu'il ne s'agissait pas de *charognards*, car ils étaient blancs de peau malgré leur grand dénuement matériel. Personne ne savait d'où ils venaient ni pourquoi ils avaient choisi une des régions ayant le taux de chômage le plus élevé du pays. Poma avait été la première à remarquer que la maison des Bustani était prise. Les arbres perdaient leurs fruits à vue d'œil, tandis que des ordures s'accumulaient dans le jardin. Par la suite, il y avait eu des plaintes et une interminable procédure d'expulsion dont les démarches peuvent épuiser ici les sept vies d'un chat. Fort bien conseillés par le Syndicat des victimes de la précarité urbaine (SVPU), les Urtubey avaient cherché à transformer leur occupation illégale en séjour permanent. Ce projet immobilier peu catholique absorbait leurs énergies et il n'était pas rare de les voir tard le soir tenir de longs conciliabules avec des squatters professionnels et d'autres parasites du même acabit qui venaient appuyer leur cause. Le nombre de propriétés inhabitées des Bustani nourrissait leurs espoirs. *On ne peut pas vivre dans deux maisons à la fois, Dieu seul les occupe toutes, et c'est pour ça qu'Il nous a envoyés ici*, était leur argument de base. Cette foi peu digne de crédit pouvant se répandre dans les environs, un Comité de voisins avait été créé avec le mandat de protéger le droit à la propriété privée.

Lors de ses absences, le couple Urtubey confiait toujours à une sentinelle la tâche de les prévenir de l'arrivée de tout véhicule suspect près de la maison. Leurs trois fils se relayaient dans une guérite improvisée en haut d'un arbre. Le premier, muet, battait un tambour qu'il portait en bandoulière avec la fierté d'un croisé dans sa lutte contre les Maures ; le second, atteint de la polio, avait la mauvaise habitude de se casser la figure avant de parvenir à destination ; tandis que le troisième — peut-être pour compenser les faiblesses des deux autres — avait développé des stratégies de grenouille afin de parvenir à ses fins. Ses sauts tarzanesques, si l'on peut dire, en le catapultant très loin — avec des résultats parfois inattendus —, lui permettaient des raccourcis qu'un homme ordinaire n'aurait jamais pu emprunter. Un dimanche d'été particulièrement chaud, un peu avant midi, la boussole imprévisible qui guidait ses extrémités postérieures l'avait fait atterrir sur la toiture de la maison juchée à flanc de colline. Le vacarme, considérable, avait déclenché des aboiements enragés qui avaient déferlé comme des pierres depuis les miradors. Poma n'en croyait pas ses yeux lorsque, sortie sur la terrasse, elle avait aperçu cet Icare improvisé écrasé contre la cheminée. Après avoir apaisé les chiens, elle était montée sur le toit afin de porter secours au blessé. Accompagnée d'un fils-grenouille à peine remis de ses émotions, Poma avait ainsi franchi le seuil de la maison squattée un dimanche d'été où les effets conjugués de l'humidité et de la chaleur avaient rendu leur ascension si pénible qu'ils s'appuyaient l'un sur l'autre comme deux ivrognes. Reçue en héroïne, elle avait fait l'objet d'hommages ponctuels ; tout d'abord, celui d'Amancio — le muet —, dont les roulements de tambour avaient exprimé haut et fort l'intensité de l'accueil qui lui était dû. Le polio — Tito — avait arboré un sourire large comme une bouche de métro dont même ses parents n'avaient jamais soupçonné qu'il pouvait fleurir sur des lèvres aussi crispées par la maladie. Quant au fils-grenouille, il ne lâcha pas la main de Poma d'un poil tout en répétant qu'elle l'avait sauvé des lions. La fille souriait en me faisant part de la scène.

La nuit est tombée sans que Poma soit rentrée à la maison. J'avais cru que son absence un dimanche après-midi ne me gênerait pas, mais je m'étais trompé. J'aurais dû lui demander à quelle heure elle comptait quitter la maison des Urtubey.

De temps à autre, des aboiements intempestifs brisant le silence, je me demandais s'ils n'étaient pas les signes avant-coureurs de son retour, ou les témoins peut-être de ses égarements dans les plis de la montagne.

Incapable de fermer l'œil de la nuit, je n'ai fait que compter des aboiements. Dû en partie au sentiment d'impuissance que j'éprouvais, un mouvement de colère s'était frayé un chemin en moi. Et à ce moment-là, la tendresse, voire la pitié que j'avais ressenties au début s'étaient évanouies tout en révélant la force de mon penchant pour elle.

J'ai alors quitté le lit pour gagner la terrasse. La montagne était beaucoup moins sombre que je ne l'aurais cru. Une sorte de lueur qui venait en partie d'un ciel étoilé flottait sur la colline. Rien de plus rassurant et intime à la fois qu'une montagne recueillie sur elle-même. Les chiens pouvaient dévaler les coteaux, je les recevrais sans peur, prêt à enfoncer dans leurs museaux écumants les crocs de ma propre colère. Mais personne n'est venu, et je suis resté là jusqu'à l'aube.

— Bonjour.

C'était elle, sortie de l'atelier comme une peinture que le chevalet ne peut plus faire tenir en place. En me retournant, j'ai vu des éclats de cheveux longs et soyeux sur ses épaules ; c'était cette lumière qui m'attachait à la maison, je l'ai compris à ce moment-là, sans savoir quoi faire ni où diriger mes pas, perdu dans le labyrinthe de mon propre désir.

Elle s'est avancée vers moi, habillée de la tête aux pieds d'une chevelure que la nuit, bizarrement, semblait avoir redorée. C'était comme si elle avait passé la nuit trempée dans un bain d'épis de maïs.

J'ai voulu savoir où elle avait été.

— Je vous l'ai dit.

Sa voix était douce, comme à l'accoutumée, mais j'ai cru remarquer une certaine froideur à mon égard.

— Je vous ai attendue.

— Je vous avais dit que, les dimanches, j'allais à la maison des miradors.

— Mais vous ne m'aviez pas dit que vous y passeriez la nuit.

— J'ai dormi là, a-t-elle dit en montrant l'atelier de son index.

J'ai esquissé un sourire incrédule tout en sentant que je m'enfonçais dans le rôle du vieux barbon jaloux.

— Je ne vous ai pas vue revenir. À quelle heure êtes-vous arrivée ?

— Je ne sais pas, je n'ai pas de montre.

C'était là Poma : une fille sans nom de famille, ni maison, ni montre mais avec des amis qui troquent leurs mots contre des roulements de tambour lorsque la nuit tombe.

Elle est entrée dans la maison ; je l'ai suivie. Elle préparerait le petit-déjeuner, mais la cannelle de son café n'aurait plus le même parfum. À présent, je savais que le goût du café de Poma venait d'une nuit qui me filait entre les doigts. C'était seulement en la criblant de questions que je pourrais avoir l'impression de la toucher. Aussi pénible que ce soit, pour elle et pour moi, il n'y avait pas d'autre solution.

— Qu'avez-vous fait cette nuit ?

Elle était déjà dans la cuisine et moi, les yeux hagards, fatigué, déçu de moi-même, me sentant déjà coupable, histoire de précipiter mon crime, j'incarnais le personnage que le scénario posthume du défunt avait probablement prévu depuis belle lurette pour le fils prodigue.

— J'étais avec Amancio, le fils aîné des Urtubey, a-t-elle dit, les yeux cloués au sol, comme si elle cherchait à garder pour elle ces escapades du dimanche dont l'intensité des registres précédait mon arrivée, et que ma réprobation, au cas où elle se manifesterait, ne ferait probablement qu'exacerber.

Plus je l'interrogeais, plus ma méfiance me mettait mal à l'aise. Était-ce pour me punir à l'avance que je lui posais des questions ou pour justifier ce qui viendrait après ? J'aurais voulu ne pas avoir à creuser. On demande pour se protéger mais, en réalité, on ne fait qu'approfondir ce qu'on craignait.

J'ai alors senti obscurément que Poma, tout comme la maison des miradors, était prise.

IV

Paul retourna à l'hôtel un après-midi où Poma peignait ou attendait peut-être, dans la mollesse d'une sieste improvisée, les voix en sourdine venant des miradors. C'étaient des roulements de tambour que seuls une ouïe très fine ou des tympans soupçonneux pouvaient percevoir. Tout s'était passé jusque-là comme s'ils n'osaient pas s'afficher ouvertement.

Descendre en ville, pour lui, c'était plonger dans des bruits sans fin dont la fureur devait être proche de celle ayant précédé les dernières invasions barbares. Il y avait tout d'abord les cris à tue-tête des chômeurs qui s'égosillaient à longueur de journée dans l'espoir de faire croire à leurs contemporains qu'ils existaient eux aussi. Ces hordes de va-nu-pieds s'entassant dans les rues du centre-ville pour exprimer leur désespoir ou leur opposition au régime en place étaient probablement les signes avant-coureurs d'un bouleversement qui ferait renaître le pays de ses propres cendres. N'ayant ni la vocation du témoin ni celle du reporter international, Paul vaquait à ses affaires en essayant de tirer au plus vite son épingle du jeu.

Il téléphona à Buenos Aires depuis la chambre d'hôtel qu'il avait gardée. En entendant la voix animée de Telma, il se sentit revenir à son état normal. Alors il lui parla de la maison à flanc de colline, de l'écrin de verdure dans lequel elle ronronnait comme une chatte en chaleur, du petit matin avec des crêtes de volcan dans sa tasse de café.

— Tu parles de tout sauf de ce qui réellement t'intéresse, se récria-t-elle après l'avoir écouté en silence.

Malgré la distance, elle avait percé à jour non sans indignation l'impasse dans laquelle il se retrouvait. Rassuré et inquiet en même temps, il essaya en vain de se justifier :

— Voyons, c'est ce que je trouve de moins moche là où je suis, voilà pourquoi je t'en parle. Ce n'est pas tous les jours que j'ai la chance, tu sais, de voir un volcan depuis la fenêtre de ma chambre, argumenta-t-il, sur la défensive.

— Bien plus importante que le paysage qui t'accueille, c'est la fille qui l'habite, rétorqua Telma avec cette précision de scalpel qui s'emparait de sa voix lorsqu'elle était en transe.

Elle faisait donc allusion à Poma, à qui d'autre sinon ? Il en fut tout ébranlé. Jamais il n'aurait osé aborder le sujet en toute franchise.

— Elle ne compte pas, dit-il, soucieux de couper court à tout malentendu.

— La fille avec qui ton père vivait quand il était là-bas sait compter beaucoup plus que tu ne le crois.

Le sous-entendu de son interlocutrice froissa Paul qui, piqué au vif, s'efforça de regagner du terrain :

— Poma ne s'occupe que de la maison, expliqua-t-il.

— C'est ton père qui lui a donné ce nom, comme tout ce qu'elle porte sur elle.

— Comment peux-tu être si sûre de ce que tu avances alors que tu es si loin d'ici ? s'offusqua-t-il.

Elle ne répondit rien pendant quelques secondes puis, d'une voix moins froide, elle dit :

— Le lendemain de ton départ, j'ai rencontré Remigio Quispe sur mon chemin. Il m'a parlé de la vie du défunt dans cette maison, et de la fille qui l'accompagnait.

— Qu'est-ce qu'il a raconté au juste ?

Telma s'obstina dans un silence d'autant plus exaspérant qu'il ne voyait pas l'expression de son visage.

— Pourquoi ne me dis-tu pas ce qui t'arrive vraiment au lieu de tourner autour du volcan ? demanda-t-elle avec un sarcasme évident.

Coincé, il sentit qu'elle n'accepterait pas qu'il se défile. Et voilà que l'attraction qu'il éprouvait pour Poma venait d'être légitimée en quelque sorte par l'image ironique de Telma.

Mais pourquoi fallait-il que ce soit précisément elle, sa maîtresse, qui jouât le rôle de la confidente?

— J'ignorais qu'elle faisait partie des meubles, bredouilla-
t-il péniblement.

— Parle-moi d'elle.

— Je ne la connais pas.

— Demande à ton corps, parle-moi avec ton corps, Pablo,
oublie ta tête pour une fois, insista-t-elle.

— Si je savais parler avec mon corps, Telma, je serais
acrobate ou clown dans un cirque, tu sais.

Elle ne dit rien en attendant qu'il reprenne la parole là où
il l'avait laissée. Ça il le savait, Telma ne lâchait jamais la balle
lorsque celle-ci était dans son camp, et qu'il s'agissait d'aller
au fond des choses. C'était une question de survie pour elle.
Pourquoi le fond plutôt que la surface? Pourquoi le fond
serait-il plus vrai alors que l'apparence s'imposait partout?
réfléchit-il, soucieux de limiter les dégâts qu'il anticipait au
cœur de sa relation avec Telma. Or, comble de l'audace, ce fut
par un accès de sincérité qu'il prétendit se racheter:

— Mon corps me dit que, si je continue à fréquenter cette
maison à flanc de colline, je finirai par coucher avec la fille,
dit-il d'une voix rauque.

— Et qu'est-ce qui t'en empêcherait? demanda-t-elle en
haussant le ton.

— Toi, voyons, Telma.

— Moi! s'exclama-t-elle tout en cédant à la tentation d'un
éclat de rire subit et désinvolte qui heurta Paul de plein fouet.

— Tu me blesses, Telma.

— Excuse-moi, Pablo, mais tu sais très bien que face à
cette fille je ne pèse pas bien lourd.

— Que tu le veuilles ou pas, Telma, notre relation est
devenue quelque chose d'important pour moi, dit-il en se
demandant si elle ne cherchait pas à l'aider à briser les
amarres au bout du compte.

— Ne sois pas de mauvaise foi, Pablo, si tu ne couches
pas, pour l'instant, avec cette fille, ce n'est pas à cause de moi
mais à cause de toi. Ce que tu appelles «notre relation» n'est
qu'un paravent pour te cacher de tes peurs.

— J'ai besoin d'aide, Telma, pas d'analyses psycholo-
giques. J'ai échoué dans une ville où les gens crèvent de faim,
tandis que tu ne trouves rien de mieux que de me regarder
sous une loupe comme si j'étais un insecte.

— Excuse-moi, mais cette fois-ci je n'ai vraiment pas
envie de jouer à être plus forte que les autres.

Une tristesse soudaine avait remplacé son rire. Il la
sentait, cette tristesse entre les mots, comme un vin qui aurait
mal vieilli et qui vous aigrit le palais.

— Demain, je prends le premier vol pour Buenos Aires,
j'ai besoin de te revoir, dit-il.

— Ne le fais pas, c'est peut-être là ta dernière chance de
comprendre ton père.

— On ne comprend pas un père : on l'aime ou on le
déteste. Et puis, il est six pieds sous terre.

— Il brille sur ton front, Pablo, comme une torche.

À travers la fenêtre de l'hôtel, il découvrit une fripière qui
traversait la place courbée sous des sacs de jute. Ses longs
cheveux noirs se confondaient avec le bitume. Paul songea que
c'était comme s'il voyait Telma, des années plus tard, portant
sur son dos ce qui restait d'une vie oisive. Quel futur pouvait-
il avoir avec une femme qui ne savait que lire l'avenir ?

Il poireauta longtemps dans un de ces couloirs éclairés au
néon dans lesquels les avocats de province installent leurs
salles d'attente. Une odeur de dossiers en retard et de procès
interminables flottait dans l'air. Maître Jodosa, sur son fauteuil
en moleskine noire perché, devait être fort affairé. Trois clients
à la peau cuivrée contemplaient la pointe de leurs chaussures
avec l'expression timorée de ceux qui ont tout à perdre. La
première à avoir été reçue était une dame à qui il ne manquait
plus que de mettre du papier carbone sur ses dents afin d'être
complètement déguisée en boule de charbon. Un de ses doigts
bagué d'un anneau de fiançailles doré était le seul éclat dans ce
corps investi par la noirceur. Elle ne pouvait être que la veuve
éplorée d'un de ces commerçants au crayon à cheval sur
l'oreille droite et à la montre-bracelet en or au poignet gauche
qui prospéraient grâce à la vente de cercueils en Tetra Brik à

l'entrée des hôpitaux publics de la ville. «Pourquoi enfermer vos chers disparus entre quatre bouts de bois?» demandait une annonce à la télé. «Laissez-les prendre la clef des champs et qu'ils respirent en paix!» répondait-elle tout en faisant l'éloge des matériaux biodégradables employés dans la fabrication des cercueils: «Avec Necrovelox, les bières ne sont plus une prison.» Paul, à son grand étonnement, constatait que l'entreprise familiale du regretté Niño Patiño avait occupé du terrain depuis qu'il était parti au Canada. Tout se passait comme si elle voulait faire de l'Argentine un immense cimetière dont les frontières coïncideraient avec celles de l'océan qui avait été témoin de la mort de son ancien camarade de classe.

Trois quarts d'heure très exactement dura l'entretien de la présumée veuve avec l'avocat pendant lesquels Paul, plus d'une fois, songea à plier bagage tellement il ressentait cette attente comme un affront personnel.

Quand il fut enfin devant Jodosa, son ironie s'en donna à cœur joie:

— J'aime beaucoup votre salle d'attente. Je crois que Dante l'aurait choisie volontiers pour illustrer le lieu réservé aux damnés, fit-il avec un sourire.

— Monsieur Escalante, le temps, comme le disait Sénèque, c'est de l'or. Vous m'excuserez, j'espère, si je refuse de parler littérature avec vous. Je ferai donc en sorte que les minutes que nous passerons ensemble, vous et moi, nous enrichissent tous les deux.

Retranché derrière son bureau, l'avocat montra d'un geste de la main la chaise sur laquelle devait s'asseoir le nouvel arrivé.

— Vous y avez mis le temps, mais vous avez fini par monter sur la colline. C'est un bon début. Ça n'a donc pas été si difficile que ça de se rendre jusque-là, n'est-ce pas? Il faut à présent prendre en charge les frais de la maison, et c'est là que j'interviens. Je vais vous déposer mensuellement l'argent dont vous aurez besoin dans un compte que vous ouvrirez à cet effet.

Paul observa cet homme débordant de graisse tout en se demandant comment interpréter ses mots. Jodosa ne semblait rien attendre de lui, excepté un acquiescement tacite.

— Il ne s'agit pas de frais particulièrement élevés, quoique la maison soit dans une zone déclarée touristique. Ceci augmente quelque peu les taxes foncières et les services. Dès que vous me communiquerez votre numéro de compte, on vous fera le premier virement, précisa son interlocuteur.

— Et qui paye Poma, la fille qui habite là-haut? demanda Paul tout à coup.

Il avait hésité avant de prononcer le nom de la fille en présence de l'avocat.

Les yeux de Jodosa s'enfoncèrent dans leurs orbites comme les antennes d'un escargot ayant touché un obstacle. À l'abri dans sa coquille, il semblait vouloir mettre un terme à l'entretien.

— À ma connaissance, elle ne reçoit pas de salaire. J'ignore la nature exacte de l'accord qu'elle avait avec votre père, répondit Jodosa du bout des lèvres.

— Il faut tout me dire. Je veux toucher mon argent puis reprendre l'avion aussitôt que possible, insista-t-il.

— De cet argent, pour l'instant, il ne vous sera possible que de retirer les intérêts, monsieur Escalante.

— Pourquoi?

— Albújar connaît mieux que moi ces détails techniques. Je vous conseille d'entrer en contact avec lui. Excusez-moi, mais j'ai des clients qui attendent, dit-il en consultant sa montre dont le bracelet en or brillait sous le néon.

— J'en ai marre de faire la navette entre vous et les autres, s'indigna Paul en se levant avec brusquerie.

— Il va falloir être patient, si vous voulez toucher votre héritage, dit l'avocat d'une voix si faible et mécanique qu'elle semblait sortie d'un vieil enregistrement.

Albújar lui avait fixé rendez-vous au café Pile ou face, à l'angle de San Martín et Córdoba, à seize heures. Ce café à la mode servait le meilleur cappuccino en ville. Ses croissants étaient tout aussi fameux, lisait-on dans le message écrit d'une main scrupuleuse à la réception de l'hôtel. Le coup de fil avait eu lieu au moment où Paul prenait une douche dans l'espoir de se débarrasser de toute cette crasse qui s'abattait sur lui depuis son arrivée.

Il avait le sentiment pénible que tout était à recommencer. Jamais il n'aurait cru que le testament de son père l'attacherait à un tel dédale de démarches qui n'en finissaient plus. Ces gens qui se renvoyaient la balle ne semblaient être là que pour lui compliquer les choses. Il était clair que, dans sa mort, le cher défunt ne lui avait pas facilité la vie non plus, réfléchit-il avec cet humour au vitriol qui se manifestait chez lui quand il se mettait à broyer du noir. Il n'avait pas envie de rester à l'hôtel en attendant l'heure de parler avec Albújar. Après avoir quitté le Pacífico del Norte, il se mit à marcher les mains dans les poches, se demandant où aller dans une ville où l'air chargé de plomb mitraillait les poumons plutôt que de les oxygéner. Sûr que faire du jogging dans les rues du centre-ville serait une manière sportive de se suicider. Il écarta donc l'idée, la jugeant prématurée. Sans presque qu'il s'en aperçoive, ses pas le conduisirent vers la place Independencia à l'heure où la circulation devenait si dense et frénétique que les squeegees indigènes se retrouvaient souvent les quatre fers en l'air.

Il la repéra depuis le coin de rue où l'ombre de la cathédrale racolait quelques ouailles pour la messe de la mi-journée. Se tenant courbée, les jambes écartées, elle jouait à saute-mouton avec d'autres cireurs de chaussures. Oui, c'était bien elle, Luzmila, Lumy, la quémandeuse, disparue avec un billet de vingt pesos dans la main la dernière fois qu'il avait été assez naïf pour lui faire confiance. Probablement parce que son entretien avec l'avocat l'avait frustré ou parce qu'il n'avait rien de plus intéressant à faire, il se dirigea vers elle, prêt à l'affubler d'un ou deux de ces clichés dont la sagesse populaire use en de telles circonstances : « Si tu continues sur cette voie-là, tu finiras en prison » ou « Tu devrais avoir honte de m'avoir volé au lieu de me dire merci. » Quand il s'approcha d'elle, les fesses cambrées de la cireuse de chaussures découvrirent des rondeurs de Lolita. Il n'était qu'à trois pas du mouton lorsque, à travers l'arc de ses deux jambes, le regard vif de Lumy se fixa sur lui. En un tournemain, elle reprit une posture plus convenable et, le sourire aux lèvres, alla à sa rencontre :

— Quelle chance de vous revoir ! Je pensais que vous seriez fâché parce que j'avais gardé l'argent au lieu d'acheter les sandwiches, dit-elle sur un ton enjoué.

Ses cheveux noirs semblaient plus longs que la dernière fois et sa voix avait le calme de quelqu'un qui viendrait de fumer un joint ou pire encore.

— T'es vraiment culottée, dit-il, en partie surpris par le manque de repentir dont elle faisait si ouvertement preuve.

— Maman est en train de mourir d'un cancer, alors je suis allée lui acheter des remèdes avec le fric que vous m'aviez donné, rétorqua-t-elle sans se démonter.

Il y avait tellement de misère autour de lui que son excuse pouvait fort bien ne pas être un mensonge. Incapable de choisir entre poursuivre sa leçon de morale publique ou, tout simplement, la croire, il se contenta de la regarder en silence.

La lumière crue de midi écrasait les traits des piétons qui, à leurs risques et périls, osaient affronter le flux ininterrompu et frénétique des voitures. Encerclée de toutes parts, la place avait l'air de tourner sur son axe comme une toupie sous les pattes d'un chat.

— On dirait des masques, remarqua-t-elle tout à trac en regardant les passants.

Il sourit. Un sourire qui fut vite interprété comme le signe d'une réconciliation par Lumy.

— Je croyais que vous étiez parti, dit-elle.

— Je me suis promené dans les collines, histoire de vérifier si la ville était moins moche vue d'en haut, blagua-t-il.

— Faudrait lui foutre le feu pour qu'elle renaisse de ses cendres.

Il pensa tout de suite que cette phrase ne pouvait pas venir d'elle. Elle pouffa de rire devant la tête qu'il faisait, mais une toux convulsive s'empara de son corps d'adolescente. D'instinct, Paul recula d'un pas afin de laisser passer le nuage de bactéries invisibles qui devaient sortir des poumons sans doute tuberculeux de la cireuse de chaussures. La peur de la contagion de toutes sortes de maladies réelles et imaginaires l'assaillait particulièrement quand il sentait qu'il ne maîtrisait plus son environnement immédiat. Ce qui expliquait le grand nombre de préservatifs qui accompagnaient chacun de ses itinéraires. Ses ardeurs de voyageur s'accommodaient fort bien, du reste, de la logique du latex. Bien que ses transports en une époque de sida fussent généralement protégés, Paul oubliait parfois ces précautions lorsque l'urgence l'exigeait.

— Papa dit souvent qu'il faudrait vendre ce pays à la Chine et, avec l'argent, envoyer tous les Argentins en vacances à Miami, fit-elle entre deux quintes de toux.

— C'est une manière de voir les choses, en effet.

— Un drôle d'oiseau, papa. Quand il n'est pas en train de nous battre, maman ou moi, même si elle est malade il continue à le faire, il passe son temps à visiter les églises, dit-elle.

— Est-il croyant ?

— Il vole des cierges après la messe et attend des pannes de courant pour les vendre.

Paul ne dit rien. La poitrine de Lumy, moins agitée, semblait avoir poussé depuis son tout dernier accès de toux. Il n'en croyait pas ses yeux. À force de se frotter à une réalité qui le dépassait, Paul n'était plus capable de distinguer entre le vrai et le faux.

— Depuis la maladie de maman, il traîne la nuit près de mon lit. Au début, il ne faisait que caresser mes cheveux. Puis après, soûl comme c'est pas possible, ses mains sont descendues de plus en plus bas...

Elle le regarda droit dans les yeux avec l'air de quelqu'un qui veut tout savoir de l'effet de ses mots sur son interlocuteur.

— Pourquoi ne le dénonces-tu pas à la police ? l'interrogea-t-il, mal à l'aise.

— On voit bien que vous n'êtes pas d'ici. À une occasion, Matilde, ma sœur aînée, a été violée dans un terrain vague derrière la maison. Je l'ai accompagnée au commissariat pour déposer une plainte. Elle a dû raconter tous les détails. L'officier qui prenait sa déclaration s'est arrêté d'écrire vers le milieu de son récit, et ma sœur et moi, on s'est rendu compte qu'il était en train de se branler.

Une bonne partie des mots qui sortaient de la gorge de la cireuse de chaussures étaient emportés par le vent. Paul renonça à saisir tout ce qu'elle disait. Il n'était pas impossible que l'histoire du flic se masturbant devant elle et sa sœur ne fût que le produit d'une imagination morbide.

— Pourquoi est-ce que tu me racontes tout ça ? s'informa-t-il, incapable d'entrer dans cet univers où l'atroce rejoignait l'invraisemblable.

— Ça vous dérange ? demanda-t-elle à son tour avec l'air faussement contrit.

— Pour être franc, je ne vois pas ce que je peux faire avec tes histoires, répondit-il d'une voix mal assurée.

— Et si j'allais chercher deux portions de pizza au jambon et au fromage ? suggéra-t-elle avec l'entrain d'un enfant qui veut changer subitement de jeu.

— Tu m'as déjà volé une fois, pourquoi est-ce que je répéterais l'expérience ?

Loin de se décourager, Lumy, un sourire espiègle aux lèvres, lui répondit sans gêne :

— Parce qu'aujourd'hui maman n'a pas le cancer, et que je crève de faim.

En s'élargissant, le sourire de Lumy révéla entre ses dents le vert noirci de ceux qui mâchent des feuilles de coca à longueur de journée.

— Tu ne dois pas avoir si faim que ça avec tout ce que tu mets dans ta bouche, dit-il en la fixant sans détour.

L'adolescente réfléchit pendant quelques instants, puis elle proposa sur un ton qui se voulait confidentiel :

— Je peux vous emmener là où on en trouve.

— Chaque fois qu'on se rencontre, tu essaies de m'emmener quelque part. Tu sais pourtant qu'avec toi je ne sortirai jamais du périmètre de cette place.

— Pourquoi ?

— Parce que je n'ai pas envie d'être arrêté pour détournement de mineure.

— Et vous êtes venu de si loin juste pour avoir peur ? demanda-t-elle avec cette voix d'enfant qui refaisait surface dès qu'il se rebiffait.

— C'est quoi la peur pour toi ?

— Une façon de fuir.

Sans connaître exactement la raison, il fut ébranlé par la réponse de l'adolescente. Était-ce la drogue qui était responsable de ces éclats de lucidité ?

Le bruit assourdissant de la circulation envahissait les quatre coins de la place. Paul n'était plus sûr de ce qu'il entendait. La voix de la cireuse de chaussures s'effilochait par moments.

— Je me demande si tu sais ce que tu dis.

— Qu'est-ce que je dis ? se récria-t-elle comme s'il l'accusait.

— Je te donne l'impression d'être en train de fuir ? demanda-t-il.

— N'importe qui vous le dirait, on le voit sur votre visage.

Aux coups de klaxon et au vrombissement pestilentiel des moteurs au diesel s'ajoutèrent tout à coup les cloches des églises qui, toujours braquées sur un rétroviseur céleste, célébraient la naissance d'une sainte locale.

Pris d'assaut par une sensation d'étouffement, Paul essaya de quitter les lieux, mais la main de Lumy s'accrocha au bas de sa veste en cuir avec l'insistance d'une limace sur une feuille de laitue. Il eut l'impression que la scène ne passait pas inaperçue. Bientôt, des badauds s'attrouperaient autour d'eux pour mieux les observer. Du coup, il se sentait comme sous un immense chapiteau où la naine de service venait de le prendre par la main afin de l'obliger à monter sur scène. Par deux fois, il lui demanda de le lâcher, mais la main de l'adolescente se crispa davantage.

— Vous voyez bien que vous voulez fuir ? marmonna-t-elle d'une voix qui s'entendait à peine.

Elle concentrait toute son énergie dans ce geste absurde que rien n'avait annoncé. Pris de court, Paul, tout en gardant son sang-froid, réagit comme il l'aurait fait avec un adulte :

— Si tu ne me lâches pas après que j'aurai compté jusqu'à trois, je vais te foutre un tel coup de poing sur la tronche qu'il te faudra acheter un dentier la prochaine fois que tu voudras mâcher de la coca.

Loin de relâcher sa prise, Lumy adopta une attitude encore plus agressive. On aurait dit que les propos de son captif n'avaient fait qu'accroître sa détermination :

— Si vous me frappez, je crie au secours, et tous les cireurs de chaussures de la ville vous tomberont dessus, l'avertit-elle d'une voix ragaillardie.

— Un...

— À quoi ça vous sert de voyager d'une ville à l'autre si vous avez les yeux fermés ?

— Deux...

— Si vous arrivez à trois, en moins de deux, je descends ma main jusqu'à votre braguette, le menaça-t-elle tout à coup.

Il y avait un ressac de drogues et de rancune dans sa voix. Mais il y avait aussi du désir, âpre, cru, farouche. Il sentit que, loin de maîtriser la situation, celle-ci prenait une tangente scabreuse dont les conséquences pourraient être autrement fâcheuses. Alors, mettant de l'eau dans son vin, il se radoucit :

— Je te donne vingt pesos, et tu me fous la paix, dit-il, décontenancé par l'audace dont faisait preuve la cireuse de chaussures.

— Votre liberté coûte donc si peu ?

La voix de Lumy était redevenue celle d'une enfant qui s'amuse. Cette petite morveuse, poussée à cran sans doute par la drogue, tenait des propos qui découvraient soudainement chez lui une aversion profonde pour l'inattendu, l'imprévisible, ce qui, en arrivant par hasard, risquait de remettre en question sa vision d'homme venu d'un pays où tout doit être planifié. Il comprit alors que la main qui emprisonnait le bas de son veston en cuir, dans sa descente progressive vers la braguette, lui rappelait la meilleure manière de perdre le Nord.

Malgré le retard de plus d'un quart d'heure de Paul, Albújar l'attendait assis à une table du côté de la fenêtre, là où les jeunes branchés de la ville aimaient exhiber leurs téléphones cellulaires phosphorescents la nuit comme des trophées de guerre. Dans cette ville, le sans-fil était encore un signe extérieur de richesse qu'on se faisait un devoir de montrer en public afin de ne pas être pris pour un plouc.

Albújar lui tendit la main avec effusion, comme un vieil ami. Paul venait tout juste de quitter le parc Lorenzo Vómer où l'avait conduit Lumy d'une main équivoque, afin de lui faire découvrir les lieux où prospéraient les mauvaises herbes locales. Ensemble, ils avaient parcouru des pergolas dont le foisonnement de lierres barrait les regards indiscrets tout en créant des espaces d'intimité d'autant plus recherchés que le prix d'une chambre à l'hôtel était un obstacle insurmontable pour le plus grand nombre. À quatre pattes devant des amphores en terre cuite que des femmes indigènes avaient plantées là en hommage aux esprits de la terre, Lumy avait insisté pour que son invité comprenne l'importance de renouer avec le souffle humide et sensuel de l'élément sans lequel rien ne tiendrait debout, pas même cette érection subite et irrépressible que la main de la cireuse de chaussures avait fini par provoquer en dépit des efforts désespérés du voyageur pour ne pas céder. Il avait suffi que Lumy évoquât une grand-mère au regard pénétré de sagesse ancestrale pour qu'il coiffât ce qui était une masturbation en bonne et due forme du joli titre d'initiation autochtone à la vie secrète des parcs. Dans ce panier bucolique où mensonge et réalité, Nord et Sud, brouillaient leurs cartes, Lumy cessa d'être une cireuse de chaussures pour devenir une sorte de prêtresse de Vénus apte à lui enseigner les rituels auxquels obéissaient les corps fascinés par leur propre chute.

Par-delà la tête d'Albújar, Paul observait des visages flottant comme des nénuphars sur un nuage de fumée. Il aimait l'anonymat que la combustion tribale des cigarettes installait d'office en dépit de la volonté individuelle de parade qu'on constatait ici et là. Comment décrire la légèreté de celui qui va de rue en rue, de place en place et de café en café sans que personne puisse l'appeler par son nom ? se demanda-t-il, content de passer inaperçu, fondu en quelque sorte dans cet échantillon d'humanité buveuse de café noir et de paroles que la fumée enfermait dans des bulles comme dans une bande dessinée en noir et blanc.

— Jodosa m'apprend que vous êtes content dans la maison à flanc de colline, dit l'homme d'une voix amicale.

— J'imagine que s'il le dit, c'est parce qu'il faut que vous le croyiez ainsi.

Les sourcils fournis d'Albújar adoptèrent la perplexité grave de deux accents circonflexes. Du coup, au milieu de toute cette fumée, son visage ressemblait à celui d'un clown.

— Il y a quelque chose qui ne va pas ? demanda-t-il.

— Je suis dans une maison avec une fille que je ne connais ni d'Ève ni d'Adam, et à des milliers de kilomètres de la capitale, dit-il comme si sa phrase résumait à elle seule toute l'incongruité de la situation qu'il vivait.

Albújar porta sa main gauche à sa bouche sans dire un mot pendant un long moment. Puis, inspiré probablement par l'expérience qui semblait se cacher derrière son regard pétillant et un tantinet malicieux, il répondit :

— Dans cette maison-là, votre père, un honnête homme comme on n'en voit plus de nos jours, a longtemps réfléchi à la meilleure manière de reprendre contact avec son fils lointain. Il me l'avait confié, et vous devez me croire. De même devez-vous me croire quand j'affirme qu'il était préoccupé par ce qu'il appelait vos « pas perdus ».

— Il n'a jamais voulu venir me rencontrer là où je suis né, le pays de ma mère, Anna Lambert, sa première femme.

— Vous étiez loin.

— C'est le Sud qui est loin. Le Nord, voilà ce qu'il ne faut pas perdre.

La voix de Paul était devenue presque railleuse.

— Vous ne répondiez pas à ses appels. C'est ce qu'il m'avait laissé entendre.

— Écoutez, je ne suis pas venu ici pour parler de mon père mais pour récupérer l'argent qu'il m'a laissé avant de mourir, précisa Paul sur un ton tranchant.

— Si vous tenez à toucher cet argent, il vous faudra habiter la maison. Personne ne vous y oblige, bien entendu, mais la clause du testament de votre père ne prévoit aucune alternative.

Petit à petit, l'homme s'était laissé emporter par un ton quelque peu professoral qui agaçait passablement le voyageur. Ou était-ce sa manie de ne pas lâcher le sans-fil qu'il pétrissait comme un tube de dentifrice ?

— Pourquoi dois-je vivre dans cette maison ? le questionnat-il, au bord de l'énervement.

— Son propriétaire devait de l'argent à votre père, beaucoup d'argent, voilà la raison.

— Et quel en est le montant ?

— Il faut ajouter les intérêts, et ça, c'est le travail de l'avocat Jodosa.

— J'en ai par-dessus la tête d'être renvoyé de l'un à l'autre comme une balle de ping-pong.

Albújar termina d'un coup sec son cappuccino avant de reprendre la parole.

— Votre père avait peut-être tort quand il s'est imaginé que vous trouveriez la paix dans la maison à flanc de colline, dit-il d'une voix lasse en se levant.

Paul le retint aussitôt en le prenant par le bras.

— Excusez-moi, je comprends que vous voulez m'aider. La journée n'a pas été facile pour moi, j'ai croisé une jeune fille qui m'a fait visiter les bas-fonds de la ville, dit-il comme s'il se débarrassait d'un poids trop lourd pour ses épaules.

À sa grande surprise, Albújar se mit à rire aux éclats tout en reprenant son siège.

— Ne vous en faites pas, cela arrive tous les jours, mon ami. Les rues regorgent de fessiers de plus en plus jeunes. Ça sort de partout, ma parole, on dirait des fourmis, et ça frétille d'impatience. Sans aller trop loin, hier soir, j'en ai ramassé une sur le chemin de la maison. Son âge ? Treize, quatorze ans, pas plus. Elle s'est mise à l'œuvre dès que je me suis arrêté au premier feu. J'aurais dû m'en douter, elle avait les lèvres barbouillées d'un rouge framboise qui annonçait de loin ses talents de pélican de voiture, raconta-t-il en s'esclaffant bruyamment.

Le ton complice de l'homme retourna l'estomac de Paul. Sans le savoir, Albújar jouait le rôle d'un miroir déformant qui multipliait à l'infini son aventure avec Lumy. Comment lui expliquer que la cireuse de chaussures n'était pas une vulgaire pute adolescente?

Il détourna le regard pour se concentrer sur la veste blanche du garçon de café qui émergeait des nuages de fumée. Alors il songea à Poma au milieu des montagnes, entourée de ce vert dont l'éventail d'intensités effaçait toute laideur, physique ou morale. Il se rappela le silence de la nuit qu'on pouvait découper en tranches tellement il était dense. Pour la première fois, il sentit que, s'il voulait atteindre ce calme sans lequel l'esprit demeure sur le qui-vive, il devrait se fondre dans le silence de ces montagnes tout en se pliant par la même occasion à la volonté du défunt. Il y a des êtres pour qui le silence est un intrus qui exige d'eux qu'ils aient conscience d'eux-mêmes ; dès lors, le bruit et la fureur du monde les rassurent, songea-t-il, incapable de pousser plus loin sa réflexion.

La rue San Martín, truffée de succursales de banque, d'agences de change, de commerces de tout acabit et de tavernes dont l'arrière-boutique dissimulait des usuriers et des proxénètes, séparait le centre-ville en deux moitiés qui s'ignoraient religieusement. À l'est, de vieilles demeures seigneuriales attestaient encore d'un passé glorieux, alors qu'à l'ouest l'esprit de profit s'était substitué aux anciennes valeurs de l'aristocratie catholique urbaine. Il n'était d'ailleurs pas insolite qu'au moment de franchir le seuil d'une de ces banques le client fît le signe de la croix. De multiples files d'attente caracolant devant différents guichets témoignaient de la foi hésitante de tous ces petits épargnants qui, à vrai dire, ne savaient pas trop à quel saint vouer leur pécule amassé à la sueur de leurs fronts. Dans un pays où l'on connaît la date du dépôt de la somme investie mais jamais celle de son retrait, la foi est immanquablement un article qui s'écrit au passé. Le seul miracle réside dans le fait qu'elle se renouvelle en dépit de l'acharnement des institutions financières à dévaliser leurs clients. Escroquer son semblable et être escroqué par lui faisait partie de la culture locale. *Le débrouillard vit de l'idiot et l'idiot de son travail* (« *el vivo vive del*

tonto y el tonto de su trabajo») n'était pas qu'un dicton populaire dans ce pays.

Banco del Tío de la Plata, lut Paul et, sans y réfléchir à
deux fois, il y entra comme si cette Banque de l'oncle de
l'argent lui convenait tout à fait pour l'ouverture du compte
demandé par l'avocat.

Il s'adressa à une femme qui avait les yeux braqués sur
des liasses de cent pesos.

— Votre âge? demanda-t-elle sur un ton froid et très peu
poli.

— Trente-trois ans, sans compter les mois de nourrice,
blagua-t-il.

— Pardon?

— Je parlais de ma nourrice, une fille qui avait l'arrogance des filles qui ont de la poitrine, dit-il d'un air sérieux
comme s'il communiquait une information de la plus haute
importance.

— Profession?

— Héritier.

L'employée, une quadragénaire dont la poitrine exubé-
rante ne débordait pas que de billets de banque, lui lança un
regard furibond:

— Ce n'est pas une profession, affirma-t-elle sèchement.

— Et qui êtes-vous pour décider s'il s'agit ou non d'une
profession? demanda-t-il en la regardant droit dans les
yeux.

— «Héritier» ne figure pas sur ma liste.

— Mettez-la donc à jour, votre liste, madame. Ce n'est pas
le client qui doit être au service de la banque mais plutôt
l'inverse, ne croyez-vous pas?

La voix grave et posée de Paul surprit l'employée.

— La profession est une activité moyennant laquelle on
est rémunéré, monsieur, dit-elle en adoptant un ton moins
glacial.

— Justement, nous y voilà, moi, je suis payé pour être
héritier, trancha-t-il, sûr de tenir cette fois-ci le bon bout.

La tête penchée sur un formulaire, l'employée finit par y
coucher en toutes lettres le mot litigieux: *heredero*.

Un livret de banque en poche, Paul regagna la rue San Martín, où il se sentit moins crispé. Soudainement, il eut l'impression que la tristesse provoquée par son excursion au parc Lorenzo Vómer en compagnie de la cireuse de chaussures pouvait se dissiper. Les rues sinistres des bas-fonds qu'ils avaient dû traverser pour y parvenir clignotaient toujours dans sa mémoire ainsi que les odeurs entêtantes des pergolas que des vessies incontinentes confondaient avec des urinoirs. Alors, pour oublier Lumy et l'obscénité de ses mains, il héla un taxi, avide de regagner les montagnes.

Il arriva à l'heure où le soleil n'éclairait plus que son propre déclin. L'ombre des arbres descendait de la colline avec les derniers rougeoiements de la journée. C'était comme si le soleil voulait mettre le feu à l'horizon avant de céder sa place à la nuit. Un calme crépusculaire se dégageait des montagnes mais, en même temps, ici et là, on sentait le grouillement d'une vie souterraine prête à reprendre haleine à l'ombre du grand absent. Ou était-ce l'inquiétude de Paul guettant à tout moment ces premiers roulements de tambour qui, en haut des miradors, rappelaient à Poma la direction que devaient prendre ses pas lorsqu'il n'était pas là ?

Soucieux de passer inaperçu, il avait demandé au chauffeur de taxi de le déposer au pied de la côte. Il voulait éprouver dans ses deux jambes le poids du chemin qui montait pour arriver là où elle était. Heureusement, il n'y avait pas de traces de chiens et, dans son empressement pour retrouver Poma, il se plut à imaginer qu'en le reconnaissant de loin, ils n'aboieraient plus. Hélas, il apprendrait au bout d'une longue nuit que l'un des chiens avait été lapidé, et l'autre, achevé à coups de machette.

Une fois sur la terrasse, il s'aperçut que le salon était allumé, mais il ne vit personne à travers la fenêtre. En posant sa valise par terre, il chercha la clef dans les poches de sa veste en cuir mais, ne l'y trouvant pas, il songea qu'elle avait dû tomber lorsqu'il était avec Lumy. Tout en regrettant mille fois ces moments de faiblesse, il palpa fébrilement les poches de son jean pour constater qu'il avait bel et bien perdu la clef de la maison. Tout l'enthousiasme qui l'avait guidé jusqu'à la colline s'effrita d'un coup. Il se retourna et regarda en bas avec l'espoir absurde que le taxi fût encore à portée de sa voix. Même la poussière de son passage par le sentier raide et sinueux était déjà retombée. Il eut envie d'abandonner à jamais cette colline qui exigeait de lui des lumières que son long séjour dans la grisaille du Nord avait probablement éteintes à tout jamais. Il avait du mal à croire qu'un paysage d'une telle beauté puisse être aussi opaque. Et pour comble de malheur, au fur et à mesure que la nuit gagnait la colline, le souvenir de Lumy devenait plus clair. Son corps brun et alerte, toujours aux aguets, ses mains obstinées, fureteuses, que rien ne semblait arrêter. Puis ses mains à lui, ses mains pâles de voyageur n'ayant pas su garder le Nord, là où il est point de repère, rempart contre les misères du Sud, contre ses pièges et ses décors en trompe-l'œil, et contre ses mirages de pacotille. Comme si la séduction de la nudité brune, à l'état sauvage, rencontrée par les Espagnols restait collée à la surface de cette terre. Puis, tout à coup, sans savoir pourquoi, il songea à Anna. Était-il seulement possible de vivre sans être atteint par l'écume de sa propre rage, celle tout d'abord de l'enfant qui n'a pas réussi à faire le deuil de cette mère qu'un train de marchandises s'était empressé de faire monter à son bord afin de l'aider peut-être à franchir une dernière frontière que son corps d'exilée réclamait à cor et à cri depuis qu'elle avait quitté son Québec natal pour suivre cet homme qui arrêtait d'aimer les femmes dès qu'elles cessaient de sourire ? se demanda-t-il tandis que la porte de la maison s'ouvrait derrière son dos avec un grincement de charnières rouillées.

— Entrez, le maté vous attend dans le salon.

Il n'eut pas besoin de pivoter sur ses talons pour la voir, elle, Poma, sereine, le regard clair et un sourire doux aux lèvres. Cette image de la fille l'accompagnerait toujours même lorsque, plus tard, ce lieu bucolique à l'abri, en apparence, de la fureur du monde volerait en éclats.

Quand il se retourna vers la porte, sa valise n'était plus là. Poma l'avait prise dans le plus grand silence tout en se déplaçant à pas rapides et imperceptibles, cette manière bien à elle de faire les choses sans que personne ne le remarquât. Il crut comprendre alors le sens de la présence de la fille dans ce lieu reculé. C'était ça, elle était là pour l'aider, lui, à faire le deuil de toutes ces années où il avait vécu loin de la maison familiale, dans le froid et dans l'oubli. La naïveté de l'hypothèse lui arracha un sourire désenchanté, *fruit de cette mélancolie qui ne vient pas du dehors mais du plus profond de nous-mêmes, Pablo, et qui, sans savoir comment ni pourquoi, exige que nous vivions pour elle, parasite de chacune de nos intensités, même les plus banales, comme prendre une tasse de café, le matin, là, face à la montagne alors que la fille qui avait servi ton père à la même table, mon cher Pablo, vrombit, abeille ivre d'esclavage, dans la lumière d'une ruche dont le roi est absent.* Voilà ce que Telma lui aurait probablement murmuré à l'oreille si elle avait été à ses côtés, réfléchit-il, le front rembruni.

N'oublie pas que le maté t'attendra jusqu'à ton retour, disait Leda à son père quand il partait en voyage d'affaires. C'était certainement sa façon de lui rappeler qu'il n'y avait point de repos pour Ulysse en dehors du foyer. Paul avait du mal à croire que Rafael Escalante ait osé répéter en dehors de son huis clos avec la Cubaine les rituels que ses yeux fouineurs avaient découverts à Mar del Plata à l'heure où son père pensait qu'il jouait au bord de la mer ou que, tout simplement, il rêvassait dans les dunes de sable que les enfants du quartier affectionnaient tout particulièrement parce que le vent qui hissait leurs cerfs-volants était toujours au rendez-vous.

Il franchit le seuil de la maison et s'arrêta dans le salon où il retrouva la calebasse de maté en argent de Potosí prête à accueillir ses deux mains de voyageur venu du Nord comme la ceinture d'une femme lorsque le tango se fait intime, et qu'il faut serrer la taille de sa partenaire pour montrer à la galerie ce qu'homme veut dire.

Il ne parvenait pas à s'endormir, même pas à fermer les yeux, ne serait-ce que pour bloquer cette lumière de pleine lune qui se frayait un chemin à travers les rideaux mal fermés des fenêtres. Poma avait-elle fait exprès de ne pas aller jus-qu'au bout dans les différentes petites manœuvres exigées par un système ancien et compliqué de poulies censées permettre aux différents tissus d'entrecroiser leurs lamelles afin de faire le noir dans la chambre du feu maître ? Une heure avait sonné au réveille-matin de la table de nuit. Incapable de se réconcilier avec lui-même, Paul abandonna le lit, tira les rideaux de la fenêtre qui donnait sur les montagnes, nuit blanche de lune haut perchée comme un camembert que les pinceaux de Dalí se seraient plu à imaginer sur fond de volcan, même le vol d'une mouche y aurait pu résonner comme un scandale.

Après avoir enfilé la robe de chambre ayant appartenu à son père, il quitta la chambre. De long en large, tel un lion en cage, il se mit à arpenter le salon avec deux petites boules musicales chinoises dans la main droite. En suivant le sens des aiguilles d'une montre, il les faisait tourner comme des toupies. Lui-même aurait voulu les imiter, ces deux boules-là, à la manière d'un derviche tourneur. C'était un cadeau de Telma dont il ne se séparait plus. Bien nichées dans la poche de sa veste en cuir, elles l'accompagnaient partout où il allait comme des fétiches, et le soir elles rejoignaient sa montre-bracelet et son sans-fil sur la table de nuit. Telma lui avait révélé qu'elles lui porteraient bonheur tout en le protégeant contre le mauvais œil. *Mauvais œil*, c'était bien ce qu'elle avait dit. Elles avaient des vertus médicinales qui activaient la circulation du sang et apaisaient l'esprit, lorsque l'esprit s'agitait pour rien, comme c'était souvent le cas, au dire de la Péruvienne. *C'est fou ce que l'homme fait pour se donner l'im-pression qu'il existe*, disait-elle dans ce langage énigmatique qu'elle employait quand ses semblables épuisaient sa foi. Toujours est-il que ces deux boules, quand il les frottait l'une contre l'autre, produisaient le ronflement d'un bébé qui aurait bu un demi-litre de vin d'un coup. Au moment où il s'apprê-tait à les changer de main, l'une d'entre elles lui fila entre les doigts et se mit à rouler par terre à partir d'un nouvel élan musical dont l'intensité augmentait au fur et à mesure qu'elle progressait dans sa course. Il n'aurait jamais imaginé qu'une boule de la taille d'une noix pût à ce point saturer l'air d'une musique aussi bruyante. Après avoir sillonné le salon en diagonale telle une pièce d'échecs sûre de son coup, elle se cacha derrière le fauteuil dans lequel Paul avait bu le maté servi par la fille. À quatre pattes, le nez dans la poussière, et convaincu que la boulette sino-musicale se moquait carrément de lui, il se demanda si ce cadeau de sa locataire n'était pas programmé pour le précipiter dans sa chute.

— Avez-vous perdu quelque chose ?

Il était trop tard pour se remettre debout. Paul aurait dû prévoir que tout ce vacarme la réveillerait. La fille était arrivée dans ce silence qu'elle appliquait à tout ce qu'elle entreprenait, sans se faire remarquer, glissant entre les choses comme si rien n'était plus facile que de se débarrasser du bruit provoqué par nos pas sur la terre.

— Avez-vous perdu quelque chose ? demanda-t-elle encore une fois comme si sa voix n'avait pas été entendue.

Comment lui dire à une heure pareille qu'il avait égaré l'une de ses deux boules ? C'était peu romantique, voire un tantinet obscène, alors il maquilla la perte :

— Je jouais aux dés pour tromper mon insomnie, bredouilla-t-il.

— J'ai cru entendre des braillements de bébé. Est-ce possible ?

— C'était moi. Quand je perds aux dés, je pleure comme un nouveau-né, dit-il en se redressant.

— Vous n'avez pas besoin de mentir pour vous remettre debout.

Alors il sentit que la nuit, comme une partie de poker, serait longue, et ouverte à toutes les embûches.

— La vérité sort de la bouche des enfants, dit-il en la regardant droit dans les yeux du haut de ses six pieds.

— Les dés, comme les mensonges, sont le chemin le plus court pour se retrouver par terre, dit-elle avec un sourire.

— D'où est-ce que vous avez sorti ça ? Là vous m'épatez.

— Je l'ai lu dans un livre de proverbes que votre père m'avait donné.

— Mon père vous faisait-il beaucoup de cadeaux ?

— C'était sa manière, je crois, de faire comprendre qu'il avait besoin de tendresse.

La voix de Poma se voilait de tristesse quand elle parlait de Rafael Escalante. Drapée en *Blue Velvet* (cette chemise de nuit en velours bleu faisait-elle aussi partie du besoin de *tendresse* du défunt? se demanda Paul), les cheveux caracolant sur ses épaules, le visage de la fille rappelait étrangement celui de Leda la première fois qu'elle avait franchi le seuil de la maison.

La lente, très lente génuflexion de Poma au pied du fauteuil eut lieu tout naturellement, comme si cela n'avait pas pu se passer autrement, réglé, pour ainsi dire, en fonction d'un protocole que rien ni personne ne pouvaient altérer, et le voilà, lui, Paul Escalante-Lambert, prenant du recul pour mettre en perspective ce paysage que seuls les reins cambrés d'une fille à quatre pattes sont capables de produire.

— Que faites-vous? Mais que cherchez-vous là? la questionna-t-il pour se donner une contenance sans détacher son regard de l'endroit où le velours cédait sa place à la pâleur de la chair.

— Votre petite boule, dit-elle d'une voix espiègle qui désarçonna Paul.

— Comment le savez-vous? demanda-t-il, bouche bée.

— Dimanche dernier, je vous ai vu jouer avec les deux boules.

— J'ignorais que vous aviez besoin de vous cacher pour me voir, fit-il, gêné.

— Je ne me cachais pas, j'étais en haut de la colline, avec Amancio qui a entendu la musique qui sortait de vos mains. Il a l'ouïe fine comme celle d'un chien.

— Il doit avoir d'autres choses qui ne sont pas d'un chien pour que vous passiez autant d'heures en sa compagnie, murmura-t-il comme s'il se parlait à lui-même.

La fille se remit debout. Sa voix adopta un ton grave et circonspect:

— C'est mon ami, dit-elle.

— Lui et sa famille occupent une maison qui ne leur appartient pas. Vous ne devriez pas les fréquenter.

— Êtes-vous en train de m'ordonner de ne plus les voir ?

— Et si c'était le cas ?

— Votre père ne me l'a jamais interdit, répondit-elle en baissant les yeux et d'une voix qui semblait tout à coup sur le point de se briser.

Le visage de la fille s'étant rembruni, il regretta de lui avoir fait de la peine.

— Mon père ne fait plus partie de ce monde, Poma. En réalité, il est mort bien avant que je ne remette les pieds dans ce pays.

Elle leva les yeux pour le regarder avec une sorte de défi. Il comprit que s'il ne parvenait pas à soutenir le poids de ce regard, tout pourrait s'écrouler comme un château de cartes. Au bout de quelques instants, Poma baissa les yeux encore une fois, et Paul, soulagé, récupéra sa boule.

Outre son instinct de célibataire à l'affût des occasions, comment savoir ce qui l'avait conduit vers le corps de la fille ? La précarité qui enveloppait chacun de ses gestes à elle y était pour quelque chose. Alors il s'en approcha à pas de loup, guidé par des pulsions dont aucune n'était claire, même pas celle qui le poussait à vouloir l'entourer de ses deux bras de peur qu'elle ne s'évanouisse.

— Puisque le sommeil a foutu le camp, et que l'aube n'est pas bien loin, pourquoi ne pas réveiller la cuisine, elle aussi, Poma ?

— Voulez-vous quelque chose de chaud ? s'informa-t-elle sans détacher son regard du sol.

— Apportez-moi du café, s'il vous plaît, votre café à vous, celui qui monte à la tête comme un vin chaud, avec tout le sucre que vous trouverez à portée de vos mains, dit-il sans hésiter avec le ton d'un acteur qui aurait appris son rôle par cœur.

Alors il la vit se diriger, docile, vers la cuisine afin de satisfaire ses caprices d'homme triste et goulu. Il n'en croyait pas ses yeux. Quelque chose en lui se refusait à analyser les raisons de l'attitude servile de la fille, la crainte sans doute que l'intrusion de la raison ne vienne briser le charme ambigu

et inavouable d'une situation qui le séduisait et l'atterrait tout
à la fois. Il s'assit à la table de la salle à manger en attendant
le retour de Poma. Il pressentait déjà que, juste avant l'aube,
il ferait tout pour gommer l'arrière-goût amer laissé par sa
rencontre avec Lumy. Ici, en haut des montagnes, il devait se
racheter de ce faux pas que les commentaires grivois
d'Albújar n'avaient rendu que plus hideux. Le portrait de
Poma consentante et réparatrice s'était ainsi dessiné dans une
attente d'autant plus fébrile que le sommeil avait définitivement foutu le camp, et que les nerfs, à fleur de peau, exigeaient une récompense. Le chasseur, fourbu, pourrait enfin
se reposer, une fois son pied sur le dos de la bête qu'il venait
d'abattre. Pourquoi, au creux de son attirance pour elle, lui
fallait-il se raccrocher à un instinct aussi brutal et primitif ?
Pourquoi ne pas laisser la fille, petit à petit, amorcer d'elle-
même la nature du geste qu'elle souhaiterait voir posé comme
un hommage sans doute à son dévouement, voire à sa
loyauté ?

L'arôme du café à la cannelle précéda l'arrivée de Poma.
Le nez de Paul huma avec gourmandise ce parfum subtil et
exquis sorti des entrailles de la gousse. À ce moment précis,
encore une fois, il eut le sentiment de comprendre, ne serait-
ce que pendant quelques fractions de seconde, le sens de son
voyage dans le Sud, juste pour ce café, rien que pour lui. Les
yeux mi-clos, il passa ses deux mains sur sa barbe hirsute en
cherchant peut-être à confirmer qu'il était bien en vie, et que
ce bonheur-là n'obéissait pas à une fantaisie de son imagination. Tandis qu'il rêvassait de la sorte, tout son corps
s'éveilla au contact des cheveux de la fille se penchant pour
déposer le plateau avec le café et le sucrier en cristal taillé.

Confiant à ses seuls doigts le soin de le guider à travers
son plaisir, il prit la pince en argent et remplit de sucre brun
sa tasse de café jusqu'à la faire déborder. Il ne rouvrit ses yeux
qu'après sa première gorgée de café. La fille était restée
debout à ses côtés, immobile, le regard fixé au loin, sur cet
horizon où l'aube et l'ombre mêlaient des frontières qu'il ne
franchirait probablement jamais. L'effet euphorisant de ces
gorgées de café archisucré fut immédiat ; une poussée

d'adrénaline le fit concentrer de plus en plus son regard sur celle que son père avait nommée Poma avec l'expression d'un naufragé qui viendrait de comprendre qu'il s'était échoué sur une île déserte où une femme l'attendait avec une tasse de café entre les mains.

— Tirez les rideaux, s'il vous plaît, je veux voir le volcan face à face, dit-il du ton sûr et posé qui aurait pu être celui du défunt lorsqu'il était là.

Une lumière à ses débuts éclairait chichement la terrasse, mais il ne s'en aperçut pas. C'était le dos de la fille qu'il contemplait avec l'audace d'un désir usurpé.

— Il dort encore, le volcan, dit-elle.

Ces mots prononcés d'une voix douce attisèrent le tiraillement qu'il ressentait entre la patience et l'envie de précipiter sa chute.

— *I need your help*, murmura-t-il avec un sourire triste qui, comme une bulle de savon, s'évapora entre ses lèvres.

Poma le regarda en silence avec l'expression de quelqu'un qui, malgré son jeune âge, semblait avoir écouté des choses encore plus absurdes dans sa vie.

Elle attendit de longues minutes le retour de sa parole à lui, ou peut-être qu'elle n'attendait pas, se limitant plutôt à régler son silence sur celui d'un homme que le désir commençait à ravager, un silence à travers lequel se dessinait déjà le désert par lequel il devrait passer s'il voulait toucher son héritage. Quel héritage ? Là aussi, l'opacité qui enveloppait la fille troublait sa vision et l'empêchait de poser les yeux sur l'objectif. Poma était-elle le butin ou juste un moyen afin d'exaucer la volonté du défunt ? Comment pouvait-il désirer quelqu'un dont il ignorait tout, et que la prudence la plus élémentaire commandait de tenir à distance ou, pour le moins, de traiter avec précaution sinon méfiance ?

Un long moment s'écoula pendant lequel il comprit qu'aucune initiative ne viendrait de la fille et que tout devrait être exécuté par lui, selon ce qui était probablement écrit depuis le jour où les chiens avaient renoncé à leur propre rage pour répondre à l'appel de leur maîtresse. Après avoir bu sa dernière gorgée de café, il respira profondément, quitta la table et se dirigea vers la porte. Une fois sur la terrasse, il réalisa qu'il lui faudrait beaucoup plus d'inspiration pour trouver ce levier exigé par le désir pour donner l'assaut. Un vent froid se faufila par tous les orifices de sa robe de chambre ; bientôt, il se mettrait à grelotter comme un vulgaire voleur qui poireaute, tapi, en attendant la sortie des maîtres de maison. *Rappelle-toi la respiration du feu*, Pablo, insistait Telma quand elle le voyait tendu, sur les nerfs, trop pressé d'en finir avec son désir, *la respiration du feu, Pablito, souffle, inspire et expire, vite, de plus en plus vite, avant de te mettre à marcher sur la corde raide de ton désir d'automate télédirigé, Pablo, t'en souviens-tu ? comme dans le film* Casanova *de Fellini où le héros fornique avec des poupées, vu que ses gestes mécaniques d'amant réclament des objets plutôt que des êtres humains. La respiration du feu, Pablo, la respiration du feu*, et il adoptait alors l'attitude du lotus sans laquelle le souffle sort tout croche et sans rythme, comme celui d'un chien incapable de contrôler son halètement.

Il jeta un regard circulaire, puis fit quelques pas avant de s'asseoir sous un de ces eucalyptus qui chassent les moustiques l'été. Et le voilà inspirant et expirant plusieurs fois, et de plus en plus vite, comme s'il cherchait à expulser tout ce qui brisait son harmonie intérieure. Pendant de longues minutes, il se concentra sur le seul bruit de sa respiration. Ses mains jointes à la hauteur de la poitrine, les yeux mi-clos, il entra peu à peu dans une veille où les frontières entre la montagne et la réalité s'estompaient pour céder la place à un sentiment d'incertitude. Et si Poma n'était que le fantasme, voire le mirage, d'un père dont le désir hantait toujours cette maison à flanc de colline dans une des régions les plus reculées du Sud ? Et si la fille, pour ainsi dire, n'était que la projection, sorte d'hologramme, d'une machine qui se refusait à couper l'image malgré la disparition de son inventeur ?

Ce n'était peut-être pas comme ça que les choses s'étaient finalement passées ; peut-être qu'il n'avait pas vécu dans une sorte de rêve la soumission de la fille ce matin-là à flanc de colline. Mais comment représenter autrement l'acquiescement silencieux de Poma, sa manière docile de s'accroupir au pied de l'arbre, son abandon sans l'ombre d'une réticence au moment où, ne pouvant plus se contenir, il avait fait corps avec elle avec la frénésie de quelqu'un qui cherche à surmonter sa dernière chute par une chute encore plus fracassante ? Ni le froid de l'aube, ni la lune accrochée encore haut dans un ciel coincé entre quatre montagnes, ni la multiplication de tous ces troncs nouant leurs écorces à l'unisson n'avaient empêché que lui, Paul Escalante-Lambert, le fils de feu Rafael Escalante et de feue Anna Lambert, ne dépouille la fille du sourire de bienvenue qu'elle avait arboré jusque-là comme une de ces bannières qui, en haut des châteaux, annonçait en Vieille-Castille l'arrivée d'un nouveau propriétaire. Au fil du temps, il penserait que l'acharnement avec lequel il avait exigé la reddition de chaque parcelle de ce corps pâle et furtif révélait chez lui très peu d'assurance. Or, pour l'instant, il inaugurait le premier d'une série d'épisodes destinés, fort vindicativement du reste, à gommer les roulements de tambour qui, à l'heure du crépuscule, dévalaient la colline pour occuper la terrasse.

Des heures plus tard, en franchissant le seuil de la maison pour y rentrer accompagné de la fille, il sentit qu'il ne pourrait plus l'abandonner. Qui ? La maison ou Poma ? Les deux étaient alors la même chose. Juchée sur la colline, cette maison sentait la femme. Tout à coup, il crut comprendre la raison de son retour. Le foyer avait le corps de cette fille, les rondeurs d'une volonté qui se pliait avec la souplesse d'un jonc, et le regard doux d'une sœur que les années d'absence n'avaient pas aigrie.

Il venait tout juste de s'installer dans le fauteuil du salon en attendant le maté lorsqu'il entendit des sanglots. Assise sur un petit tabouret en bois qui servait à atteindre les étagères les plus hautes de l'armoire à provisions, Poma, la tête basse et les cheveux enchevêtrés, pleurait dans un coin de la cuisine. Il s'approcha de la fille, inquiet et penaud, posa ses deux mains sur ses épaules ; vidées de leur désir, ces mains avaient la lourdeur des pierres qu'il craignait tant.

— Qu'est-ce qui t'arrive, Poma ? demanda-t-il d'une voix qui avait perdu de sa superbe.

— Désolée, je pensais aux chiens, murmura-t-elle entre deux sanglots.

— Les chiens ?

— On les a tués.

— Tués ?

— Oui, c'est Amancio qui a tout vu depuis les miradors.

Elle semblait se calmer en évoquant cette nouvelle perte. Soulagé, Paul sentit que ses mains reprenaient leur sensibilité. Des épaules, il passa à la tête. C'était la première fois qu'il caressait les cheveux de la fille avec la tendresse que laisse le désir après avoir balayé certaines pudeurs. Il aurait pu rester encore longtemps à ne faire que ça, une longue caresse qui valait plus que mille mots, une caresse infinie dans laquelle il se caressait tout autant qu'il la caressait. C'était probablement ça, le secret de ce geste fait de fragilité recueillie et de tact, songea-t-il, beaucoup de tact, parce que si soumission il y avait de la part de Poma, elle venait surtout d'une sensibilité qui reconnaissait dans la tendresse une forme supérieure d'autorité. Dans cette logique étrange et contradictoire, se donner le pouvoir de caresser revenait à être maître de soi. Voilà ce à quoi il réfléchissait contre toute attente, à une doci-lité née d'une complicité tacite entre deux précarités : celle d'une fille désertée par la mort de son protecteur et celle d'un voyageur qui, après avoir perdu le Nord, s'efforçait de regagner ce Sud si proche et si lointain tout à la fois. Il aurait pu rester encore longtemps à ne faire que ça, en effet, mais il retira brusquement ses deux mains au son d'un roulement de tambour qui, inattendu et tenace, déchira le silence que l'aube apportait comme une relique de la nuit.

Il n'eut pas besoin d'appuyer sur le bouton qui déclen-chait une sonnerie dans l'atelier. La fille était venue toute seule comme si elle savait à l'avance le moment précis où sa présence était requise dans la maison. En attendant le café à la cannelle de Poma, Paul lisait un livre acheté à Buenos Aires sur les meilleures stratégies de placement pour devenir un milliardaire virtuel. Des propriétés, des actions, toutes sortes d'échafaudages financiers aboutissaient à des opérations conformes aux règles de l'art, excepté qu'elles n'étaient pas tangibles; un jeu grâce auquel le bien-être produit par la gestion du patrimoine virtuel se substituait à la jouissance des possessions matérielles. Une note en bas de page avertissait le lecteur que, pour l'auteur, l'Argentine était un pays de fiction, d'où le rôle fondamental joué, selon lui, par le «capital virtuel» dans une nation qui vivait à côté du réel.

La fille lui demanda s'il voulait goûter au gâteau à l'orange qu'elle avait préparé en se levant. Assis à la table de la salle à manger, il acquiesça d'un mouvement de tête. En la regardant, il se sentit coupable. Coupable de quoi au juste? Elle portait une robe noire en laine, et ses cheveux remontés sur sa nuque semblaient plus clairs que d'habitude.

— Avez-vous l'intention d'aller en ville aujourd'hui? s'informa-t-elle.

Rien, ni dans sa voix ni sur son visage, ne témoignait des gestes accomplis la veille. Étonné, il se demanda s'il n'avait peut-être pas rêvé leur rencontre au pied de l'eucalyptus.

— Je ne sais pas, ça dépend. Pourquoi?

— Il faut prévenir qu'ils ont tué les chiens.

— Prévenir qui?

— La police.

Il ne put retenir une moue désapprobatrice.

— Je n'aime pas avoir affaire aux flics. Le remède peut être pire que la maladie.

— Ici, ils sont un mal nécessaire.

— Qu'est-ce qu'ils peuvent faire au juste?

— Une enquête. Ils peuvent faire ça au moins.

Le visage de la fille se rembrunit. Il comprit que sa peine était sincère, et qu'il ne devait pas prendre à la légère ce qu'elle lui demandait. La disparition de ses deux chiens de garde l'avait probablement laissée plus démunie que jamais. Il aurait voulu effacer sa peine, mais cette nouvelle précarité qui s'ajoutait aux autres augmentait son intérêt pour elle. Incapable de faire la différence entre la volonté de la protéger et son désir de possession, il anticipa mentalement les couloirs sombres, sûrement sinistres, du commissariat où il déposerait une plainte pour l'extermination des chiens.

La visite fut pire qu'il ne l'avait imaginée. Gucema, le commissaire, comme dans un film de série B, dévoila ses cartes d'entrée de jeu :

— La mort des chiens est un message clair et direct. Vous avez besoin de protection. De toute urgence. Je connais une agence de protection du touriste. Ils acceptent des cartes de crédit, précisa-t-il.

L'homme, chauve et trapu, avait le visage grêlé de petite vérole. Un bec de lièvre complétait le tout. Paul pensa que sa seule photo affichée sur les vols d'Air Canada aurait suffi à décourager d'éventuels terroristes de monter à bord des avions.

— Qu'est-ce qui vous fait croire que j'ai besoin de protection ? s'enquit-il.

— Vous n'avez pas l'air de quelqu'un qui a beaucoup d'amis.

— Si je vous disais de quoi vous avez l'air, vous ne me croiriez pas, rétorqua Paul du tac au tac.

Sans s'offusquer le moins du monde, l'autre adopta un ton un cran plus ironique :

— La première condition pour être flic dans ce putain de pays, c'est de ne pas avoir peur de sa propre tronche. Tout ce que vous pourriez donc me dire à ce sujet-là m'indiffère royalement.

Le bureau du commissaire donnait sur l'avenue Aconquija ; le bruit y était aussi dense que la poussière qui s'accumulait sur les rebords des fenêtres.

— Combien coûte le service dont vous parlez ?

— Il y en a pour toutes les bourses. Je vous conseille le service nocturne parce que c'est l'heure où les fauves se déchaînent. Surtout dans les parages où vous nichez. Trois cents dollars par mois, plus le thermos de café et les cigarettes pour que le vigile ne pique pas du nez au beau milieu de la nuit.

— Et qui m'assure que, au lieu d'être une solution, votre « vigile » ne fait pas partie du problème ?

— Pour cinquante dollars supplémentaires, l'agence fournit un service complémentaire destiné à prévenir toute tentative contraire aux règlements de la part du vigile. Comme vous pouvez le constater, il s'agit d'un système très sophistiqué où les uns surveillent les autres avec l'objectif de satisfaire toutes les exigences du consommateur.

Le commissaire s'exprimait comme un patron de PME dont le seul but serait de faire croître son chiffre d'affaires. L'« agence de protection du touriste » ne pouvait être qu'un masque dont il se servait pour camoufler l'exploitation sans doute éhontée de ses subordonnés. Paul promit de réfléchir à la proposition qui lui était faite. Au moment de quitter les lieux, il voulut savoir si le commissaire pouvait faire quelque chose pour découvrir l'identité des auteurs du massacre des chiens. Gucema, après l'avoir regardé comme s'il venait d'une autre planète, se limita à l'informer qu'il était souvent obligé d'utiliser son propre véhicule pour se rendre sur la scène où un meurtre (*un meurtre, vous comprenez, là on ne parle pas de la mort d'un chien, hein*) venait d'être commis. Sans mentionner que, quand sa voiture était en panne, chose qui — hélas — arrivait tout aussi fréquemment, il se voyait dans l'obligation de se servir des transports en commun.

Il prit son repas dans un restaurant de la place Alberdi — Manzanitas — avec des serveuses déguisées en pomme. En rouge et en vert avec quelques touches fantaisistes ici et là, elles avaient le ventre et le haut des cuisses nus et cirés comme ces fruits dont on modifie la couleur naturelle pour attirer l'œil du client. Il pensa que le chômage expliquait probablement l'abondance de main-d'œuvre prête à occuper des postes à cheval entre la porno et la restauration pour une poignée de pesos. Il eut presque le réflexe d'aller ailleurs, mais le temps pressait et il ne voulait pas arriver à la banque avec l'estomac vide. *Il ne faut jamais parler d'argent le ventre vide*, répétait souvent son père. C'était l'un des rares conseils dont il se souvenait ; il ne lui avait jamais servi à rien, sauf aujourd'hui où, tout à coup, il découvrait des fesses charnues et frétillantes qui, tout en mettant l'eau à la bouche, faisaient commencer en quelque sorte le repas par le dessert. Il y en avait tellement qu'il hésita longtemps avant de choisir. C'était la première fois qu'il se rendait dans un resto-porno. L'index levé en l'air avec l'expression d'un enfant qui demanderait la permission pour aller faire pipi, il finit par se décider pour celle dont le cul, trémoussant et convivial, semblait prêt à tous les exploits. Brune au regard effronté, bien à l'aise dans sa mini-pomme rouge starking, l'interpellée s'approcha en un clin d'œil.

— Quelque chose à boire, monsieur ?

Elle avait le sourire vulgaire des jeunes filles que la pauvreté obligeait à se farder le visage de rouge à lèvres récalcitrant et de faux grains de beauté sur les joues.

— Je voudrais du rouge, mademoiselle, un Telma de San Telmo, millésime 2004, blagua-t-il, incapable de garder son sérieux dans un restaurant aussi quétaine.

— Je regrette, on n'a pas ce vin-là, monsieur.

— Un Poma 2005, alors, récolte des Miradors, insista-t-il.

L'humour impénétrable de Paul revenait sur lui comme un boomerang.

— Désolée, mais on n'a que ce qui figure sur la carte, monsieur, expliqua la fille.

— Si je me limitais à ce qui figure sur les cartes, je n'irais pas bien loin, vous savez.

Quelque peu découragée, la fille-pomme laissa tomber sur son ventre nu la main avec laquelle elle notait la commande des clients. Cédant à une impulsion, Paul prit la main provisoirement oisive de la serveuse et, avec le sourire teinté de tristesse qu'aurait pu arborer Humphrey Bogart dans le film *Casablanca*, il dit :

— Laissez-moi, si vous n'y voyez pas d'inconvénient, lire dans les lignes de votre main le nom du vin qui accompagnera mon repas.

Ce n'était probablement pas la première fois qu'un client voyait dans les extrémités de la serveuse, accueillante et flattée, une prolongation du menu, *regarde-la, Pablo, t'ouvrir la paume de sa main de pomme pour que tu y lises ce que moi, Telma, je t'avais déjà annoncé*. C'était *cute* et quétaine à la fois de voir cette serveuse callipyge se prêter à ce jeu puéril tandis que lui, le meneur, éprouvait déjà dans sa conscience le sentiment de culpabilité qui faisait suite à chacune de ses petites transgressions de Don Juan de pacotille. Mais pourquoi la culpabilité devait-elle toujours emprunter une voix de femme pour se frayer un chemin dans sa conscience?

Son nom était Consuelo, Consolation dans la langue de Molière, mais ses amis l'appelaient Conchita, petite « chatte » en français épicé. Ce nom prédestiné tenait tête aux trois autres dont elle ne se servait pas : Encarnación, Tránsito, Dolores. Ce carrousel de foi catholique, qui à bien des égards rappelait les passions du Christ, lui avait été attribué par sa défunte mère avant qu'un cancer ne tarisse à tout jamais son inspiration onomastique. Tout en écoutant attentivement son récit, Paul se décida finalement pour un vin de Mendoza prétendument déniché sur la ligne médiane qui, en diagonale, traversait la main de la fille-pomme.

Le manque de lumière et la complicité tacite des autres clients, tous des hommes, facilitaient le dialogue avec la serveuse, dont les scrupules moraux avaient autant de colonne vertébrale qu'une gélatine. À une table voisine, un bonhomme avec des yeux de morue surgelée se penchait sur le décolleté d'une golden fort grassouillette dont la mollesse des fesses rivalisait avec celle du flan maison apporté sur un plateau de plastique.

Paul commanda une quiche lorraine qu'il ingurgita sur le pouce tellement il avait tout à coup hâte de passer à la banque chercher l'argent sans lequel, songea-t-il, la sécurité de Poma pouvait être compromise. Avant de quitter le restaurant, il laissa un pourboire sur la table. L'addition, plutôt salée pour une pomme, était venue accompagnée d'une petite carte en forme de starking fléchée avec l'adresse Hotmail et le numéro de téléphone de Consuelo, Conchita pour les intimes. Paul la garda soigneusement au fond de son portefeuille au cas où il aurait besoin un jour de communiquer avec l'arbre du bien et du mal.

V

À midi, j'étais assis à la table que Poma avait installée sur la terrasse, sa manière à elle peut-être de m'inviter à fréquenter davantage tous ces arbres qui se penchent sur mon assiette remplie d'olives vertes et noires. C'était l'heure de l'apéro sous un radieux ciel bleu. Le vin qu'elle me sert, c'est moi qui le rapporte de la ville. Il vient de Cafayate et il goûte le terroir gorgé de soleil de la province de Salta. *Quien no ha visto Salta no ha visto nada*[1], dit le proverbe en espagnol. Un soleil sans concession, tout ou rien, comme je l'aime, intègre, prodigue, pas l'ombre d'une hésitation quand il pose sur vous sa griffe chaude et sensuelle. Rien de plus exquis que de siroter votre vin sous ce soleil qui vous couve de la tête aux pieds.

Elle, je l'attendais, un verre de vin rouge à la main droite et un roman noir à la main gauche, histoire de garder l'équilibre sur cette terrasse de plus en plus en butte aux roulements de tambour de l'aîné des Urtubey, Amancio, le plus coriace, celui qui a usurpé la voix du vent.

La plupart du temps, je n'ai nul besoin de l'appeler, elle vient toute seule, Poma, comme si elle devinait le moment exact où mon appétit s'éveille. Mais il peut arriver que je quitte la table, vers midi trente, pour lui dire que je suis prêt. Alors elle s'excuse, *je sais, je traîne*, dit-elle. *Qui s'excuse s'accuse, jeune fille*, or, Poma n'est jamais en retard, sauf les

---

1. *Qui n'a pas vu Salta n'a rien vu* (note de l'auteur).

dimanches, mais là il s'agit de son *day off*, si j'ose dire. L'entretien de la maison occupe une bonne partie de ses matinées. Elle met un soin particulier à nettoyer le plancher et les vitres. *Si les carreaux ne brillent pas, c'est qu'ils sont sales*, m'a-t-elle dit un jour où, à quatre pattes, elle s'échinait sur le sol en terre cuite vernissée de la cuisine. Plus d'une fois, je lui ai proposé de payer quelqu'un pour s'acquitter de cette tâche ingrate, mais elle a refusé net. *Il y a beaucoup de gens au chômage et la main-d'œuvre ne coûte pas cher dans la région*, ai-je insisté. Rien n'y a fait, elle a balayé tout ça d'un regard de fille courageuse qui ne rechigne pas à la tâche. Aussi a-t-elle refusé le salaire que je lui ai proposé en échange de ses services. Poma est probablement beaucoup plus intelligente que je ne le pense et, avec l'argent que je lui donne pour aller faire les courses au marché du coin, elle arrive à faire des économies substantielles. Il a fallu que j'insiste pour qu'elle accepte. Au début, elle voulait rendre compte de chaque peso dépensé, jusqu'à ce qu'elle comprenne que les comptes d'apothicaire et moi, ça faisait deux. *Je vous fais confiance*, lui ai-je dit bien que, dans mon for intérieur, je n'en sois pas si sûr. Plus d'une fois, je me suis demandé si une partie de mon argent ne finissait pas dans les poches de l'aîné des Urtubey.

L'argent que je donne à Poma provient du compte courant ouvert à la banque du Tío de la Plata. Jodosa y dépose les intérêts du capital laissé par mon père. Le montant doit être beaucoup plus gros que je ne le pensais, mais je préfère l'ignorer. Cet argent-là, après tout, ne m'appartient pas. C'est déjà pas mal qu'il me permette d'aider Poma, dont la solitude au milieu de ces montagnes provoque simultanément en moi un curieux mélange d'attirance et d'inquiétude. Puis, j'ai fini par reconnaître que l'appât du gain qui m'a amené jusqu'ici cachait un besoin réel de ressourcement. Mais je suis conscient en même temps que cette quiétude au beau fixe de roman bucolique ne peut être éternelle. Et voilà que son caractère éphémère la rend d'autant plus précieuse. Alors je me concentre sur les intensités de chaque jour, sans trop chercher à savoir la quantité de temps qui m'est allouée pour profiter de cette parenthèse mettant en veilleuse, du moins pour l'instant, mon côté nomade. L'été boréal a toujours marqué pour moi l'heure des grandes migrations, notamment vers le Sud. Lorsque la neige déserte Ottawa et Montréal, je mets le cap sur le froid austral, à contre-courant des *snowbirds*. Ma manière sans doute de rester fidèle à la mémoire gelée d'Anna. Le calme pour moi aura été de rester toujours là où se trouvait l'hiver. Or, le calme et la quiétude sont sans doute les illusions, les fantasmes d'un voyageur ayant surtout égrené des villes comme un chapelet d'itinérant. En ce sens, animal urbain, je ne suis pas très doué pour interpréter les signes se dégageant de ces paysages de montagne quand la chaleur approche et que, loin de reprendre mon envol, je fais du surplace. Mais Poma, dont le sourire à toute épreuve et la docilité seraient inconcevables dans le pays d'où je viens, puis-je seulement la comprendre ? Est-elle d'ailleurs une fille quatre saisons ou juste un abri d'hiver que les premières chaleurs feront fondre comme neige au soleil ?

C'est bête, mais je me suis attaché à cette terre verdoyante et peuplée d'arbres aux fruits savoureux. Quand je suis en ville, j'ai toujours hâte de rentrer afin d'être accueilli, d'abord et avant tout, par la fragrance pénétrante de la fleur d'oranger qui, en cette période de l'année, embaume la colline. Je voudrais prolonger ce séjour, l'allonger comme un chewing-gum que l'on mâche indéfiniment sans même s'apercevoir que son goût d'origine est disparu depuis longtemps. Cette colline a des saveurs et des savoirs qui, un à un, vous rappellent ce que terre veut dire, et vous n'éprouvez plus le besoin de vous perdre en ville parmi tous ces atomes en conflit les uns avec les autres et dont les déflagrations s'appellent Montréal, Buenos Aires, Tucumán… Bien sûr que je voudrais rentrer à Montréal et à Ottawa mais, contrairement à Ulysse, je ne suis attendu par personne là-bas. À quoi bon précipiter mon départ puisque Pénélope, frileuse au bout de ses aiguilles à tricoter, semble avoir, elle aussi, déserté le Nord ? Pénélope-Poma-Pénélope, voilà l'itinéraire du manant, Poma entre les citronniers et les avocatiers, en haut de la pente, là où l'oranger pétri de soleil parfume le sentier broussailleux et secret qui mène vers le tambour d'Amancio,

Poma en arrêt sur le seuil de la porte qui laisse passer l'ombre et le jour, Poma éclairée par le soleil de midi, Poma avec des mandarines et des grappes de raisins autour des reins, Poma, fragile et indestructible à la fois, pourvoyeuse de pain et de vin à l'heure où la terre et le soleil partagent la même mie.

Elle est arrivée avec une grande nappe blanche en coton du Paraguay et des *empanadas* à peine sorties du four. Puis elle m'a demandé si je voulais du citron. *Une empanada sans citron serait comme une belle fille à qui manquerait un œil*, ai-je répondu avec un sourire. Tout en imitant mon sourire, elle s'est dirigée d'un pas leste vers le citronnier le plus proche au pied de la citerne qui recueille les eaux de pluie. Je l'ai suivie avec les yeux d'un lézard qui se prélasse au soleil. Elle avançait sans que mon regard mi-paresseux, mi-lubrique soit un obstacle sur son chemin. Comment fait-elle pour ne pas sentir ce regard collé à sa peau, à ses hanches, sous la lumière crue de midi ? C'est le même regard que je projette sur la maison, les plantes et la terre qui l'entourent. Un regard qui compte, évalue et additionne des qualités et des récoltes à venir. Un regard de propriétaire, en somme. J'en ai honte mais, tout bien considéré, c'est le seul dont je dispose pour la toucher. Si seulement je pouvais emprunter les yeux de Telma, sa sensibilité d'écorchée, ce flair qu'elle a pour voir derrière les apparences et les simulacres.

Ce désir saugrenu, insensé, de vouloir comprendre les motivations profondes de Poma est peut-être un projet voué à l'échec, en plus d'une perte de temps. Pourquoi, tout simplement, ne pas la regarder s'activer dans la maison, debout devant son chevalet, ou, tout simplement, observer en catimini ses efforts énergiques pour chasser un animal qui maraude autour de la maison en quête d'une cachette où mettre bas ? C'est arrivé hier au crépuscule. Alors que je prenais un whisky dans le salon en lisant *Volkswagen Blues* de Jacques Poulin, tout un tapage sur la toiture m'a fait interrompre ma lecture juste au moment où le personnage principal rencontre enfin Théo, le frère absent pour qui il a traversé l'Amérique. N'étant pas de ceux qui ont hâte de faire corps avec le bruit, j'ai traîné avant de sortir sur la terrasse. Derrière les montagnes, le soleil couchant décochait des flèches rougeoyantes. Le tapage brisait l'équilibre de cette fin de journée qui s'était écoulée dans le recueillement d'une sensualité aux aguets. Je me suis finalement dirigé vers la piscine afin de mieux embrasser du regard la toiture. Au pied d'une vieille cheminée abandonnée, Poma, une branche à la main, s'agitait contre un ennemi invisible. De petits rongeurs, semble-t-il, y causaient quelques dégâts. J'étais sur le point de la laisser résoudre seule cet avatar domestique quand je me suis rappelé une nouvelle du journal lue la veille sur la terrasse en attendant mon repas de midi :

Invasion de nains étrangers à Tucumán

D'après l'article, qui avait tout l'air de sortir d'une page de García Márquez plutôt que d'un journal, les nains, profitant de la petitesse de leur taille, trompaient la barrière des douaniers à la frontière bolivienne. Le journaliste soulignait tout d'abord qu'ils mordaient des testicules en âge de procréer. Cela avait attiré particulièrement mon attention dans la mesure où je suis grand et que la bouche d'un nain moyen devrait se trouver, selon mes calculs, à la hauteur de ma braguette. La rage de ces hordes de nains barbares avait fait, toujours selon la même source, de nombreuses victimes dans des quartiers périphériques où la misère entassait les gens les uns sur les autres. Habitué à me méfier des pouvoirs en place, je m'étais demandé si la fulgurante apparition de ces gnomes furibonds n'obéissait pas plutôt à une stratégie visant à freiner l'explosion démographique dans les classes défavorisées. Tout pouvoir politique cherche à émasculer ses sujets, c'est bien connu, et celui qui gouverne présentement à Tucumán se vante de favoriser la croissance des classes sociales « les plus aptes à survivre dans un contexte de mondialisation exacerbée ». Le gouverneur local, un ex-général responsable de plusieurs disparitions de personnes pendant les années de répression militaire, est devenu célèbre en s'acquittant de la promesse électorale d'éradiquer une bonne partie des mendiants qui infestent le centre-ville. Sa méthode ? Il les fait enlever par un service privé muni de plusieurs camions du genre paniers à salade qui, une fois remplis, déposent leur humble cargaison à la frontière de Catamarca, la province la plus proche, et la plus démunie aussi.

À la lumière de ces considérations, je me suis décidé à grimper sur le toit en empruntant l'escalier en pierre qui mène à la citerne d'eau. Au moment de mon arrivée sur les lieux, la situation était déjà maîtrisée. Il s'agissait d'une chatte noire que Poma avait réussi à déloger.

— Ça se cache sous les briques et, après que ça a mis bas, ça laisse les chatons abandonnés comme si c'étaient des épluchures.

Elle avait le visage blême. C'était la première fois que je la voyais comme ça, sortie de ses gonds, à cran. Jamais auparavant je n'avais vu son visage s'altérer, même dans des situations de tension où des gens bien plus mûrs auraient probablement fait preuve de moins de contrôle. J'ai pris le bout de branche qui lui était resté dans les mains (un gros morceau, à mon grand étonnement, avait été cassé sur le dos de la bête) et lui ai dit de descendre. Soucieux d'apaiser sa colère, je lui ai servi par la suite un verre de whisky qu'elle n'a pas bu. Debout, c'est comme ça qu'elle me parle, elle a avoué qu'elle n'aimait pas les femelles qui portaient dans leur ventre le fruit de leur chute. Je ne me rappelle pas exactement le mot qu'elle a utilisé en espagnol, mais je crois que l'idée était bien celle-là. Je reconnais que le portrait que je donne ici de cette fille n'est qu'un portrait traduit, donc forcément, en partie du moins, trahi. Mais comment faire autrement ? À force de vivre dans le Nord, j'ai cessé de penser en espagnol et, comme j'ai épousé la langue de maman, le français est à présent ma *langue maternelle*. La langue de mon père vient pourtant me chercher dès que Poma a le dos tourné, et son ronronnement de matou tropical doit certainement l'inquiéter lorsque, bien malgré moi, elle l'entend sortir de ma bouche. D'après elle, je ne parle pas espagnol avec l'accent argentin. C'est peut-être vrai. Le blizzard efface tout, y compris cette

musique dont le Sud coiffe l'espagnol comme un grelot. La
vieille langue castillane reverdit ainsi au contact d'un paysage
qui fait de l'excès et de la démesure sa tasse de thé.

Je l'ai vue revenir vers moi, un sourire rayonnant sous le
soleil, et le souvenir de la veille s'est éclipsé pour céder la
place à ce corps jeune de fille qui, curieusement, chasse les
chats de sa toiture mais laisse entrer chez elle des oiseaux de
proie de mon espèce.

En tenant son tablier de cuisine par les deux bouts, elle en
avait fait une corbeille à ciel ouvert dans laquelle s'entassaient pêle-mêle citrons, mandarines, oranges, pommes et
avocats. C'était vraiment drôle de la voir marcher comme ça.
On aurait dit une jeune paysanne s'amusant à jouer avec ce
que la terre avait de plus juteux, sucré et amer tout à la fois.
J'avais été témoin de sa cueillette rapide et gracieuse, d'arbre
en arbre, telle une abeille butinant pour une ruche dont on ne
voit jamais le trésor. De tous les fruits, c'étaient les citrons qui
brillaient le plus. Elle les avait étalés sur la table, en vrac, d'un
geste précis et net, sans en perdre aucun. Ce n'était probablement pas la première fois qu'elle jouait cette comédie, me
suis-je dit tout à coup en songeant à celui qui m'avait précédé
dans ces montagnes. C'était plus fort que moi : l'idée qu'un
homme de l'âge de mon père avait, lui aussi, convoité ce
corps à la pulpe ferme et fringante m'affligeait tellement que
j'en détournais parfois le regard.

Rembruni, les yeux fixés sur le volcan dont la silhouette
écrasait soudainement tout le reste, j'ai demandé à Poma
d'apporter un couteau pour couper les citrons. Les *empanadas*,
cuites à point, et farcies du fromage des vallées Calchaquíes,
je les dégustais entre deux gorgées de vin de Cafayate, les
mains de Poma y étaient aussi, leur savoir-faire de dentellière
des collines, bergère d'arômes et de saveurs essentiels, fille-
mère, personnage clef, à son corps défendant, d'un testament
écrit par un homme qui — sur le tard — avait peut-être
compris qu'elle serait le dernier amour de sa vie.

Elle est revenue avec, outre le couteau, un *ceviche* qui,
ayant mariné la veille, ne demandait qu'à épouser le parfum

croustillant des *empanadas* au four pour finir d'amadouer le poisson cru au goût de lime.

J'ai invité la fille à s'asseoir à mes côtés. L'ombre des eucalyptus zébrait la table et l'odeur de la terre montait jusqu'à nous transformée en thym et romarin. Il était rare que Poma partage le repas avec moi. D'habitude, elle préférait manger toute seule dans la cuisine. Cela ne me dérange plus. Depuis que je suis ici, je parle moins et observe davantage. Manger entouré par les montagnes et la verdeur du paysage qui s'étale à perte de vue n'est pas manger seul, du reste. Mais j'aime, de temps en temps, partager ma table avec elle, et quand c'est le cas, je le célèbre avec un verre de vin rouge de Cafayate :

— Non, merci.

— J'insiste. Prends-en, tu dormiras mieux à l'heure de la sieste.

Elle m'a toisé sans rien dire, puis, le verre à la main, elle a bu en ma compagnie ce vin dont la robe rappelle sous le soleil le velours pourpre des princesses et l'ivresse des forêts dont on a chassé le loup.

Paradoxalement, ce tutoiement dont je me servais à présent ne rendait pas notre dialogue plus spontané. Poma ayant conservé son vouvoiement, je me sentais beaucoup plus vieux que je ne l'étais. J'aurais dû maintenir les distances. Ça au moins, je le savais. Le tutoiement était arrivé la première fois qu'elle avait couché dans mon lit. Ce qui s'était passé au pied de l'eucalyptus avait ouvert la voie à tout le reste. Cependant, dans mon esprit, c'était plus près du rêve que de la réalité. Le châtain clair de ses cheveux mêlé aux lueurs de l'aube gommait son corps. Peut-être parce que nous n'avions jamais parlé de ce qui était arrivé ce jour-là ou parce que rien chez elle n'avait apparemment changé, j'avais supposé qu'il était encore temps de faire marche arrière afin que le souvenir de Telma soit le seul à occuper mes nuits. Mais au bout de sept jours sous un soleil qui ne battait jamais en retraite, j'avais fini par solliciter la présence de la fille dans ma chambre après le repas du soir. Je m'en souviendrai toujours.

J'étais au lit, le dos appuyé contre un immense éventail déployé, rouge et noir, telle la longue queue aux plumes ocellées d'un paon; rapporté de Séville par mon père lors d'un voyage en Europe, il chatoyait suivant les différents jeux de lumière de la journée. Cette dernière information, comment la confirmer? me venait de la fille, comme tout ce que je savais par ailleurs sur l'origine des objets décorant la maison. Nu sous les draps, je l'attendais, sans impatience mais sans nonchalance non plus. Cette fois-ci, j'étais prêt. Serein en tout cas, sûr d'être là, vraiment là. Le là de mon désir sonnait donc à ma porte, et je viendrais l'ouvrir, cette porte, un sourire doux aux lèvres, reconnaissant, histoire de ne pas effrayer la fille dont la docilité, contre toute attente, loin de fléchir, ne faisait que s'affirmer.

Les rideaux des fenêtres étaient tirés, et je voyais les lierres enroulés autour des réverbères de la piscine en étouffer la lumière.

— Vous m'avez appelée? avait-elle demandé.

Alors, sans la regarder, je lui avais fait signe de s'asseoir au bord du lit, *là, là, à côté de moi.* J'avais senti le poids de son corps s'enfoncer à peine dans le matelas. C'était comme si, ne pouvant pas s'y abandonner tout à fait, elle laissait en suspens une partie d'elle-même. Cependant, je respirais tranquillement; pour des raisons qui m'échappaient, le charme opérait toujours. C'est faute de mieux que j'utilise ce mot à l'eau de rose, « charme », ou est-ce que je devrais me poser des questions au lieu, comme je le fais, de profiter de l'occasion, comme un larron? L'occasion fait le larron, et le cochon, et tout ce qui vient avec. Son consentement muet, beaucoup plus que l'attente d'un corps subitement figé au bord du lit en *quebracho* rouge, avait stimulé mon érection. Sous le coton des draps, la nudité dans laquelle je me trouvais n'en était que plus sensible. C'était comme la nuit où j'avais plongé à poil dans la piscine en attendant le repas qui mijotait dans la cuisine. Mon intention était de calmer les ardeurs qui m'assaillaient, mais je n'avais fait que les exacerber.

Elle avait fini par s'asseoir à ma gauche, immobile, hiératique, le regard cloué au mur, son profil se découpant comme une médaille que les lampadaires du jardin ciselaient en noir et blanc. Moi, c'était le côté noir qui m'attirait. Alors, après avoir respiré longuement trois fois, j'avais pris sa main encore humide de liquide à vaisselle, exerçant petit à petit une pression qui se voulait naturelle, allant de soi. Mais rien ne l'était moins, car je sentais qu'elle était ailleurs. J'aurais pourtant souhaité me passer de préambules et de préliminaires, comme si, entre le corps de cette fille et le mien, le dialogue était fluide depuis la nuit des temps, comme si, même avant ma naissance, ce corps avait été toujours là auprès de moi, ou comme s'il était venu au monde avec moi, et que je n'avais pas besoin d'entreprendre le moindre effort pour le réintégrer, m'y lover, m'y endormir enfin.

À ce moment-là, pour la première fois, je l'avais tutoyée :
— Déshabille-toi et mets-toi au lit avec moi.

C'est triste à dire mais là, je me suis rendu compte que, pour le désir, le mode impératif lui allait comme un gant. Un sale gant, soit dit en passant, car la tendresse foutait le camp, et nos rapports perdaient la souplesse d'une complicité qui m'aurait certainement permis de mieux la connaître, Poma. Du coup, la marge de manœuvre que me donnait le « tu » venait renforcer cette interaction de l'injonction et de la passivité qui deviendrait par la suite la règle dans nos rapports. Aveugle et sourd à tout ce qui échappait à l'urgence du moment, j'étais allé prêter main-forte au singe lubrique qui sommeillait en moi.

Ce souvenir traînait dans ma tête le jour où Poma a pris part au festin sur la terrasse. Une fois rentrés tous les deux dans la maison, je me suis arrangé pour l'arrimer à ma sieste. Je reconnais que je faisais un peu la baboune, car elle avait refusé de boire le deuxième verre de vin de Cafayate que je lui avais proposé. Je ne pouvais tout de même pas l'obliger à goûter de force ce que la terre de Salta donnait sans violence, et avec la douceur des collines pétries de soleil à longueur d'année. Il ne fallait pas oublier qu'on était dimanche. Je l'avais fait exprès, histoire de tourner le couteau dans la plaie, la mienne, celle qui me rappelait que ce jour-là Poma était ailleurs. Étrangère à moi, coupée de ce cocon que je tisse comme une araignée jalouse de ses intensités sous un ciel haut perché. Entre quatre collines, mon attachement pour cette fille m'inquiète et me rassure à la fois. Je n'aurais jamais cru que j'étais capable de tenir à quelqu'un au point de ne plus vouloir le quitter. Voilà ce qui m'arrive, et j'en suis tout bouleversé ; je ne sais quelle stratégie adopter au juste. Une chose est certaine : Telma, je ne la vois plus que dans un rétroviseur.

C'était ça : dimanche, Poma s'éteignait comme une lampe, et il ne restait que son corps, coquille vide que je dirigeais jusqu'au lit, devenu le centre de toutes mes peines. J'étais donc là attelé à la tâche ingrate de vouloir faire jouir quelqu'un qui ne disait pas non mais qui ne disait pas oui non plus. En contradiction avec ma conduite passée, je ressentais l'urgence de bouleverser ses sens, de l'arracher à cette docilité qui dictait ses pas, l'empêchant sans doute d'assumer son désir, de l'exprimer haut et fort, et de me faire sentir par la même occasion que, tressés l'un dans l'autre, nos deux corps se ressemblaient au point de ne plus pouvoir se quitter.

Je l'ai couchée sur le lit comme une poupée qu'on déballe de sa boîte recouverte de cellophane. Je l'ai déshabillée d'un geste lent, précautionneux, attentif à ne rien laisser échapper sur le chemin. Tout était bon chez elle, il n'y avait rien à jeter. Poma avait les yeux fermés, mais j'avais le sentiment que son corps me regardait avec la désapprobation distante des poupées qui reconnaissent tout de suite les doigts qui ne savent pas les faire jouer. Je l'ai léchée de la tête aux pieds, longuement, à petits traits, dans l'espoir, qui sait ? de trouver enfin ce lieu secret où la fille gardait sa petite boîte de Pandore, mais rien n'y faisait, mes efforts d'arpenteur s'avéraient vains, tous, les uns après les autres, et alors je l'ai mise à plat ventre, puis, mes deux yeux fauves sur son dos, je me suis laissé aller. J'ai tout d'abord embrassé ses fesses pâles et potelées avec une fébrilité de moine en rupture de jeûne. Encore une fois, ma langue s'est attardée sur elle avec l'impression d'impunité se dégageant des montagnes. Je ne me sentais pas coupable, mais j'avais tout de même le sentiment de prendre une place qui n'était pas la mienne. Et c'était probablement parce que, après le repas de midi, je lui avais dit à mots couverts de ne pas se rendre chez les Urtubey. *Aujourd'hui, c'est l'anniversaire d'Amancio, et je voudrais lui apporter un gâteau aux amandes qui cuit en ce moment dans le four,* m'avait-elle informé tandis que je buvais ma dernière gorgée de vin. Il me faut avouer que ma réponse n'avait pas été spontanée. Ça faisait longtemps déjà qu'elle mijotait dans ma tête : *Il serait dangereux de monter aux miradors. Le commissaire Gucema m'a précisé que, tant qu'on ne connaîtra pas l'identité de ceux qui ont tué les chiens, il vaut mieux ne pas s'éloigner de la maison.* Elle n'avait rien dit, mais son visage s'était rembruni tout à coup. Les sorties du dimanche après-midi lui permettaient de briser la solitude dans laquelle elle vivait. Même mon père ne les avait jamais interdites. Au lieu de faire appel à des stratégies de dissuasion moins arbitraires, j'avais ainsi cédé à la tentation de trancher d'un coup sa relation avec l'aîné des Urtubey.

Au moment où mes caresses se faisaient plus pressantes, la voilà qui éclate en sanglots.

Figé dans mon élan, j'ai hâté ma retraite.

Debout devant la fenêtre, j'ai longuement contemplé la force tranquille se dégageant des montagnes.

Alors, ragaillardi, j'ai encore une fois posé mes yeux sur elle.

— Si tu ne veux plus que je te prenne, tu n'as qu'à me le dire, Poma, et tout s'arrêtera là, ai-je dit d'une voix entre-coupée par la tristesse.

— Ça fait longtemps que je vous attends, a-t-elle murmuré, les yeux fermés comme ceux d'une poupée qu'on aurait oublié de réveiller au bout d'un long voyage.

Ce même jour, en fin d'après-midi, des roulements de tambour se sont mis à grignoter chaque pied carré de la terrasse ; impossible de s'y promener ou d'y prendre le maté sans lequel les montagnes n'ont pas ce goût de safran que le soleil couchant met dans ma calebasse en bois. On aurait dit des plaintes se multipliant à l'infini. En vain, je me suis efforcé

de faire la sourde oreille. C'était plus fort que moi, plus fort
que mes tentatives en tout cas d'en venir à bout en adoptant
une attitude indifférente. Dans mon esprit inquiet, ces
percussions constituaient une remise en question de mon
droit de vivre dans cette maison sous le même toit que Poma.
C'était une musique vindicative et hostile qui voulait mon
expulsion ou, qui sait? ma destruction. Alors les mots du
commissaire Gucema ont refait surface dans ma mémoire.

Un peu avant qu'il ne fasse nuit, je suis sorti affronter cet
ennemi invisible qui brisait à coup de tambour mon équilibre
avec Poma. Tout d'abord, j'ai fait le nécessaire pour qu'elle
soit en sûreté dans la maison. C'était la première fois qu'après
la sieste et ses excès elle s'endormait à poings fermés comme
une enfant dans mon lit. Ayant fermé la porte de la maison à
double tour, je me suis mis à gravir la côte. Bien que motivé
par la colère, je n'en menais pas large, car il y avait beaucoup
de chômeurs qui traînaient dans les parages. Ils venaient d'un
bidonville situé au bord de la rivière qui serpentait en bas, au
pied des coteaux. À un moment de mon ascension, toutes
sortes de doutes m'ont assailli. Il ferait noir lorsque je serais
en haut de la côte et l'idée de laisser Poma toute seule dans la
maison me tourmentait. Mais j'avais déjà atteint l'à-pic le plus
haut et me dirigeais vers les miradors. En ce lieu, trois maisons de campagne s'alignaient l'une à côté de l'autre. D'abord
celle des Albahaca, architecture andalouse qui rappelait les
caprices tarabiscotés de l'Alhambra de Grenade, puis,
bucolique et en harmonie avec le paysage, celle de Ronco
Galván, un député propriétaire de bordels en périphérie de la
ville, et enfin celle, aristocratique bien que peu entretenue,
des Cossio, famille patricienne ruinée par l'expropriation de
ses terres. Du jardin de cette dernière a soudainement été
lancée la pierre qui est venue heurter ma poitrine de plein
fouet. Je savais que c'était une fronde, car je l'avais vue
tournoyer en l'air derrière le muret qui séparait le jardin du
chemin. Le cuir épais de ma veste en a amorti l'impact. Au
lieu de fuir, je me suis mis à courir comme un dératé en direction du muret derrière lequel se cachait l'auteur de l'agres-
sion. Loin de me faire peur, l'irruption de cette violence

intempestive et brutale avait provoqué chez moi une telle décharge d'adrénaline que je sentais que rien ne pourrait dorénavant arrêter mon élan. C'était comme si le ressort de ma vie avait enfin trouvé sa voie. Une fois dans le jardin des Cossio, je les ai repérés, côte à côte, deux regards haineux et abasourdis par ma réaction instantanée. Deux enfants à peine, dix, onze ans? recroquevillés et prêts à détaler comme des lapins aussitôt que le phare de ma vengeance montrerait des signes de faiblesse. Je me suis approché d'eux et, d'un geste sec, sans concession, j'ai fait entrechoquer leurs têtes comme deux pastèques pourries dont on n'a plus rien à tirer.

Avant de quitter les lieux, je leur ai arraché la fronde des mains pour la jeter tout en bas de la pente, dans le sous-bois. Alors j'ai entendu, clair et net, le roulement de tambour qui m'avait chassé de la maison. Il venait de la cime d'un arbre gigantesque dont les racines puissantes fendaient la roche. On les appelle *gomeros* ici et ils écrasent de leur taille démesurée le reste de la végétation. De là-haut, l'ami de Poma avait suivi ma lente progression en zigzag à flanc de colline. C'était sans doute lui qui avait alerté les deux voyous. *Descends, si tu es un homme!* me suis-je entendu crier à tue-tête. Le tambour d'Amancio n'a fait que redoubler d'intensité comme s'il cherchait maintenant à ameuter la colline tout entière. J'ai alors songé aux vagabonds qui traînaient au bord de la rivière ainsi qu'à tous ceux qui, plus audacieux, avaient déjà maille à partir avec la police. Tandis que la nuit des montagnes éteignait tout à coup la colline, j'ai déguerpi, conscient, cette fois-ci, que le tambour de l'aîné des Urtubey avait des racines bien plus fortes que les miennes.

Je suis allé acheter un véhicule à traction intégrale pour monter et descendre les côtes sans m'exposer aux frondes embusquées derrière les arbres. Vert olive, il devrait me permettre de passer inaperçu dans le milieu environnant, du moins je l'espérais. Je l'ai trouvé dans *La Gaceta*, le journal local :

> *Chef d'entreprise en banqueroute vend tout,*
> *excepté sa femme et son chien*

Il s'appelait Marcelo Cassido et, comme beaucoup d'autres, il était aux abois. Afin de ne pas être pendu par ses multiples créanciers, il avait décidé de tout brader avant de se perdre dans la nature. Il vivait dans un bungalow aux tuiles rouges de l'avenue Mate de Luna. J'étais arrivé à l'heure où sa conjointe lui préparait un maté. J'ai immédiatement compris pourquoi elle n'était pas à vendre : elle était plus moche que le fait de péter dans un enterrement et d'en rendre responsable l'occis. Lui non plus n'avait pas été particulièrement gâté par la nature : il était chauve, bedonnant et bègue. Heureusement qu'ils ne m'ont pas présenté leur chien.

J'ai commencé par lui acheter un vieux revolver argentin Tartagal, persuadé que si je ne le faisais pas, il finirait par se faire sauter la cervelle. C'était la première fois de ma vie que j'avais une arme entre les mains, mais elle avait l'air en si mauvais état que je me suis demandé si, le cas échéant, elle serait capable de remplir son mandat. Non, elle ne semblait pas née pour tuer quelqu'un mais plutôt pour ronfler paisiblement dans un musée d'antiquités militaires. Cassido a dit du mal de l'Argentine, de ses politiciens, de la corruption qui sévissait partout, de l'insécurité, de l'absence de futur dans un pays condamné, selon lui, à répéter éternellement les mêmes erreurs. Je lui ai demandé s'il avait toujours été aussi optimiste. Tout en aspirant une longue gorgée par la paille en argent de son maté, le regard las, il a dit :

— On voit bien que vous n'êtes pas d'ici.

J'ai changé de sujet en me rappelant pourquoi j'étais venu. J'ai émis le commentaire que les automobilistes conduisaient comme des fous dans les rues de la ville et que, finalement, je n'étais pas sûr de pouvoir m'adapter à une telle circulation. La femme de l'homme ruiné est intervenue pour signaler que les piétons risquaient leur vie chaque matin, en effet, et que la meilleure manière de se protéger, c'était de ne se déplacer qu'avec une « armure à quatre roues motrices ».

C'était clair qu'elle ne voulait pas laisser passer l'occasion de vendre leur tout-terrain. Et, soucieuse d'enfoncer le clou, elle a ajouté :

— Le sport préféré des automobilistes ici, c'est d'écraser des piétons.

— Comme si c'étaient des cafards, a renchéri son conjoint.

— L'automobiliste à la mode se déplace ici dans un quatre-quatre aux vitres teintées, revolver dans la boîte à gants et baladeur aux oreilles afin de ne pas entendre le cri de ceux qu'il bute, a tranché la dame au physique ingrat.

Dès que je l'ai aperçue garée dans la cour arrière, reconnaissable entre toutes, présente dans toutes les mémoires, mon cœur s'est mis à battre la chamade : une jeep Wyllis des années soixante, fidèle comme un chien, solide comme une mule et agile comme une chèvre, avec du couple moteur à revendre. En très bon état en dépit de son grand âge, rustique, pratique et indémodable. J'ai eu le coup de foudre et je l'ai payée rubis sur l'ongle. Avec son moteur de quatre cylindres en ligne et sa transmission intégrale, je serais capable de surmonter les pires obstacles sur ma route.

Tous les deux m'ont souhaité bonne chance au moment où je suis parti. Vu depuis ma Wyllis, le couple m'est apparu encore plus vulnérable. Je me suis éloigné rapidement pour empêcher ma pitié d'embuer les vitres de cette jeep de légende.

J'avais quelques démarches à faire avant de rentrer à la maison. Après avoir garé la Wyllis dans un parking tout près de la place Independencia, je me suis rendu à la banque où j'ai eu la mauvaise surprise de constater que le dernier dépôt n'avait pas encore été effectué. Inquiet, j'ai téléphoné à l'avocat. Une voix terne de rond-de-cuir m'a répondu que maître Jodosa plaidait une cause à la cour. Je suis allé ensuite au bureau des immatriculations de voitures, une grande salle truffée de monde et d'odeurs pestilentielles qui, si elles avaient été brevetées, auraient pu être vendues comme des armes chimiques de destruction massive. J'y ai enregistré l'achat du véhicule tout en payant la vignette de l'année. De nouveau sur le trottoir, j'ai respiré à pleins poumons et, du coup, l'air pollué du centre-ville m'a semblé moins nauséabond que d'habitude. Afin de me refaire un odorat, je suis entré dans le café C'est si Bon, propriété d'un Québécois ayant fait partie dans sa jeunesse, prétendait-on, des Hells. J'aimais l'odeur du café qui, mélangée à celle de la nicotine, mettait le réel à la porte. À mon très grand étonnement, j'y ai découvert Jodosa, confortablement installé à l'une des tables du côté de la fenêtre. Tendu comme un ressort, je me suis précipité à sa rencontre :

— J'ai téléphoné à votre bureau et on m'a dit que vous étiez à la cour, me suis-je exclamé sur un ton d'indignation que je voulais provocateur.

Peut-être parce qu'il était en compagnie d'une femme, Jodosa a joué au plus malin :

— Et si on vous a dit que je suis à la cour, pourquoi me cherchez-vous ici ?

Au delà de ses propos, c'est l'expression moqueuse de son visage qui m'a irrité le plus.

— Parce que le mensonge a les pattes courtes, ai-je rétorqué sèchement.

La femme, entre deux âges, plutôt mignonne et maquillée comme une tenancière de maison close, a consulté l'avocat du regard pour savoir quelle attitude adopter.

— Asseyez-vous, a-t-il maugréé.

— Je viens de la banque. Mon compte n'a pas été approvisionné. Je veux savoir pourquoi.

Il a aussitôt sorti un mouchoir de sa poche puis, en prenant tout son temps (qui était aussi le mien), il s'est mouché le nez comme s'il donnait du cor des Alpes. Une fois le mouchoir en poche, d'une voix lente et sans l'ombre d'un souci, il a dit :

— Tous les intérêts ont été gelés jusqu'à nouvel ordre.

Je n'en croyais pas mes oreilles.

— Pourquoi ? l'ai-je questionné sur un ton bourru.

— Un certain nombre d'investisseurs nerveux ont procédé à des retraits massifs. Le prêteur n'a pas les reins assez solides pour faire face tout seul à la musique. Voilà pourquoi.

— Et qu'ai-je à faire avec le « prêteur » ? l'ai-je interrogé, sidéré par cette nouvelle information.

— Comment, Albújar ne vous a-t-il pas parlé de lui ?

— Je croyais que l'argent était dans une banque. On m'a parlé d'un certificat en dollars américains.

— Pensez-vous qu'une banque vous donnerait un rendement aussi élevé ?

N'en pouvant plus, j'ai monté le ton d'un cran :

— Écoutez, Jodosa, tout ce que je veux, c'est mon argent, et je le veux maintenant.

Pendant qu'il m'écoutait, j'ai vu nettement le front de l'avocat se plisser.

— Ne vous tracassez pas inutilement. Les intérêts ne se perdent pas, ça s'accumule, puis, à la fin, ça fait des sommes bien rondelettes, et là on est content quand tout rentre dans l'ordre, a-t-il dit tout en jetant un coup d'œil complice en direction de la femme.

— Combien de temps va-t-il falloir que j'attende ? me suis-je enquis en désespoir de cause.

— Je n'ai pas de boule de cristal. Deux ou trois semaines, peut-être moins, peut-être plus. De nouveaux investisseurs viendront remplacer ceux qui foutent le camp. D'habitude, c'est comme ça que ça se passe.

Une sonnerie stridente s'est fait entendre dans la poche de l'avocat. Et voilà qu'il a tout à coup sorti son cellulaire avec la célérité de Lucky Luke au moment de dégainer son arme pour arrêter les Dalton :

— Dites à ce fils de pute que s'il ne paye pas d'ici une semaine, on mettra sa maison aux enchères. Compris ? a-t-il lâché sans état d'âme.

Déchiré entre le désir de regagner les montagnes et celui de suivre l'avocat félon dans ses péripéties financières, je suis resté debout, les yeux picotés par la fumée que tout un petit monde de boursicoteurs, de prêteurs à gages, d'usuriers et de proxénètes en cravate produisait dans une fébrilité de film en noir et blanc.

J'ai pris mon repas dans une gargote en me demandant ce que je ferais si l'argent ne venait pas. J'ai songé à la maison à flanc de colline ainsi qu'à mes projets d'y entreprendre des travaux dans les plus brefs délais. Tout d'abord, je voulais grillager l'accès à la cour en fer à cheval pour rendre moins vulnérable la partie arrière de la maison. Aussi avais-je l'intention de faire installer des cornières en métal sur la porte principale de même qu'une serrure incrochetable à cinq points d'ancrage. Un système d'alarme pourrait couronner le tout. Sans argent frais, il me faudrait puiser dans mes économies.

En route vers le parking, les fragrances de la fleur d'oranger s'exhalant d'un parvis d'église m'ont réconcilié avec la ville. Un jour peut-être, il me serait possible de coller mon nez au pavé des ruelles truffées de crottes de chiens, comme un de ces ivrognes qui connaissent par cœur le chemin de la maison.

J'ai évité la circulation intense de l'avenue Mate de Luna en prenant par Belgrano, ruban de goudron qui s'étale jusqu'au pied de la montagne. La jeep adhérait bien à l'asphalte, en fort mauvais état par endroits, et la hauteur de sa cabine me donnait une vue plongeante sur la piétaille qui s'agitait des deux côtés de la route. Les maisons étaient basses, petites, tassées les unes contre les autres. Si le soleil n'avait pas été là pour les éclairer, leur côté pouilleux aurait pris le dessus. Mais cette lumière intense changeait la misère en galerie sociale : les vêtements sur les cordes à linge dévoilaient, depuis la petite culotte passablement usée de madame jusqu'à la chemise rapiécée de pépé, toutes les nuances de l'agonie budgétaire des familles qui s'agglutinaient à la périphérie de la ville.

Parvenu au rond-point Gutiérrez, dernier nœud routier avant que j'engage la jeep sur le chemin de corniche menant à la pente, j'ai éprouvé la joie fulgurante d'être *on the road*, à la Jack Kerouac, si proche de l'extase, de la libération qui fait place au huis clos et à l'enfermement étouffant des grands espaces urbains. Puis, après la montée, est venue la route qui se perd entre les arbres, et a dès lors commencé la lente ascension de la rue Los Tarcos, crevassée par les pluies, tortueuse et sensuelle comme une vipère rissolant au soleil. La Wyllis grimpait sans effort grâce à une distribution équilibrée de la traction qui, tantôt mordait la terre avec les pneus avant, tantôt s'appuyait sur le train arrière dans les virages en épingle. La maison à flanc de colline est apparue enfin, éclatante dans la blancheur de ses murs et de sa citerne se découpant sur la toiture en tuiles rouges. Mon cœur a fait un bond à l'idée de revoir Poma m'accueillant à la porte, drapée dans son sourire le plus beau. J'ai immobilisé le tout-terrain sur le bord du chemin, le nez vers le bas, avec le projet d'inviter la fille à faire une promenade. Ça faisait longtemps que j'avais envie de connaître les environs, notamment le lac San Javier qui, disait-on, regorgeait de truites.

Mes deux pieds sur la terrasse, j'ai pourtant failli tomber dans les pommes, c'est le cas de le dire, en découvrant tout à coup la présence d'un tambour au beau milieu de la table où je prenais mes repas à midi lorsqu'il faisait beau. Emporté brusquement par une colère vive, et complètement hors de mes gonds, je suis descendu chercher le revolver rangé dans la boîte à gants de la jeep. Puis, l'arme au poing, avec la conviction d'un Don Quichotte domestique persuadé que toutes les injustices de la terre ont élu domicile sous son toit, j'ai regagné la terrasse. Alors que je me dirigeais vers la porte principale, je me suis aperçu que le tambour avait disparu. Son propriétaire avait très certainement remarqué mon arrivée. Caché dans un coin, il devait attendre le moment opportun pour me fendre le crâne d'un coup de fronde. Probablement qu'il n'était pas seul ; la leçon infligée aux deux vauriens se retournait à présent contre moi. J'ai décidé d'entrer par la porte de la cuisine afin de déjouer leur attente. Au moment de passer devant les fenêtres de ma chambre, je me suis mis au ras du sol, le canon du revolver entre les dents, à quatre pattes. La perspective de grenouille qui était la mienne à ce moment-là m'a permis d'observer toute la poussière accumulée par terre. Si je parvenais à tirer mon épingle du jeu, je dirais à la fille d'arroser ce couloir en fer à cheval, ne serait-ce qu'une fois par semaine. Poma, finalement, n'était pas si propre que ça, ai-je ruminé en silence, déçu et vindicatif. Poma ! Où était-elle à présent ? Le découragement et la tristesse m'avaient envahi à l'idée que, à l'heure de faire un choix, elle pencherait du côté des percussions. J'ai eu tort d'imaginer ce scénario, car mon attention, en fléchissant, m'a fait perdre quelques instants précieux. Heureusement, un flash du bonheur passé m'a permis de me ressaisir. Imitant la reptation du serpent qui n'a la tête haute que pour surprendre son ennemi, je suis enfin parvenu à la porte de la cuisine. D'un geste précis, et sans l'ombre d'une hésitation, ma main droite a ouvert la porte tandis que de la gauche je pointais l'arme vers l'intérieur. Je n'étais pas gaucher, mais j'ai senti que j'étais capable de me transformer en tout ce que je n'avais pas été jusque-là, y compris en assassin.

La cuisine était vide, la salle à manger, déserte, personne non plus dans le salon. Au fur et à mesure que j'avançais avec ce vieux pétard à la main, je commençais à ressentir le ridicule de la situation malgré ma colère. Soudain, l'envie de foutre le camp s'est frayé un chemin dans mon esprit. J'ai ressuscité, non sans un brin de culpabilité, l'image de Telma. Dire que tout serait tellement plus simple si je rentrais à Buenos Aires !

Il y avait de la lumière dans la salle de bain. Alors, à pas de loup, j'y ai glissé mon Tartagal dont la détente devait être aussi rapide qu'un éléphant dans le Sahara. À mon grand étonnement, je me suis retrouvé nez à nez avec Poma, une serviette enroulée sur les hanches et un séchoir à la main. Alors j'ai crié comme un enfant qui chercherait à se débarrasser de l'excès de tension qui lui fait transgresser les règles du jeu :

— Où est-il ? l'ai-je questionné à brûle-pourpoint.

Elle m'a regardé dans le miroir, le revolver d'abord, puis moi, ma stupidité plutôt, ma faiblesse en tout cas, ma petite chute sur une peau de tambour.

— Qui ? a-t-elle demandé à son tour d'une voix sereine.

— Ne fais pas l'idiote.

— Je ne sais pas de quoi vous parlez.

Il y avait de quoi se flinguer. J'ai déposé l'arme sur le couvercle de la cuvette et, tout en prenant la fille par les épaules, je me suis mis à la secouer comme si, tout au fond de moi, je voulais m'assurer qu'elle était en chair et en os.

— J'ai vu son tambour dehors ! Je l'ai vu de mes propres yeux ! me suis-je exclamé.

— Personne n'est venu ici. Je suis toute seule depuis que vous êtes parti en ville, a-t-elle dit d'une voix qui gardait tout son calme en dépit de la situation.

La lumière qui entrait par la fenêtre donnait à son visage un air de médaille frappée à l'ancienne. Jamais je ne l'avais vue aussi belle et aussi distante que ce jour-là.

Alors, tiraillé entre l'amour et la haine, je devais soit l'embrasser, soit la fustiger. L'hésitation a rendu mon geste d'autant plus vulnérable. Voilà pourquoi ma gifle, maladroite et bâclée, nous a surpris tous deux. Poma m'a regardé droit dans les yeux, sans réprobation mais sans tendresse non plus. Sur ses lèvres, le zeste d'un sourire intolérable m'a fait basculer dans l'incertitude.

La maison a reçu hier la visite de plusieurs corps de métiers. Tout d'abord le ferronnier, puis le serrurier, ensuite l'électricien. Grillagée, barrée, électrifiée, jamais cette partie de la colline n'avait fait l'objet d'autant de prévention. Lorsque le tour du maçon est arrivé, j'étais fourbu et affamé. J'ai demandé à Poma de s'en occuper juste le temps d'ingurgiter à la hâte un sandwich au jambon et au fromage de chèvre qu'elle venait de me préparer. Bien qu'il fût près de seize heures, le soleil brillait encore dans le ciel, et l'ombre de l'eucalyptus se projetait sur la terrasse.

Je les ai observés tous les deux depuis la fenêtre de ma chambre. Elle ouvrait la voie, suivie par les yeux du maçon, ni vieux ni jeune, entre deux âges, Soto était son nom, connu, disait-on, par la prodigalité avec laquelle il bâtissait des murs sans pour autant déserter le ventre de ses nombreuses maîtresses. Il suffisait de voir son regard lascif, ne serait-ce que de loin, pour comprendre que cet homme aimait le cul. Les briques ne devaient être qu'une excuse pour empiler les popotins les uns sur les autres. Il m'a ainsi paru justifié de confier aux mains de cet ouvrier sensible la construction d'un mur destiné à garder à l'abri des regards indiscrets les scènes d'intimité qui auraient lieu dans la piscine. Tous s'entendaient pour dire que les jours du printemps étaient comptés, et que l'été serait implacable.

La première chose qui frappait chez Soto, c'était l'expression de connaisseur avec laquelle ses yeux faisaient le tour de la poitrine de Poma dès qu'elle sortait l'accueillir sur la terrasse. Un regard de faune capable d'évaluer en un clin d'œil le volume exact d'intensités que peut receler un corps de fille. Soto ressemblait à Socrate, le portrait en tout cas que je me faisais du philosophe grec, d'après les témoignages des Anciens : camus, lippu, trapu, et jaseur comme un ruisseau de montagne. Quelque chose du philosophe brillait, en effet, dans ces yeux fouineurs qui avaient l'air de jauger et d'apprécier la saveur de l'esprit animant ces rondeurs *al dente*, ni trop vertes ni trop cuites.

Avec l'arrivée de jours de plus en plus chauds, Poma s'était mise à remplacer progressivement ses robes de laine par des jupes à hauteur de cuisse que j'achetais en ville. Elles étaient en coton, bien que parfois la soie y trouvât aussi son compte. Lorsque c'était le cas, elle les réservait pour le repas du soir. Noires, luisantes, elles contrastaient avec la blancheur de sa peau.

La jupe d'hier était en coton du Paraguay, tirant sur le rouge, et elle s'arrêtait deux doigts au-dessus des genoux. Moulant comme un gant, le tissu dessinait le galbe des fesses sans l'ombre d'une trahison. J'ai songé en souriant aux images qui devaient s'agiter dans la tête du maçon au moment de calculer le nombre de briques dont il aurait besoin pour bâtir son mur.

Ils se frayent un chemin entre les branches, dévalent la colline, s'entassent dans la cour, puis débordent comme l'eau sale et truffée d'impuretés d'un reflux d'égout. Ce sont les roulements de tambour de l'aîné des Urtubey. À l'heure où le soleil se couche, je dois abandonner la terrasse pour m'enfermer dans ma coquille faite d'inquiétudes et de convoitises qui me répugnent moi-même. Il n'y a ni serrure, ni chaîne, ni cadenas susceptibles de barrer la route à ces percussions venues des miradors. Aucun instrument n'est plus pervers que le tambour : il connaît toutes les fissures par où glisser ses battements empoisonnés. C'est une torture que le vent apporte avec l'innocence d'un oiseau qui aurait une grenade attachée à ses pattes. Pire encore, ce sont des milliers d'oiseaux funèbres qui voilent le dernier soleil et me précipitent dans une jalousie dont j'ai de plus en plus de mal à me remettre. Poma dit qu'elle ne les entend pas, mais je ne la crois pas. Je pense qu'elle le fait pour m'apaiser. En vain, c'est plus fort que moi.

Hier, j'ai passé tout l'après-midi en quête de fenêtres à double vitrage. Aussi incroyable que cela puisse paraître, aucun quincaillier n'en avait jamais offert à ses clients. J'en suis arrivé à la conclusion qu'il me faudrait les faire venir de l'étranger. Le propriétaire d'un de ces commerces où tout se vend et rien ne se trouve a voulu connaître la raison de mon acharnement. *Pour freiner le bruit d'un vagabond qui joue du tambour à l'heure du crépuscule.* Alors, avec le sérieux d'un père qui conseille son fils sur la meilleure manière d'avancer dans la vie, il m'a expliqué qu'il serait moins cher, et surtout plus efficace, de le faire tuer. *Achevez le chien, et vous n'aurez plus de rage*, a-t-il tranché en clignant de l'œil sur un ton complice.

De retour à la maison, aussitôt descendu de la jeep, je les ai encore une fois entendus. On aurait dit que, dans mes oreilles, une sorte de radar allait chercher la moindre vibration dans l'air pour la traduire en roulement de tambour. Il ne faisait pas encore nuit, et ils étaient déjà là, autour de la maison, en train de la border comme des frelons dont la piqûre, à force de gonfler, ne serait que plus douloureuse. *Percussions maudites, c'est vous ou moi, il n'y a pas de place pour nous deux ici*, ai-je grommelé entre mes dents tout en traversant la terrasse d'un pas agité.

J'ai franchi le seuil de la porte pour me retrouver dans une maison aux volets fermés, repliée sur elle-même. Poma, dans la cuisine, préparait le maté.

— Pourquoi as-tu tout fermé comme si on partait ? ai-je demandé avec irritation.

Sans se retourner, peut-être parce qu'elle ne voulait pas accrocher mon regard des mauvais jours, elle s'est limitée à murmurer :

— J'ai entendu à la radio qu'il y aura de l'orage ce soir.

— C'est plutôt le tambour que tu as dû entendre, n'est-ce pas ?

Elle a tout à coup pivoté sur ses talons. Il y avait un mélange de fatigue et de désenchantement dans son regard, et j'ai sur-le-champ compris que c'était ça sa réponse.

— Excuse-moi, Poma, mais ne me demande pas d'être généreux avec lui.

— Il ne vous a rien fait.

— Tu rigoles ? Qui était derrière la pierre qui a heurté ma poitrine le jour où je suis monté le voir, tu penses ?

Je l'ai fixée avec dureté bien malgré moi. Une nouvelle fois, les mots, ces foutus mots, cognaient au lieu de caresser cette fille qui, les mains sur un plateau de bois, veillait à ce que la calebasse remplie de maté trouve sa place exacte entre le sucrier et les croissants chauds maison.

— Il n'est pas méchant. La seule chose qu'il sait faire, c'est battre le tambour. Laissez-le tranquille, il ne fait de mal à personne, m'a-t-elle imploré.

— Écoute, ce muet est une nuisance pour le voisinage.

— Il s'appelle Amancio, m'a-t-elle corrigé en baissant les yeux.

J'ai senti que le maté, cette fois-ci, ne viendrait pas avec ce sourire doux que je préférais à tout le sucre de la terre.

— Il faudrait qu'il donne un peu de répit à son tambour, tu sais, autrement il risque de se faire tirer dessus. On m'a dit que, pour une poignée de pesos, bien des gens seraient contents d'avoir sa peau, ai-je ajouté comme si j'étais dans un western où le rôle du méchant me revenait d'office.

Se cachant le visage entre ses mains, doucement, avec pudeur, elle s'est mise à sangloter. Je me suis rapproché d'elle et je l'ai serrée dans mes bras tandis que les premiers coups de tonnerre de l'orage chassaient les roulements de tambour de la terrasse.

Le mur commence à prendre corps. Il avance plus vite que je ne l'aurais pensé. La structure de soutènement sera bientôt achevée. Il sera érigé au pied de la piscine, face aux montagnes, et, dès qu'il sera terminé, il nous mettra à l'abri des regards d'en haut, là où des maraudeurs et des malfrats de tous poils profitent de la solitude des lieux pour cambrioler les maisons. Mais il s'étendra bien au delà de la piscine, comme un barrage contre les miradors. Je veux ainsi que ce mur soit une frontière infranchissable entre les roulements de tambour et nous. J'ai dit à Soto de ne pas lésiner sur les moyens. Je payerai ce qu'il faudra pour avoir la paix. Aussi lui ai-je demandé de bâtir une pergola adossée au mur. J'aimerais y voir des grappes de raisin suspendues et ce type de lierre qui rougeoie en fin d'après-midi au soleil couchant. *La vigne pousse vite dans ces contrées-ci. Il vous suffira de lever la main pour en cueillir les fruits*, m'a assuré le maçon d'une voix sournoise. Parlait-il de la vigne ou de celle qui me servait à boire lorsque la chaleur se faisait trop sentir ?

J'aime bien le dénommé Soto. Il n'a ni le type ni l'accent des gens d'ici. Comme moi, il vient d'ailleurs, un métèque, quoi, et cela me le rend sympathique. J'ai horreur de demander aux personnes que je rencontre leur lieu d'origine, tout d'abord parce que je ne crois pas aux étiquettes, et puis surtout parce que quand on dit qu'on vient d'ailleurs, tout se passe comme si l'on était étranger deux fois plutôt qu'une. Cela dit, je subodore que Soto vient du sud de l'Espagne, Grenade peut-être, terre hybride où la roublardise du Gitan rejoint l'habileté du Juif, le génie des Arabes qui ont construit l'Alhambra et la gravité mystique des Espagnols. Je lui ai fait part de mes problèmes avec l'aîné des Urtubey, de son entêtement à semer des roulements de tambour qui poussent comme des mauvaises herbes. Il a réfléchi pendant quelques instants. Puis, de sa voix méridionale qui ne respecte pas le pluriel des mots, il a lâché :

— Personne ne les aime ici. Ils donnent de la nourriture aux charognards.

— Pensez-vous que le mur, si on le faisait encore plus haut, pourrait arrêter le bruit ? ai-je demandé.

Soto a froncé les sourcils.

— Je ne connais que les murs qui coupent le passage aux hommes. Pour arrêter le bruit, je bouche mes oreilles avec des boules de naphtaline enveloppées dans du plastique. Je vous les conseille : elles chassent aussi les mites.

Il n'avait pas tort, ces roulements de tambour ressemblaient, en effet, à des papillons funestes qui rongeaient le tissu de mes nuits auprès de Poma. Mais j'ai également cru comprendre quelque chose de beaucoup plus concret dans l'image de Soto : nos ennemis n'existent que dans la mesure où nous nous laissons occuper par eux.

Ce jour-là, les percussions qui voilaient le coucher du soleil sur la terrasse m'ont trouvé plus calme qu'à l'accoutumée. J'ai même demandé à Poma de ne pas fermer les fenêtres afin d'assister, depuis le fauteuil du salon, aux lents embrasements du soleil couchant tout en gardant bien serré dans mon palais le goût capiteux du maté préparé par ses mains.

Embrasée elle aussi comme un nuage, Poma, en minijupe de coton framboise et chemisier de lin noir, est venue apporter une deuxième bouilloire d'eau chaude au cas où je voudrais prolonger mon séjour dans le salon. Quand elle s'est penchée sur la table basse, l'échancrure de son corsage s'est substituée à celle des deux montagnes derrière lesquelles le soleil dardait ses derniers rayons. Vers midi, j'avais encore une fois observé Soto suspendre son ouvrage pour regarder la fille poser sur le bord de la piscine la carafe de limonade qui épanchait sa soif d'ouvrier zélé. Ce sont là des regards qui, loin de m'inquiéter, rendent précieuse la présence de cette fille à mes côtés. J'aime la regarder par les yeux de Soto, c'est comme si elle était plus vivante que jamais. Tant que le maçon aura ses mains occupées par la construction du mur, il me sera possible de laisser filer cette comédie où le regard de l'un nourrit le regard de l'autre. Il connaît les limites précises où s'arrête son désir et où commence le mien. Depuis la fenêtre de ma chambre, je vois tout comme le surveillant d'une prison, à une différence près : c'est moi qui suis enfermé dans la maison, tandis que Poma et le maçon jouissent de leur liberté d'action à l'extérieur.

C'est moi qui habille Poma comme une poupée faite sur mesure. Après le petit-déjeuner, elle vient à ma rencontre avec ses vêtements les plus intimes dans un sac en cuir noir acheté à Tafí del Valle. Une à une, elle étale ses culottes sur le lit, et je choisis celle qui me semble la plus appropriée pour l'équilibre du jour. Progressivement, au fur et à mesure que la chaleur s'installe, ses jupes ont tendance à rapetisser comme peau de chagrin. Ce dernier détail, soit dit en passant, maintient notre ouvrier dans un état de fébrilité qui me fait craindre quelquefois pour l'aplomb du mur. Il suffit de quelques centimètres de moins au-dessus des genoux de la fille pour que Soto, tel un saltimbanque, écarte les bras une brique à la main afin de suivre de plus près la démarche gracieuse de Poma parmi les plantes du jardin. Il se débrouille fort bien, grâce à une méthode sophistiquée, pour qu'elle reste le plus longtemps possible dans son champ de vision. Chaque brique, avant de trouver sa place dans la hiérarchie du mur, sèche au soleil. On dirait les pétales d'une marguerite dont la rougeur de la terre réclame le labyrinthe comme expression de sa tige. Cela explique la place considérable occupée par le périmètre de travail de l'ouvrier autour de la piscine. Poma doit alors jongler avec toutes sortes d'obstacles avant de déposer son plateau au pied du mur.

Le regard de Soto repose ainsi sur un échafaudage précaire et alambiqué à la fois.

Quand mes yeux, cramponnés aux hanches de la fille, rejoignent enfin le mur où s'échine le maçon, j'éprouve un peu le sentiment du forçat pour qui peine et passion vont la main dans la main.

La nuit où j'ai enfin parlé de papa, Poma était à mes côtés, nue et absente en même temps. Afin de la faire revenir sur terre, je me suis plu à évoquer la mémoire de l'homme qui, pour des raisons obscures, avait peut-être tramé notre rencontre ici. Tout d'abord, je lui ai brossé le portrait en noir et blanc de maman assaillie par les cris qu'elle proférait sous les arcades du patio à la tombée de la nuit. Je lui ai parlé de la peur que mes oreilles d'enfant découvraient à travers ces cris. Anna qui, en traînant son déracinement comme un boulet, tâchait en vain d'échapper à sa propre épouvante. Anna

Lambert, Québécoise échouée à Mar del Plata, au bord d'un océan qui noyait son village natal jusqu'à le réduire en poudre d'étoiles. Anna dont les tentatives d'évasion du réel se soldaient par des séjours de plus en plus prolongés en hôpital psychiatrique, jusqu'au jour où elle avait réussi à prendre le train qui, en fin d'après-midi, passait comme un fantôme derrière les murs en pisé encerclant la maison. Anna devait être pressée ce jour-là. C'était l'heure où je revenais de l'école. Quand j'ai ajouté qu'elle avait pris le train sans juger nécessaire de monter à son bord, Poma a dit qu'elle ne comprenait pas. Alors je lui ai expliqué que, moi non plus, je n'avais jamais rien compris au départ de maman cet après-midi où je l'attendais dans la cour de l'école.

Puis, peut-être parce que je regrettais d'en avoir trop dit, je me suis dépêché d'achever le portrait posthume d'Anna par une phrase qui n'a fait que brouiller davantage l'image de maman dans l'esprit de la fille :

— Maman, quand elle voyageait, restait sur place, immobile. Ses cris seuls prenaient le large.

Le visage de Poma s'est rembruni. Mon récit la mettait visiblement mal à l'aise. Alors j'ai donné ma langue au chat.

Au bout d'un long silence, elle a dit :

— Vous parlez de votre mère comme si elle était une étrangère.

— Elle était Québécoise, je te l'ai déjà dit.

— Je ne vous comprends pas.

— Excuse-moi, je crois que j'ai eu tort de parler de cette femme qui a plié bagage au moment où j'avais le plus besoin d'elle.

J'avais du mal à croire que papa était resté silencieux sur le suicide d'Anna Lambert, sa première femme, celle qu'il avait ramenée du Nord, *les plages*, disait maman, *il voulait me montrer les plages où il avait passé son enfance*. Que savait Poma au juste de papa ? de son passé d'homme inquiet, toujours entre deux pays, entre deux villes, entre deux femmes ? *Qui a deux maisons perd la raison, et qui a deux femmes perd son âme.* Voilà ce que j'avais entendu à une occasion dans sa bouche, à table, un soir d'été où Leda lui avait appris de but en blanc qu'un ami commun, las de partager son temps entre sa femme et sa maîtresse, les avait invitées dans un restaurant le jour de la Saint-Valentin pour leur annoncer que si elles n'acceptaient pas un ménage à trois, il les quitterait toutes les deux. Que pouvait savoir cette fille, enfermée entre quatre montagnes, du passé d'un homme dont le testament m'arrachait au Nord, provisoirement du moins, pour me ramener sur les routes sinueuses, imprévisibles et chauffées à blanc du Sud ?

— À ton tour, parle-moi de papa, ai-je suggéré.

Un long soupir, puis rien, le silence d'une poitrine qui me tenait lieu de foyer, belle et chaude comme ce four dont elle tirait le pain sans dire un mot, identifiée à l'ouvrage, concentrée tout entière dans le savoir-faire de ses mains habiles.

— Je ne peux pas, a-t-elle murmuré.

J'ai insisté, têtu, incapable de respecter son besoin de recul, ou son désir tout bonnement de porter son regard vers l'avant plutôt que de rester liée au souvenir de cet homme qui, lui aussi, devait cesser d'exister pour que nous puissions vivre.

— Parle-moi de lui si tu ne veux pas que je le fasse à ta place.

— Vous ne pouvez pas, il n'y a que moi qui sache qui il était quand il était ici, s'est-elle rebiffée tout à coup.

On était dans la pénombre de ma chambre, l'un à côté de l'autre, elle les yeux au plafond, moi à plat ventre, le sexe encore meurtri par une de ces rencontres où la rage et la tendresse se livraient bataille sur fond d'incompréhension mutuelle.

— Rafael Escalante, Rafo pour les intimes, aimait trop les femmes pour ne pas avoir fait de toi l'une de ses maîtresses, ai-je dit sans ménagement avec un ton de goujat.

Poma a alors quitté le lit d'un mouvement brusque.

En me redressant sur mon séant, je l'ai vue debout au pied de la fenêtre qui donnait sur la piscine. Bientôt, le mur de Soto l'empêcherait de voir les scintillements des miradors en haut de la colline.

— Excuse-moi si je t'ai blessée, ai-je dit d'une voix chagrine.

La fille a semblé chercher ses mots avant de reprendre la parole.

— Votre père n'a jamais couché avec moi comme vous le faites, a-t-elle dit.

Bien que grammaticalement correcte, la phrase n'en était pas moins ambiguë. Il était possible d'en déduire qu'il n'y avait pas eu de rapports intimes entre elle et papa, ou, tout à l'opposé, qu'ils avaient couché ensemble mais pas comme je le faisais. J'ignore pourquoi cette dernière interprétation m'a paru la plus plausible.

Alors, en un clin d'œil, j'ai rejoint Poma pour la ramener au lit, de gré ou de force, histoire de comprendre dans le fond de ses yeux le sens de sa remarque mais, soit parce que je ne contrôlais plus très bien mes bras, soit parce qu'elle préférait me tourner le dos afin de ne pas affronter mon regard furibond, je me suis appuyé sur ses hanches afin de ne pas trébucher contre moi-même. Puis, tout à coup crispé, j'ai abattu mes mains sur ce dos qui me narguait, des caresses à l'ancienne, âpres et rugueuses, afin qu'elle accepte enfin de me reconnaître, mais rien n'y faisait, et Dieu seul savait si ce cul-là se moquait de moi ou si, au contraire, je n'étais qu'un dépravé, un voyageur sorti de son itinéraire, déboussolé et au bout du rouleau. Si au moins elle avait eu une quelconque réaction pour me faire comprendre que ma soif comptait pour elle et qu'elle n'était pas sourde aux sanglots de mes mains nues. Bizarrement, c'était elle que mes mains pétrissaient, mais c'était moi qui en ressentais toute la douleur.

Assailli par un sentiment de culpabilité qui me coupait de mon élan, j'ai embrassé le cul de Poma avec ferveur, comme s'il était la seule île au monde capable d'accepter mon désir de bagnard, de fils ingrat et renégat.

Deux des réverbères qui éclairent le jardin ont été cassés à coups de pierre. Ce matin, en me levant, j'ai tout d'abord vu les éclats de verre jonchant le chemin qui mène à la piscine, puis les gros cailloux ayant probablement servi de projectiles à des frondes postées du côté des miradors.

J'ai appelé Poma pour lui montrer les dégâts. Elle n'a rien dit mais s'est contentée d'aller chercher ce qu'il fallait pour nettoyer le tout.

Je suis resté bouche cousue. À quoi bon revenir sur les soupçons que je nourrissais à l'égard de l'aîné des Urtubey ? La fille ne les connaissait que trop bien. Le ciel était bleu, et je ne voulais surtout pas le voiler en faisant la gueule. Mais tandis qu'elle s'échinait à ramasser jusqu'au plus petit morceau de verre qui aurait pu blesser mes pieds nus quand je me serais rendu à la piscine, j'ai songé à ma vengeance. Il me fallait agir le jour même, et ne pas attendre que la colère cède sa place à la résignation ; autant battre le fer pendant qu'il était chaud.

En début de matinée, j'ai fait part de mon plan à Soto. Tout en fronçant les sourcils, il m'a averti que la chose ne serait pas facile, car l'aîné des Urtubey était grand et musclé.

— Il grimpe en haut des arbres comme un singe, a-t-il ajouté en exagérant.

— L'effet de surprise vient à bout de n'importe quelle bête, ai-je répliqué, fâché par la résistance que révélaient les propos du maçon.

Soto croyait que l'aîné des Urtubey n'était pas le genre de type à se laisser surprendre sans opposer une lutte acharnée. Je lui ai dit qu'il serait payé s'il me prêtait main-forte. Il s'est gratté le crâne, puis, un peu à son corps défendant, il a fini par accepter. Je lui ai demandé de passer me chercher après la sieste.

C'était le moment de la journée que je préférais. Le soleil dardait à plomb des rayons qu'on aurait dit sortis du cratère d'un volcan. Personne ne traînait aux alentours. Même Soto oubliait son ouvrage pour accrocher un hamac entre deux arbres. Puis la sieste me permettait de me reposer d'une nuit souvent blanche. Mais la sieste pour moi, c'était surtout Poma à mes côtés, Poma dans un lit qui était aussi un radeau que la lumière aveuglait jusqu'à le faire sombrer.

En écoutant la sonnerie de la porte, je me suis rendu compte que les rideaux de la chambre étaient restés ouverts. C'était à coup sûr le maçon qui sonnait la fin de la récréation.

Il était impossible d'éviter la fenêtre de la chambre quand on venait de la piscine. Les yeux lubriques de Soto avaient dû être témoins de nos ébats.

J'ai enfilé en un clin d'œil la robe de chambre pour me précipiter vers l'entrée. Quand j'ai ouvert la porte, le regard éméché de l'ouvrier m'a accueilli comme s'il venait de se rincer l'œil dans une salle de cinéma porno. Ses yeux le disaient, il nous avait vus, Poma et moi entrelacés, moi surtout, à califourchon sur elle, impavide et résolu, sûr au moins de cet instant de vertige que rien ne pouvait abolir.

Je lui ai dit de m'attendre au pied de la citerne, là où les orangers, en file indienne, creusaient à flanc de colline l'escalier par lequel montait et descendait ce parfum pénétrant qu'aucun mur ne pourrait arrêter. Puis je suis retourné dans la chambre.

— Est-ce qu'il nous a vus ? a demandé la fille inquiète tandis qu'elle ajustait sa jupe à la hâte.

— Non, il venait de l'autre côté de la maison, ai-je menti pour la rassurer.

Tout en me rhabillant, je lui ai dit que j'allais chercher du bois avec Soto pour renforcer la structure du mur, mais elle n'en a rien cru.

— Pourquoi prenez-vous ce fouet avec vous ? s'est-elle informée, méfiante.

Il s'agissait d'un vieux fouet en cuir que j'avais trouvé parmi les objets laissés par mon père.

— On va s'engager dans le sous-bois. Je m'en servirai pour chasser les serpents, ai-je expliqué d'une voix qui sonnait faux même à mes oreilles.

Elle m'a regardé droit dans les yeux avec tristesse. Puis elle a dit :

— La violence engendre la violence.

— Depuis quand tu laisses les proverbes et les phrases toutes faites parler à ta place ?

Elle a baissé les yeux. Encadré par la fenêtre, son visage se découpait sur un ciel rougeâtre. Bientôt il ferait nuit et nous serions à la merci des roulements de tambour qui dresseraient une barrière entre la maison et les montagnes.

Soto m'attendait avec une bonne nouvelle : il connaissait un raccourci qui conduisait tout droit aux miradors. Protégés par l'épaisse végétation, nous passerions, selon lui, inaperçus. C'est justement ça dont il était question pour moi : m'emparer du tambour avant qu'il ne disparaisse entre les branches d'un arbre. Je rêvais de le prendre avec mes mains pour ensuite le crever à coups de pied. C'était là mon but, simple et brutal, un *adios, amigo* adressé en guise de punition, genre *bad boy*. Jamais dans le passé je n'avais éprouvé autant d'hostilité à l'égard d'un objet, excepté envers les trains, dont le vacarme de ferraille torturée me donne envie de vomir.

Des coups de branche en plein visage m'ont rappelé que je ne devais pas suivre Soto de trop près. Son raccourci était étroit comme merde de clou (au cas, bien entendu, où les clous chieraient). Le maçon, homme de la campagne chevronné en fin de compte, savait s'y prendre, alors que moi, encombré par le fouet qui, soit dit en passant, ne me servait strictement à rien, je fonçais tête baissée sur tout ce qu'il écartait d'une main leste. Et vlan ! prends ça dans la gueule ! Ça m'énervait passablement, je commençais à ne plus le porter dans mon cœur, celui-là. En profitant d'une clairière, j'ai exigé une halte. Il fallait se concerter.

— Mon visage n'est pas recouvert de briques, ai-je protesté en lui montrant les égratignures provoquées par les branches qu'il m'avait balancées en pleine figure.

— C'est ça, la brousse, mon ami. Si vous voulez vous attaquer aux matous du coin, faudra vous y faire.

Le ton de sa voix avait changé. J'ai réalisé que son masque de maçon était resté en bas, au pied du mur. Au milieu des ronces et des broussailles épineuses, Soto était dans son élément. Il était le digne descendant de ces conquistadores qui, sans un sou en poche, avaient apprivoisé les terres américaines pour en exploiter les richesses. C'était moi, l'étranger, avec ma peau délicate et pâle et mes chichis d'homme de la ville. J'ai pris note de l'imposture de ma démarche, même si ce n'était pas le moment de me laisser assaillir par les doutes, car la chasse au muet devait se poursuivre.

Nous avons repris notre ascension par le raccourci, raide et hérissé d'obstacles. J'ai regretté de ne pas avoir mieux préparé mon excursion punitive ; une bonne paire de gants et des bottes m'auraient mieux protégé. Bien que le fouet ne servît finalement pas à grand-chose, j'avais décidé de le garder. La mémoire de ce fouet ayant appartenu à papa devait être préservée, me suis-je dit en songeant aux corps qui avaient peut-être croisé son chemin. Dans le passé en apparence calme de papa, il y avait des absences que la présence du fouet dans cette maison à flanc de colline aurait sans doute aidé à mettre en perspective. Mais les fouets ne parlent que lorsqu'ils fustigent, et celui que j'avais dans la main, j'ignore pourquoi, me semblait faire partie d'un de ces rituels domestiques dont le défunt avait le secret. Mais c'était trop tard à présent. J'aurais dû venir avant interroger le silence de ces montagnes ayant connu le repos d'un homme à cheval entre deux mondes, d'un commerçant dont la passion pour les femmes l'avait mis à l'abri de l'appauvrissement intérieur qui guettait ses congénères.

Enfin, nous sommes arrivés au sommet de la colline. J'ai montré à Soto le *gomero* aux racines aussi grosses que des anacondas enroulés les uns autour des autres utilisé par l'aîné des Urtubey pour faire entendre ses percussions. J'ai évalué les caractéristiques du terrain afin de calculer le temps qu'il me faudrait pour lui arracher le tambour des mains.

— Grand comme vous êtes, dix enjambées suffiront pour lui tomber sur le dos ; il faut lui faire le coup du lapin, autrement il vous filera entre les mains. Au cas où les choses ne tourneraient pas rond, je me tiendrai prêt, a-t-il dit en serrant les mâchoires.

Je n'aimais pas que Soto me donne des instructions, mais ce n'était pas le moment de le lui faire remarquer. Pourtant, j'ai fait oui de la tête, même si l'idée du « coup du lapin » ne me semblait pas très claire. Pour que ça marche, il faudrait que le coup asséné sur la nuque du muet soit brutal et instantané au point de lui briser les vertèbres cervicales. Je n'étais ni un marine de l'Oncle Sam ni un lâche n'attaquant que par-derrière. L'envie ne me manquait pas de proposer à Soto d'y aller à ma place, c'était moi qui payais après tout, mais j'ai préféré me taire, car je craignais d'être pris pour un pleutre. Toutefois, ne me voyant pas en train de frapper le muet sur la tête, j'ai choisi comme objectif son tambour. Et si, au lieu de le surprendre, j'engageais un dialogue avec lui, histoire de lui rappeler qu'il y avait d'autres endroits plus discrets pour faire connaître ses talents de tambourineur? Mais le souvenir du gros caillou que j'avais reçu en pleine poitrine m'a vite rappelé le bien-fondé de mon plan initial.

J'ai froncé les sourcils en me souvenant tout à coup que je n'avais pas pissé avant de quitter la maison. Attaquer avec la vessie pleine pouvait s'avérer fatal. On sait que Napoléon cessait de boire trois heures avant la bataille. Mais il est vrai que son corps de nain rempli de liquide aurait pu le faire ressembler à une bouteille de cognac. Qui peut avoir peur d'une bouteille d'alcool, même avec l'étiquette Napoléon collée dessus? Pas un Anglais, en tout cas.

— Quelqu'un approche, m'a prévenu le maçon d'une voix à peine audible.

Nous nous étions embusqués derrière une haie touffue, à mi-chemin entre les miradors et la maison des Urtubey.

Le coucher de soleil était là, mais je n'avais pas le temps de regarder le ciel embrasé avant de me précipiter dans ce faux réveil qu'était la haine.

L'espace de quelques secondes, j'ai fermé les yeux pour le *voir* arriver avec mes deux oreilles saturées de tam-tam.

— C'est lui! s'est exclamé *sotto voce* le maçon.

Alors j'ai écouté les premiers roulements du tambour, légers, comme s'ils cherchaient le rythme qu'ils épouseraient contre vents et marées une fois à la cime du *gomero*.

En rouvrant les yeux, j'ai constaté que je n'avais pas peur. Puis, tout à coup, j'ai découvert les traits parfaits de son visage. Des boucles de cheveux blonds couvraient son front. Svelte et gracieuse, sa démarche avait la cadence féline de ceux qui savent marcher sur des œufs. Fragilité et force se déga- geaient de lui en même temps. Moi aussi peut-être, si j'avais laissé parler la femme qui sommeille en chacun de nous, je l'aurais aimé, celui-là. Du coup, j'ai compris pourquoi Poma le portait tatoué sur son front comme un de ces autoportraits de

Frida Kahlo dont les multiples souffrances ne faisaient que renforcer le visage de son amant, médaillon ardent, incrusté entre ses deux yeux pour l'éternité.

Le regard droit devant lui, il marchait en tambourinant à l'aide de deux baguettes qui voltigeaient en l'air. On aurait dit l'annonce d'une visite de cirque attendue par les enfants du village.

— Soyez prêt à faire le saut, il sera bientôt au pied de l'arbre !

La voix pressante de Soto ne sortait pas d'une gorge humaine. Comment expliquer la froideur, voire la cruauté qui imprégnaient ses propos ?

J'étais à cran, prêt à enfourcher ma colère. Une colère élémentaire, fauve, carnassière. Toutes mes frustrations s'y concentraient.

— Allez-y ! maintenant !

Je me suis senti comme lors des championnats d'athlétisme à l'école au moment de courir le cent mètres. Ma mémoire n'en conservait que le coup du départ et l'instant de la défaite.

Et voilà que, en un tournemain et sans savoir comment, je l'ai dépouillé de son tambour, celui-là, le laissant à poil en quelque sorte, privé de parole en tout cas. Il était aussi surpris que moi. Il n'avait même pas essayé d'engager la lutte afin de le récupérer. Je suis resté avec le butin entre les mains, haletant, sans savoir quoi faire de mon pitoyable trophée, tandis que le muet, plus rapide qu'un lièvre, disparaissait entre les branches. Sa fuite a réveillé ma mémoire d'homme blessé tout en revigorant mon élan. Alors j'ai lancé le tambour violemment contre le tronc de l'arbre puis j'y ai asséné des coups de pied. Curieusement, la peau a été la dernière à crever. Un cuir particulièrement résistant aux mélomanes de mon acabit paraissait y jouer son dernier concert de provocation. J'en ai éparpillé les morceaux pour qu'ils ne soient pas recollés tel un puzzle rapaillé qui viendrait hanter mes nuits avec Poma. Comment aurais-je pu affronter les roulements d'un tambour d'outre-tombe ?

Je commençais à peine à reprendre mon souffle quand, abasourdi, j'ai entendu l'irruption farouche, insoutenable, de plusieurs roulements de tambour qui, à l'unisson, descendaient des sommets du rideau d'arbres allant jusqu'aux miradors. Des vagues de percussions sans fin, les unes plus fortes que les autres, dans un *crescendo* unanime, impossible à éviter. En vain, je cherchai Soto du regard. Il avait pris ses jambes à son cou, le fourbe. Était-il de connivence avec ceux, aussi anonymes qu'innombrables, qui concertaient leurs énergies pour me faire savoir qu'ils étaient les plus forts ? Il ne me restait plus que les racines du *gomero* pour m'appuyer sur une passion qui n'était pas la mienne.

En levant la tête, j'ai vu les yeux d'Amancio qui brillaient au milieu des branches. Alors je me suis rendu compte que le désir pour Poma appartenait à tous et à personne à la fois. Afin de ne pas mourir noyé, je suis tombé à genoux au pied de l'arbre et, les lèvres tremblantes, j'ai embrassé son écorce, âpre et rugueuse.

Je ne demande plus à Poma où elle va les dimanches après-midi ; je préfère partir le premier afin de ne pas être témoin de ses efforts inutiles pour ne pas faire de bruit en quittant la maison. Il n'y a rien de plus triste que d'assister au départ d'une femme qui vous laisse seul l'après-midi pour goûter ailleurs ce qu'elle ne trouve plus chez elle. Voilà pourquoi j'avais toujours préféré vivre sans compagnie jusqu'à présent. Mais il est vrai que la fille revient, souriante et ressourcée. Elle reprend le joug là où elle l'avait laissé, et vaque aux soins du ménage comme si le monde se limitait à cet espace domestique au sein duquel un étranger, moi en l'occurrence, fait semblant d'être en harmonie avec une fille qu'il ne connaissait ni d'Ève ni d'Adam.

Je n'essaie pas non plus d'imaginer ses rencontres avec Amancio en haut de la colline, dans les plis creusés par les racines du *gomero*. Je craignais au début que tout ce que j'avais éveillé en elle soit récupéré par son jeune amant ; mais, à y réfléchir de plus près, ça non plus ne m'appartenait pas. J'ignorais si cette variante avait été anticipée par celui qui avait prémédité notre rencontre. Je sais, en revanche, que mon amour pour Poma, loin de diminuer, croît au fil des jours.

Mes yeux inquiets guettent sa présence à toute heure dans la maison. Je me débrouille pour la suivre dans toutes ses actions, y compris les plus intimes, celles que d'habitude la bienséance et la pudeur relèguent, dans un silence avare de détails, au *petit coin*. C'est pourtant là, dans cette sorte de dépotoir de l'intime, que je puise à présent l'énergie dont se nourrit mon désir. Je n'ai plus honte de me l'avouer à moi-même : j'aime cette fille à partir de ses restes, de ce que me laisse l'aîné des Urtubey dont les roulements de tambour ont au demeurant cessé pour le moment, et de ce que j'interprète sur les traits de son visage quand la douceur fait place à la tension d'une défécation que je suis le seul à observer, juché sur une échelle adossée au mur de la cour sur laquelle donne la fenêtre des toilettes. Réglée comme une horloge, Poma vide son ventre vers dix heures, au moment précis où je termine, lorsque je ne suis pas en ville, le premier maté de la journée. Au moment de pousser, à califourchon sur les W.-C., son beau visage demeure doux, à peine crispé par une dila-tation anale ne réclamant pas d'effort particulier comme si, entre l'excrément et elle, une complicité secrète venait gommer ce que le spectacle de l'expulsion des matières fécales a de proprement animal, voire d'obscène. Quoiqu'elle ait des magazines et de vieux numéros de *National Geographic* à portée de sa main, Poma garde le regard concentré sur un point qui n'est pas visible. Peut-être parce qu'Amancio n'aura jamais accès à ces images de Poma, je me dis que je la connais plus et mieux que lui. Et j'en conclus que ma passion pour elle va jusqu'à braver l'incompréhension, les préjugés et les résistances de ceux pour qui l'amour n'est pas tout. En refusant l'abject et l'excrémentiel, la passion timorée et pro-grammée de nos contemporains se prive d'une source d'intensités qui peuvent, à certains égards, compenser tous ces passages à vide par lesquels passe l'amant dans sa quête de savoir. Mais il se peut fort bien que je m'égare, et que toutes ces tentatives visant à pénétrer le secret de Poma ne soient que des stratégies morbides de pervers, de vils simulacres pour occulter mon échec, ma défaite, en somme, aux mains d'un muet bien plus éloquent dans son dénuement que moi avec toute mon expérience de voyageur venu du Nord.

La fille dit qu'elle m'*aime bien*, mais mon corps sait que ce n'est pas vrai. Elle est docile le jour, et la nuit aussi, bien que, dans le noir, n'ayant pas de plat à faire cuire au four, ses mains se fassent prier pour encourager mon élan parfois brisé par sa tristesse. Elle la traîne la nuit, cette tristesse, comme un boulet, et alors je me demande si je ne devrais pas tout simplement l'épouser en bonne et due forme pour qu'elle me croie quand je lui dis que jamais au grand jamais je n'ai autant aimé de ma chienne de vie.

— Pourquoi ne m'aimes-tu pas, Poma ? ai-je demandé un soir tout en me précipitant dans sa lenteur de corps de fille étalé à plat ventre, histoire de me faire sentir, si besoin était, oh combien la nuit serait longue.

Elle ne dit rien, mais pourquoi en aurait-il été autrement ?

Il n'y avait pas de réponse pour une question aussi naïve. Pourtant, cette question complètement galvaudée à force d'être employée à tort et à travers ne m'accordait plus de répit.

Alors je me suis remis debout pour regarder par la fenêtre qui donnait du côté du jardin. Sous la lumière intense et intime d'une lune de montagne, le mur de Soto se hissait comme un témoin silencieux de notre impossible dialogue.

Il est *possible* que Poma m'aime un jour, mais que cela arrive me paraît fort peu probable. Et voilà que le caractère *possible* de notre relation aiguise mes sens. Tout se passe comme si cette fille — je sais, je me répète — était l'hologramme d'un projecteur que l'ancien propriétaire de la maison aurait oublié d'éteindre en partant. À force de la voir jouer son rôle avec autant d'assiduité, j'en arrive à me demander si elle existe réellement. Même ses sorties du dimanche qui m'ont tant fait rager dans le passé suivent un *pattern* identique : elle s'absente sans faire de bruit, puis elle rentre sur la pointe des pieds. Voilà tout. Et la comédie reprend sous un soleil toujours au rendez-vous.

J'envoie Poma moins souvent au pied du mur afin de l'exposer au regard lascif de Soto qui peine sous une chaleur implacable. C'était pourtant ce regard-là qui, jusqu'ici, venait me tirer du songe dans lequel je végète. Or, depuis notre excursion aux miradors, je ne parle presque plus au maçon. Dès que le mur sera achevé, il recevra le montant fixé, et je ne veux plus entendre parler de lui à l'avenir. Outre l'argent, il s'en ira avec un album de photos de Poma en fleur qu'il me sera impossible d'extirper de sa tête à moins d'une trépanation dans les règles de l'art. Je me suis résigné à ce qu'il parte avec. Comment l'en empêcher ? Je me console en me persuadant que sa mémoire ne conservera que des images virtuelles comme celles des sites porno à un clic de souris. Poma n'aura jamais de saveur pour lui. N'y ayant pas goûté, Soto, c'est ma petite vengeance, restera sur sa soif. Comme pour Tantale, la branche chargée de fruits à portée de sa main s'écartera toujours dès qu'il s'efforcera de l'attraper.

La multiplication des miroirs autour de la fille repose sur un équilibre délicat. Peu à peu, elle a fini par comprendre le rôle joué par les yeux du maçon pendant la construction du mur. Ce qui par le passé était docilité passive est devenu aujourd'hui complicité active. Sans ce côté espiègle qu'elle met à interpréter mes indications scéniques depuis la fenêtre de ma chambre, Soto aurait pu prendre le dessus, d'autant plus que le mur touche à sa fin et que la maçon jouit à présent d'une vue plongeante sur le jardin et la maison.

Voilà donc Poma, comédienne et appât à la fois, dont la jupe — rien ne résiste à la chaleur des briques baignées de soleil — ne cesse de rapetisser comme une peau de chagrin.

Samedi, j'ai invité Poma à faire un tour en ville. L'un à côté de l'autre, la capote de la jeep Wyllis abaissée, avec le soleil couchant en face, nous avons quitté les montagnes pour rejoindre les rues dont l'animation après la sieste rappelait celle, bon enfant, des kermesses d'école. Le pas des gens, remis d'aplomb après la sieste, se fait moins saccadé et plus en accord avec le calme exigé par le vent pour sentir le parfum de la fleur d'oranger.

Habillée de noir, Poma regardait la ville derrière des lunettes de soleil Hugo Boss achetées par mes soins dans une boutique de luxe à Yerba Buena, le quartier chic au pied de la montagne. La jupe qu'elle portait venait aussi de moi. Elle était montée en jean délavé à bord du tout-terrain, et la voilà en lin de la tête aux pieds, le temps d'un arrêt, poupée qui dit oui, poupée qui donne sa langue au chat, déjà en veuve bien avant ma mort, prête en tout cas à recevoir les hommages de ceux pour qui mort et chair fraîche font bon ménage.

Depuis que je lui ai fait cadeau des dimanches après-midi, je vis deux fois le samedi avec elle. Je ne saurais trop faire l'éloge de cette sieste grâce à laquelle le temps, loin de raccourcir, se scinde en deux journées. Le samedi, oui, je couche deux fois avec elle, et c'est l'heure de la sieste (je me répète encore, je sais) que je préfère.

Je m'étais mis en tête de la voir marcher sur les trottoirs étroits de la vieille ville. La cadence de ses hanches, ondoyantes comme les collines qu'elle ne quittait jamais, faisait tourner la tête des hommes sur son passage. C'est comme ça qu'on fait ici pour signaler qu'on est sensible à la grâce d'une fille. Loin donc d'être mal perçu, ce signe d'admiration est fort prisé par les beautés locales. Ma Poma à moi méritait bien ça, tout un bouquet de regards venant de ces chômeurs que le centre-ville crache aux coins des rues, et qui s'animent tout à coup comme s'ils n'avaient attendu que ce moment-là pour se mettre à exister. Occupés à ne rien faire, délaissés souvent par un marché qui ne reconnaît en eux aucune valeur productive, les hommes du samedi après-midi sont des poteaux désaffectés qu'un dernier relent de désir allume fugitivement avant qu'ils sombrent dans la nuit. Moi aussi, un jour, je pourrais devenir un poteau inutile, à peine un juchoir pour des colombes égarées, déconnecté en somme d'un réseau sans lequel un homme n'est qu'un pur zéro à la gauche de Dieu le père.

— Poma?

— Oui?

— Tu vois tous ces hommes qui font la file devant l'arrêt d'autobus?

— Oui.

— Savais-tu que la moitié parmi eux n'ont pas l'argent pour payer le billet?

— Ils attendent un autobus qui n'arrive jamais. Ils font semblant d'aller au travail, dit-elle.

Voilà Poma. Rien ne l'altère, rien ne l'étouffe non plus. Si la rotation de la Terre s'interrompait tout à coup comme une toupie sous la patte d'un chat, elle trouverait une explication logique au problème.

J'avais garé la jeep dans un parc de stationnement à deux pas de la place Independencia. La Leñita, le restaurant à la mode où j'avais réservé pour deux personnes, n'était pas loin, mais nous ferions une longue promenade avant de nous y rendre. Ce serait la première fois que nous prendrions notre repas dans un lieu public, en tête à tête, séparés à peine par une verrière de tous ces jeunes mâles qui, à l'extérieur, la dévoreraient des yeux.

Dans Muñecas, coquette rue piétonnière, j'ai admiré du coin de l'œil son profil de médaille à l'abri des éraflures du temps et de ses labyrinthes. Puis, lorsque le face à face au restaurant viendrait, ses traits, un à un, donneraient un sens à mon appétit. Noble et poupin à la fois, le visage de Poma avait la beauté prête à croquer des filles qui s'ignorent, comme un fruit offert à tous venants.

VI

L e jour où ils s'acharnèrent sur la sonnette de la porte, Paul était encore sous la douche. C'est vrai que ce matin-là il traînait partout dans la maison comme une âme en peine. La tête sous le jet d'eau chaude, il songea que c'était le seul endroit où le ressac faisait le moins mal. Il avait passé une nuit blanche en attendant le retour de Poma qui, contrairement à son habitude, était rentrée à l'aube. Sans pour autant remettre en question la fidélité de la fille au chemin qui la ramenait à flanc de colline, il devait se faire de plus en plus violence pour accepter ce qu'il éprouvait comme un empiètement manifeste d'Amancio sur le temps que Poma consacrait à la maison. Ce conflit le réveillait au milieu de la nuit, même s'il se disait que cette situation n'avait pas de solution et que, comme tant d'autres, le temps seul, avec sa patience infinie, finirait un jour par la réduire à néant. *El deseo muerde cuando verde y adormece cuando perece*[1], affirmait un vieux proverbe qu'il avait entendu une fois dans la bouche de son père.

— C'est la police, l'informa Poma à travers la porte de la salle de bain.

Fatigué avant de commencer la journée, les oreilles pleines de savon, il crut entendre « c'est la pluie ». À cran, mais sans se départir d'un certain sens de l'humour, il répliqua :

— Dis-lui de repasser plus tard.

---

1. *Le désir mord quand il est vert et il endort lorsqu'il dépérit* (traduction de l'auteur).

Elle franchit le seuil de la salle de bain tout en haussant la voix pour se faire entendre malgré les puissants jets d'eau exigés par les réveils de plus en plus difficiles de Paul :

— La police frappe à la porte.

En un clin d'œil, il s'extirpa de la douche. Une serviette enroulée autour des reins, il fila à toute allure vers la porte principale. La réverbération du soleil sur les céramiques de la terrasse l'éblouit. Instinctivement, il improvisa une visière avec sa main droite. Alors il les vit, l'un à côté de l'autre, deux visages cuivrés, le premier piqué de petite vérole et le second avec des moustaches de führer de bande dessinée. Collés presque comme cul et chemise, ensemble pour le meilleur et pour le pire, de toute évidence ces deux-là n'en étaient pas à leur premier coup.

— Rafael Escalante ?

— Non, Paul.

— Paul quoi ?

— Escalante.

Ils se consultèrent du coin de l'œil :

— C'est du pareil au même, tranchèrent-ils à l'unisson.

Il ne parvint pas à voir de quelle bouche sortait cette voix froide et anonyme. On aurait dit un enregistrement déclenché à distance et caché dans la poche de l'un des deux comparses. Ou bien, puisque leurs bouches ne remuaient point, peut-être s'agissait-il d'un numéro de ventriloque destiné à berner les imprudents qui ouvraient leur porte aux inconnus ?

— Qui êtes-vous, messieurs ? demanda-t-il avec méfiance.

— Nous sommes porteurs d'une sommation d'expulsion. Nous faisons partie du septième corps de police qui relève du premier district. Vous avez cinq minutes pour quitter les lieux.

Paul faillit demander à la fille de pincer son bras pour qu'il sache s'il ne rêvait pas, mais il se ravisa aussitôt en se disant que ces quelques secondes d'hésitation risquaient d'être interprétées par les deux flics comme des symptômes de peur. Nu sous sa robe de chambre, isolé au milieu de quatre montagnes qui n'avaient pas l'habitude de prêter main-forte en cas de danger, et préoccupé surtout de ne pas laisser Poma sans protection, il comprit que, comme au poker, s'il voulait sauver sa peau, il lui faudrait bluffer :

— Sachez, messieurs, que je ne paye pas le commissaire Gucema pour être chassé de chez moi un lundi matin à jeun. Les dollars que je lui dois, en fonction de notre dernier accord, je peux vous les remettre tout de suite en attendant que mon avocat, maître Jodosa, éclaircisse le malentendu qui vous amène ici.

— Nos instructions précisent que c'est de gré ou de force qu'il vous faudra obtempérer, hurla soudainement celui qui avait le visage grêlé.

— Combien devez-vous au commissaire ? s'enquit l'autre sans élever la voix et en gardant tout son calme.

Des deux compères, c'était probablement lui qui commandait.

— Il me faudrait une calculatrice. En attendant, on vous servira du café, fit-il tout en pointant de l'index la table sur la terrasse, désireux de les éloigner autant que possible de l'entrée de la maison.

Puis, caché derrière les rideaux de sa chambre, il les observa chuchoter, une tasse de café à la main. Il vit aussi, en bas sur le chemin, un vieux Ford des années soixante dont les clignotants étaient allumés.

— Il y a un autre type qui attend en bas, confirma Poma.

Le timbre de sa voix n'avait pas changé, sauf qu'elle parlait plus vite. La fille avait encore le plateau ayant servi à transporter le café sur la terrasse.

Il se retourna pour la regarder tout en enfilant son pantalon d'un geste énergique et pressé.

Poma, à son tour, le regarda avec des yeux dénués de crainte mais aux aguets, comme si tous les signes susceptibles d'aider à dénouer la situation devaient être rapportés au plus vite. Son courage revigoré par la confiance qu'il lisait dans les yeux de la fille, Paul finit de s'habiller de la tête aux pieds comme s'il devait aller cueillir les fruits noirs de la ronce. À contre-jour, son corps grand et musclé effaçait la présence des deux intrus assis à la table dehors.

— C'est déjà arrivé une fois quand votre père était ici, dit-elle.

— Comment avait-il réagi ?

— Il était sorti avec un fouet à la main. Votre père n'avait pas froid aux yeux, vous savez, répondit-elle avec calme.

En mettant les pieds sur la terrasse, Paul sentit la chaleur du soleil matinal sur sa peau encore humide. Comme il n'avait pas pris le temps de se raser, le côté *bad boy* de son visage était renforcé par le port de verres fumés Calvin Klein achetés chez un opticien de la rue Saint-Denis du Plateau-Mont-Royal. Chaussé des bottes pointues en cuir de Córdoba que son père utilisait lorsqu'il faisait du cheval, il avait l'air d'un de ces hommes à qui rien ne résiste. D'un pas régulier et sonore, comme le pendule d'une horloge étrangère à tout ce qui ne relève pas de son propre mécanisme, il parcourut la distance qui le séparait de la table où étaient assis les deux flics. Il avait rarement éprouvé autant d'assurance dans ses mouvements.

Il s'arrêta net devant eux, puis il les regarda du haut de ses six pieds et des poussières, et ils comprirent que ces yeux embusqués derrière des verres fumés étaient en train de les transformer en choses. Ils savaient par expérience que c'était le moment précis où un homme pouvait tuer. Le passé sanglant du pays était là pour rafraîchir leur mémoire. On ne tire jamais contre des corps s'ils ne sont pas transformés préalablement en objets. Toute la science de la destruction d'êtres humains résidait dans cette métamorphose. Voilà pourquoi assassins et bourreaux de tout acabit pouvaient continuer à vivre en Argentine sans que leur conscience les étouffe. Tout ça, ils le savaient.

Tout à coup, il étendit ses bras comme deux barres parallèles qui pointaient vers l'espace entre leurs sourcils. Un poncho de gaucho en poil de vigogne couvrait ses poings crispés. Le vieux revolver Tartagal ayant été oublié dans la boîte à gants de sa jeep Wyllis, Paul s'était résigné à le simuler.

— S'il vous arrive d'avoir la mauvaise idée de revenir, sonnez en bas et ne montez surtout pas. Allez, debout, fichez-moi l'camp, tas d'voleurs !

Paul entendit l'écho de sa voix courroucée résonner dans la colline.

Étonnés et sur leurs gardes, les flics se remirent lentement debout en cherchant le maillon faible, le point où la colère découvrait souvent la peur comme premier moteur de sa mise en scène.

Paul fit encore un pas dans leur direction tout en calculant la distance exacte qu'il faudrait à la pointe de ses bottes pour atteindre les couilles de celui qui semblait le moins intimidé. Ils étaient courtauds et râblés. Un sentiment de mépris à leur égard l'envahit brusquement.

— Depuis quand les rats ordonnent-ils aux gens de quitter leur maison ? les questionna-t-il.

Il comprit que cette dernière insulte était de trop. Il observa leurs visages de métis se raidir comme des pieux. Il pressentit que l'un d'eux, ou probablement les deux en même temps, essaierait de lui arracher ce qu'ils pensaient être un revolver caché sous le poncho. Voyant qu'ils ne bougeaient pas, il était prêt à lâcher un coup de botte en bonne et due forme, mais l'idée que Poma pût être d'une manière ou d'une autre affectée par la bagarre qui allait s'ensuivre l'immobilisa sur place. À ce moment-là, celui qui avait l'air d'être le chef reprit la parole :

— Faites gaffe, Escalante, l'obstruction à la justice peut vous coûter cher...

C'était clair qu'il cherchait à gagner du temps pour permettre sans doute à celui qui attendait en bas d'intervenir. Maintenant ou jamais, il fallait que Paul passe à l'action s'il ne voulait pas voir la situation se renverser en faveur des intrus.

Le claquement d'une fronde embusquée derrière le rideau d'arbres entourant la piscine retentit, sec, brutal, et Paul vit le type qui tenait le crachoir porter ses deux mains à son visage tandis que le sang ruisselait sur sa joue. Le complice, qui avait encore des yeux pour plier bagage, scruta l'horizon avec inquiétude en se demandant probablement d'où viendrait le prochain coup. Alors il prit à bras-le-corps le blessé, qui lui servit ainsi de bouclier improvisé, et amorça une retraite aussi brusque que rapide.

Seul sur la terrasse, Paul garda les poings fermés en écoutant le bruit d'un moteur qui repartait en trombe sur le chemin.

La persistance du vert renouvelait l'étonnement de Paul lors de son réveil. Habitué à des climats où la neige gommait le paysage, il s'extasiait chaque matin devant l'exubérance de la végétation, la variété des fruits et la palette d'intensités d'une lumière transparente qui prêtait aux crêtes des montagnes une proximité vertigineuse. Il avait tout le mal du monde à comprendre qu'une terre aussi généreuse accueillît en même temps ces troupeaux de gueux qui traînaient un peu partout dans la province. Cette lumière, songea-t-il, expliquait peut-être l'aplomb avec lequel il avait résisté à la tentative d'expulsion. Pourtant, ce matin, en quittant la maison, il observa attentivement les environs. La fronde qui avait crevé l'œil du soi-disant flic pouvait tout aussi bien se retourner contre lui. D'ailleurs, qui l'assurait qu'il n'avait pas été la cible véritable de la pierre? Il prit conscience qu'en quelques secondes un objet aussi primitif et élémentaire qu'une fronde pouvait le faire basculer dans un roman policier aux conséquences imprévisibles. Qui transforma en aveugle Paul Escalante? Sa gouvernante et maîtresse excédée par ses exigences? L'ami de cœur de cette dernière, muet au demeurant, qui, dans un accès de jalousie particulièrement violent, décida de châtrer — symboliquement du moins — l'étranger? Les collègues ou amis du prétendu flic condamné à changer son noble visage de gardien de l'ordre en celui de simple pirate de quartier?
Une fois à bord de la jeep, toutes les vitres levées, Paul respira enfin. Il aimait conduire ce véhicule fait pour grimper des pentes et se perdre dans la poussière des routes non asphaltées. Sur la route, *on the road*, voilà sans doute la situation qui lui convenait le plus dans la mesure où elle gelait le besoin quotidien de faire des choix, de devoir trancher, bref, de se tromper à coup sûr. *On the road*, et tout demeurait en suspens, sauf ce ruban souvent cahoteux et en zigzag qui, lui, se déroulait toujours, infini, accueillant en

dépit d'une topographie hostile à une conduite pépère, pantouflarde. C'était la route du nomade qui s'imposait ici, celui qui, ayant rompu avec le projet d'Ulysse, n'avait plus de femme l'attendant au foyer. Mais Paul se rendit compte qu'il n'en était pas encore là. Pour gagner l'arrière-pays, au delà de la vallée dans laquelle s'encaissait le hameau où il nichait, il lui faudrait larguer les amarres pour de bon, ne plus se mettre à rêver d'un lieu stable où l'arôme du café à la cannelle l'attendait après chaque voyage. Tout comme Pénélope, à son insu peut-être, Poma tissait de ses mains cet accueil doux et chaleureux, sensuel aussi, sans lequel le voyageur ne songerait qu'à reprendre la route. *On the road, to be on the road*, et Pénélope alors ?

Il gara la jeep devant un édifice gris dont la façade arborait des colonnes doriques qu'on aurait dites en trompe-l'œil tellement elles étaient collées au mur. C'était comme si l'architecte n'avait pas eu l'espace nécessaire pour les mettre en perspective. Cette exiguïté se reflétait également dans l'étroitesse des fenêtres plus proches de celles d'une prison que de celles d'un palais de justice. À l'entrée, une pancarte en noir et blanc prévenait le passant : *Tribunales*, palais de justice, rien qu'un mot en espagnol pour désigner une flopée de couloirs mal éclairés dans lesquels se perdait la justice dans une province où la corruption des juges était légendaire. Paul regarda la bâtisse avec dégoût, puis traversa la rue pour entrer dans l'immeuble où se trouvait le bureau de Jodosa.

On le fit passer tout de suite devant l'avocat qui, comme d'habitude, avait le nez plongé dans une pile de dossiers.

— Avis d'expulsion ? se récria Jodosa en fronçant les sourcils.

— Ils étaient trois en tout, l'informa Paul en observant la réaction de l'avocat.

— Il n'y a aucun ordre d'expulsion concernant cette propriété, dit l'autre.

— Des policiers. C'est ce qu'ils prétendaient en tout cas.

— Ici, les gens se déguisent même en évêques pour rouler leurs semblables.

La voix de l'avocat était redevenue sardonique, moqueuse même. Paul eut l'impression que son récit le gênait plutôt qu'autre chose.

— Écoutez, Jodosa, arrêtez de tourner autour du pot, je suis venu ici pour savoir ce qui se passe avec cette maison. Je veux savoir aussi pourquoi vous n'avez toujours pas déposé d'argent sur mon compte à la banque, demanda-t-il, exaspéré.

Visiblement mal à l'aise, l'avocat désigna un fauteuil à son visiteur.

— Asseyez-vous, on réfléchit mieux quand on est bien sur ses deux fesses, suggéra-t-il.

Obstinément debout, et décidé à prendre le taureau par les cornes, Paul fixa Jodosa d'un œil furibond.

— À qui appartient la maison? s'enquit-il d'une voix qui ne cherchait pas à maquiller sa suspicion à l'égard de l'avocat.

— Elle appartient à Francisco Parra Vallejo, un prêteur, les mauvaises langues disent «usurier».

— Combien coûte le loyer? demanda Paul, en proie à une vive inquiétude.

Jodosa sembla hésiter avant de répondre.

— La maison a été donnée en gage, dit-il.

— À qui?

— Je vous répète qu'elle appartient à Parra Vallejo, le prêteur chez qui est déposé l'argent de votre défunt père, répondit l'interpellé.

Paul, pris de court, se laissa tomber dans un fauteuil dont le cuir usé témoignait sans doute du peu d'euphorie que provoquaient les propos de Jodosa chez ses clients.

— Je ne peux pas croire que mon père ait placé son argent chez un usurier. Il n'avait aucun besoin de faire une chose pareille, s'exclama-t-il, incapable de dissimuler l'accablement subit dont il était l'objet.

— Difficile de connaître la motivation des hommes, vous savez. Souvent, eux-mêmes l'ignorent, fit l'avocat, visiblement satisfait d'avoir réussi à rabattre le caquet de son interlocuteur.

Il parlait lentement, avec le ton sentencieux de ceux qui sont habitués à garder le silence sur la conduite erratique de certains de leurs clients.

— Ce Parra Vallejo, que vous me sortez maintenant du chapeau comme un lapin, pourquoi aurait-il réussi à piéger mon père, un commerçant averti, tout sauf un imbécile ? demanda-t-il en se ressaisissant.

— Je suis avocat, pas psychiatre. Je ne me mêle pas de la vie de mes clients.

— Je veux le rencontrer. À force de ne voir que des intermédiaires, je ne sais plus où j'en suis, s'emporta-t-il.

— Parra Vallejo n'est pas un type recommandable. Ne cherchez pas à mettre le nez dans ses affaires. C'est le genre d'individu qui, d'une manière ou d'une autre, finit par vous arnaquer, l'avertit l'avocat sur le ton de quelqu'un qui s'acquitte d'une formalité que personne ne suit.

— Vous m'avez l'air de le connaître fort bien. Parra Vallejo serait-il un de vos clients ?

Il y eut un moment de silence. L'avocat remit en place le nœud de sa cravate d'un geste nonchalant.

— Disons que je le représente quand il a des problèmes.

— Et je suis l'un de ses problèmes, n'est-ce pas ?

— Ce n'est pas à moi de savoir de qui vous êtes un problème. Vous êtes suffisamment intelligent pour le trouver tout seul, dit l'autre sur un ton ouvertement moqueur.

Piqué au vif, Paul se redressa d'un bond.

— Comment pouvez-vous nous représenter tous les deux ? protesta-t-il avec une colère à peine contenue.

Un sourire ambigu se dessina sur les lèvres de Jodosa.

— Vous avez tous les deux des intérêts communs, dit-il.

Les paroles sibyllines de l'avocat furent suivies d'un nouveau silence pendant lequel Paul sombra encore une fois dans un moment d'abattement. Entre la rage, voire l'envie de cogner, et le découragement, il avait du mal à dissiper le brouillard qui voilait son regard.

— Je quitterai la maison dès que vous me remettrez l'argent de mon père, le prévint-il.

— Quitterez-vous aussi Poma ?

Au nom de la jeune fille, Paul, soupe au lait en fin de compte, se dressa sur ses ergots, prêt une nouvelle fois à se battre.

— Qu'est-ce qu'elle vient faire là-dedans ? Elle n'a rien à voir avec cette histoire sordide de prêt et d'usure.

— Beaucoup plus que vous ne le pensez, dit Jodosa en plongeant son nez dans un dossier qu'il venait de retirer du haut de la pile qui encombrait son bureau.

Sous la lumière cendrée et terne du plafonnier, les joues de l'avocat rappelaient celles d'Alfred Hitchcock au moment où il se penchait sur ses personnages avec une curiosité perverse.

Paul sentit que si Jodosa faisait durer davantage le suspense, il serait parfaitement incapable de résister à la tentation de lui donner un coup de poing en pleine gueule afin de lui apprendre qu'il n'aimait pas les films policiers qu'il ne choisissait pas lui-même.

Ayant refermé le dossier avec une expression de fermeté sur le visage, l'avocat planta un œil matois dans le regard de son visiteur. Jamais il ne l'avait fait avec autant de concentration. C'était à se demander s'il n'avait pas lu dans ses pensées. Oui, on aurait dit qu'il avait compris pourquoi le visiteur bouillant d'impatience crispait ses deux mains. Au plus profond de lui-même, Paul priait pour que l'autre dise quelque chose susceptible de l'apaiser. Où le mènerait cette violence qui jaillissait sans crier gare entre deux moments de prostration ?

— Il faudrait peut-être que vous sachiez que Parra Vallejo, l'usurier chez qui votre père a investi de l'argent, est le père de Poma, dit-il.

Le chemin du retour ne serait plus jamais le même pour lui. Les images de Poma en minijupe qu'il dégustait habituellement à l'avance ne viendraient pas cette fois-ci, aussitôt la crête des montagnes à l'horizon. La couleur des arbres et des plantes se confondrait plutôt dorénavant avec celle des murs du couloir menant au bureau de Jodosa.

Il avait pourtant combattu le sentiment d'incrédulité et d'incompréhension qui s'était emparé de lui pendant qu'il écoutait les révélations de l'avocat. Poma, fille d'un de ces usuriers qui saignaient sans vergogne tous ceux à qui les banques n'accordaient pas de crédit ? Poma, aliénée elle aussi, tout comme la maison, en échange d'une dette que le prêteur n'était plus en mesure de rembourser ? Car ces vautours empruntaient l'argent auprès d'investisseurs sans scrupules attirés par un rendement aussi exorbitant que risqué. Mais comment son père avait-il pu entrer dans un univers si peu conforme à ce que Paul connaissait de lui ? Il y avait trop d'opacité pour qu'il parvienne à saisir la conduite de tous ces gens, y compris celle de Poma.

Au coucher du soleil, après avoir traîné ici et là sans but précis, il rentrerait donc pour retrouver cette fille qui n'était pas celle qu'il croyait mais Dieu sait qui. Il avait flâné dans des rues étroites, sales et bruyantes, remplies de passants aux yeux de chien battu. Il avait remarqué beaucoup d'incertitude de la part des piétons ne sachant pas par où passer d'un trottoir à l'autre sans y laisser leur peau. Il avait vu une fillette de sept ou huit ans prenant par la main un aveugle qui, d'un pas chancelant, n'arrivait pas à la suivre. En l'observant de plus près, Paul avait observé qu'elle était également aveugle. Puis il avait repéré une vieille femme habillée en noir qui faisait semblant de se jeter la tête la première contre des autobus en marche comme si elle cherchait la mort. Les chauffeurs, afin de l'éviter, freinaient brusquement, et tous les passagers s'écrasaient les uns contre les autres, ce qui faisait rigoler la vieille, puis, tout en prenant ses jambes à son cou, elle allait se poster à un autre coin de rue pour répéter son manège.

Plus tard, juste avant de reprendre le volant de la jeep, Paul avait traversé une place peuplée d'oliviers avec de vieux bancs en bois le long de l'allée centrale. Une enfant y dessinait des cœurs trois fois fléchés par terre. Accroupie, une craie rouge à la main, son pouls vigilant et méticuleux imposait une géographie cordiale aux aspérités de l'asphalte sur lequel des retraités crachaient à longueur de journée. En découvrant ses cheveux châtains, il n'avait pas eu besoin de regarder son visage pour savoir que c'était Poma égarée dans les labyrinthes de son enfance. Cette Poma-là, qu'il ne connaîtrait probablement jamais, au moins avait-elle la gentillesse de flécher les cœurs avant de les abandonner par terre.

En entrant dans la maison alors qu'il faisait déjà nuit noire, il huma l'odeur imprégnée d'épices de la cuisine de Poma. Elle vint l'accueillir avec un sourire franc, sans malice. La jupe, courte et légère comme il convenait par une soirée où la température avait encore grimpé d'un cran, découvrait des cuisses tout en rondeurs.

Alors, écartelé entre le besoin d'interroger la fille et l'urgence de l'embrasser, il demeura muet et immobile, incapable de trancher.

Les olives vertes brillaient sous la lampe du salon, à côté du fromage de Tafí del Valle découpé en petits carrés entourés de raisins secs et des pignons cueillis par Poma là où les pins étaient les plus savoureux. Le whisky viendrait après, quand il occuperait le fauteuil face à la fenêtre. Du coup, en s'y imaginant confortablement installé, les pieds nus sur la table basse, il aurait voulu parler avec cet homme, lui-même, enfermé dans une bulle de désir, pour lui expliquer que cet apéritif préparé par des mains dociles était bien plus important que l'appât du gain qui prospérait en ville. Beaucoup plus important aussi, cet apéro, que toutes les insinuations proférées par un avocat félon qui ne cherchait visiblement qu'à l'inquiéter. Mais il en fut incapable parce que, pour parler avec l'étranger qu'il portait en lui, il aurait fallu la connaissance de langues que l'on n'apprend pas à l'école. Obscurément, il savait que, entre lui et cet autre qui lui réchauffait la place, le malentendu seul était possible. Un malentendu qui avait son âge. Pourtant, fidèle à des rituels qu'il avait tacitement puisés dans la mémoire du père, et dans l'impossibilité de surmonter sa propre épouvante, il se rendit dans sa chambre pour se changer. Un pantalon en cuir noir, un débardeur lui aussi en cuir sombre et luisant, un foulard en soie rouge autour du cou, et les bottes ayant servi à chasser les mauvais esprits de la terrasse.

Lorsqu'il refit surface dans le salon, Paul avait le regard lubrique de ceux ayant enfin compris que le désir le plus intense serait toujours du côté des femmes. Et pour que sa défaite auprès de la fille fût encore plus retentissante, le fouet que l'aîné des Urtubey avait tourné en dérision faisait aussi partie de son accoutrement de gravure de mode sadomaso. Plutôt que de la punir elle, c'est son dos à lui qu'il offrirait, pour que la douleur gomme, ne serait-ce que l'espace de quelques minutes, cette impression d'abandon et de laissé-pour-compte qui le torturait.

Le projet, mal conçu comme tout ce qui prend sa source dans l'opacité et le malentendu, obnubila Paul ce matin-là au point de l'empêcher de découvrir la pergola récemment terminée grâce au travail acharné de Soto. La vigne, déjà plantée, avait à présent des tuteurs sur lesquels s'agripper afin d'ajouter ses grappes gorgées de soleil au concert de verdure qui entourait les eaux azurées de la piscine. La fertilité d'une terre, qu'il suffisait d'effleurer à peine d'une graine pour qu'elle en fasse une célébration orgiaque, se plaisait à multiplier les fruits sur la colline. Cette profusion inimaginable dans le Nord faisait croire à Paul qu'il vivait un rêve.

Il irait personnellement affronter Parra Vallejo, l'usurier. Il n'y aurait ni messages préalables, ni rendez-vous, ni intermédiaires entre lui et cet individu dont la seule existence venait obscurcir le portrait de son père au point de le rendre méconnaissable. Il irait seul avec sa colère sur le dos, tout comme Sisyphe sous le poids de son inévitable expiation. Il irait réclamer sa part d'héritage sans le regard protecteur de ce père qu'il avait laissé mourir loin de lui, à distance, comme un lépreux qu'il s'agissait de maintenir éloigné dans ce paysage austral qui le rattrapait maintenant. Rien ni personne ne pourraient l'arrêter. En vain, Poma parla d'un homme, son père à elle, obsédé par l'argent et incapable de voir dans ses semblables autre chose que de purs instruments dont il se servait pour parvenir à ses fins. *Il vit seul, sans amis, entouré par deux gorilles qu'il paye pour le protéger contre ceux qui veulent sa peau,* l'avertit-elle de cette voix douce, posée, comme le vin de Cafayate qu'elle lui servait à midi alors que le soleil empêchait les *empanadas* de refroidir sur la table. Il lui avait demandé la veille, après que la fille eut accepté de prendre en charge le fouet, *pourquoi ne m'as-tu jamais parlé de cet homme,*

pourquoi avoir attendu que d'autres me révèlent son existence ?
Poma, après un long silence, ses yeux clairs rivés sur lui, lui
avait expliqué que parler de quelqu'un comme lui, c'était lui
ouvrir les portes de la maison, et qu'elle aurait tout fait pour
qu'il n'entre jamais chez eux. Aussi avait-elle expliqué du
même souffle que c'était le défunt qui l'avait amenée dans la
maison à flanc de colline. Paul avait aussitôt voulu savoir si
elle vivait chez Parra Vallejo jusque-là. La fille avait alors
raconté que depuis que sa mère était partie en Espagne, elle
demeurait chez sa grand-mère, et que son père ne s'était
jamais occupé d'elle. En dépit de ses efforts, Paul n'était pas
parvenu à obtenir davantage de renseignements sur l'usurier.

Pourtant, ce matin-là, devant son insistance, elle parla
encore une fois de son père.

— Il est dangereux. Un dur à cuire, comme on dit. Il en a
vu de toutes les couleurs, et il est toujours passé à travers,
l'informa-t-elle.

Ses yeux brillaient. Paul crut y déceler une dureté qu'il
s'empressa d'attribuer à la souffrance qu'elle avait dû endurer.

Puis, alors qu'il ne s'y attendait pas, elle reprit la parole :

— Je n'ai connu qu'un homme qui ne tremblait pas
devant lui.

— Qui ? demanda-t-il, intrigué.

— Rafael, votre père, fit-elle.

Ce n'était pas la première fois qu'elle mentionnait
l'absence de peur chez son père. Ce trait semblait important
dans le souvenir que la fille gardait du défunt.

En regardant en arrière, sans colère, Paul s'apercevait à
présent que la mémoire de Poma modifiait la sienne propre,
et voilà que son père renaissait en quelque sorte de ses
cendres. Il le revoyait le regard serein, bien planté sur ses
jarrets, une calebasse de maté à la main droite dans le patio de
la maison à Mar del Plata, là où le bruit des vagues s'encaissait entre les roses et les géraniums que les mains sensuelles
de Leda arrosaient à la tombée du jour.

— Il n'y avait peut-être pas de peur dans les yeux de
papa, mais l'amour n'y brillait pas non plus, dit-il comme s'il
se parlait à lui-même.

— Ne pas avoir peur, c'est déjà une façon d'aimer, dit-elle.

— En t'écoutant, je retrouve un père que j'aurais aimé connaître, s'épancha-t-il tout à coup.

Une expression de tendresse s'esquissa alors dans le regard de la fille, comme si, au delà des mots de Paul, elle écoutait les sentiments de quelqu'un qui découvrait enfin sa vulnérabilité. Puis elle le vit se reprendre aussitôt comme s'il avait honte de s'être abandonné comme ça, au détour d'une phrase qui, aussi sincère fût-elle, venait trop tard, comme toutes les autres. Parce qu'il avait trop hâte de se rendre chez l'usurier, il interrompit là son dialogue avec la fille.

— Je ne viendrai pas manger à midi, et pour le repas du soir, il se peut que je sois en retard. Je resterai en ville jusqu'à ce que je puisse parler avec lui, la prévint-il.

— Pourquoi vous obstinez-vous à lui ouvrir les portes de cette maison ? demanda-t-elle avec tristesse.

— Il est toujours en possession de l'argent que mon père m'avait laissé en mourant, dit-il sur un ton impersonnel, à la manière d'un constat.

— Et pourquoi êtes-vous si certain que c'était de l'argent que votre père voulait vous laisser ? demanda-t-elle d'une voix si douce qu'il eut du mal à l'entendre.

— Et qu'est-ce qu'il aurait pu me laisser d'autre ? rétorqua-t-il, irrité surtout parce qu'il devait s'arracher au vert de la colline pour se rendre en ville.

— Il y a des moments où je me demande si vous n'êtes pas aveugle, murmura-t-elle en baissant les yeux.

Le bureau du prêteur se trouvait dans la seule rue du centre-ville où il était possible de marcher sans risquer de se faire écraser par une voiture. Muñecas, piétonnière et vénale, se faisait aussi vénérienne la nuit quand les enseignes lumineuses des nombreux commerces qui l'étouffaient éclairaient les poitrines à moitié nues et les culs protubérants des putes qui s'y donnaient rendez-vous. En attendant de se transformer en bordel à ciel ouvert la nuit, la rue fourmillait pendant la journée de chalands besogneux cherchant parmi les innombrables soldes de marchandises ceux qui leur permettraient d'épuiser le moins vite leurs maigres budgets.

L'adresse de l'usurier coïncidait avec celle d'un magasin de vêtements en gros qui occupait tout un rez-de-chaussée éclairé au néon et dont le décor bas de gamme rappela à Paul celui du Chaînon, boulevard Saint-Laurent à Montréal. Trois fois, il passa devant pour enfin comprendre qu'il fallait se perdre dans un dédale de couloirs encombrés d'étalages croulants sous des montagnes de jeans et de chemises *made in China* afin d'accéder à l'étage où, déguisé en commerçant ayant pignon sur rue, Parra Vallejo exerçait son métier. Plusieurs portes fermées en enfilade déconcertèrent le visiteur. Hésitant, il regarda en arrière pour vérifier s'il n'était pas observé, mais le fourmillement se poursuivait au rez-de-chaussée dans une fébrilité de caisses enregistreuses et de bruits de cartons qu'on ouvrait à grands coups de couteau pour regarnir les rayons.

Aucune des portes ne fournissait la moindre indication sur la nature des activités qui se déroulaient à l'intérieur. Ayant aperçu une sonnette, il appuya sur le bouton de la première à portée de ses mains. Un Noir à la lèvre supérieure fendue ouvrit la porte. Une moustache plutôt rare s'efforçait inutilement de camoufler le bec de lièvre qui donnait à son visage une expression sinistre sous la lumière crue du néon. Le visiteur entrevit une pièce étroite avec des meubles mal assortis qui semblaient venir d'une vente de débarras. L'aspect hétéroclite et rapaillé de l'ensemble découvrait une extrême parcimonie, voire une lésine digne d'un Harpagon de province.

— Qui cherchez-vous, monsieur ? s'informa le Noir d'une voix de basse, très étoffée.

Le contraste entre la beauté de la voix et son visage disgracieux surprit Paul. On aurait dit que cet Othello d'opéra n'était là que pour faire diversion aux opérations de son patron.

— Je viens voir Parra Vallejo. Je suis investisseur, dit-il avec l'aplomb de quelqu'un qui aurait bien médité son coup.

— Puis-je savoir votre nom, s'il vous plaît, monsieur ?

— Escalante.

Sans lui tourner le dos, le Noir recula de deux pas afin de prendre un cahier qui était sur un guéridon en marbre ébréché.

— Rafael?

Il fit non de la tête avec la lenteur d'une tortue qui protège ses œufs jusqu'au bout avant de se décider à quitter son carré de sable.

— Et pourquoi ne me dites-vous pas, monsieur, quel est votre prénom?

— Parce que vous ne me l'avez pas demandé, se contenta-t-il de répondre.

Le Noir écarquilla les yeux, mi-amusé, mi-déconcerté, puis, avec une politesse qui, elle aussi, contrastait avec son faciès patibulaire, précisa:

— Nos clients savent ce qu'il faut dire sans qu'on ait à les interroger, monsieur.

Paul, qui venait d'accéder à cette case exiguë dans laquelle se jouait l'argent des autres, aurait voulu occuper d'entrée de jeu la diagonale du roi, mais ce fou était là justement pour veiller au grain.

Tout en prenant un téléphone, le Noir murmura: «Jaune Borges».

Paul demeura tout pantois devant ce détail onomastique littéraire dans la bouche du garde du corps.

Une deuxième porte s'ouvrit et, cette fois, il eut affaire à un gorille qui collait mieux au stéréotype: carrure imposante, regard scrutateur, parole cassante, sèche et au ras des pâquerettes:

— Qui êtes-vous? s'enquit-il sans tourner autour du pot.

Le visage cuivré du métis dans un corps de joueur de basket-ball ne rigolait pas. Le moindre faux pas et le type frapperait avant de réfléchir.

— Paul Escalante, dit le visiteur d'une voix sûre mais sans provocation.

Sans dire un mot, le gorille referma la porte derrière lui. Le Noir, sur le seuil de la porte d'à côté, un téléphone toujours à la main, restait au garde-à-vous, comme s'il attendait des instructions.

Au bout de quelques minutes, le gorille refit son apparition dans le couloir et, d'un geste sobre et énergique, invita Paul à le suivre. Il ouvrit une troisième porte.

— Entrez, fit-il.

La pièce était aussi exiguë que la première. Deux hommes dans la soixantaine avancée et une femme entre deux âges y attendaient, assis dans des fauteuils dépareillés. Ici le néon avait été remplacé par une lampe dont l'abat-jour en tissu décoloré rabattait la lumière vers une moquette si usée qu'elle se confondait avec les fissures du plancher.

— Est-ce que ce sera bientôt mon tour ? demanda l'un des deux hommes en levant timidement l'index comme le font les enfants pour demander la permission de s'exprimer en classe.

Un peu gêné de passer devant tout le monde, Paul ne s'attarda pas longtemps sur le regard résigné de l'homme.

— Il y a beaucoup de dossiers ce matin, grommela le métis tout en ouvrant une porte camouflée derrière un épais rideau de velours cramoisi.

Paul entra d'un pas décidé, persuadé qu'il aurait affaire à une sorte de nouvelle antichambre dans laquelle on mettrait sa patience à rude épreuve encore une fois. Pourtant, il s'aperçut très vite qu'il s'était trompé. Devant lui, une grande fenêtre éclairait le visage d'une jeune femme penchée sur un gros livre. Sans savoir pourquoi, dans un flash, l'image de *La dentellière* de Vermeer traversa son esprit. C'était peut-être à cause de sa concentration qui, en l'extirpant du monde, lui donnait cet air de tableau à l'ancienne. Puis il y avait cette lumière sur sa peau blanche d'ouvrière en vase clos. L'échancrure de son corsage rayonnait d'autant plus qu'elle s'offrait, pour ainsi dire, comme entrée en matière. Elle n'était pas laide, et sa poitrine lourde de laitière contrastait avec son maintien grave et circonspect. À aucun moment, elle ne leva le regard pour fixer l'étranger qui faisait craquer le plancher de bois sous ses bottes.

— J'attendais votre visite.

Paul se retourna brusquement. Un homme l'observait, assis derrière un bureau placé à l'angle de la pièce. Sa voix grave et lente ne récidiva qu'après que l'homme eut tiré quelques volutes bleuâtres d'un havane qu'il avait à la main droite. Au milieu de ces anneaux de fumée savamment calculés, une grosse bague en or sertie d'une pierre précieuse trahissait le goût pour le clinquant de son propriétaire. Le regard de l'usurier brillait lui aussi comme un diamant, dur, sûr de la fermeté qui était la sienne.

— J'imagine que vous étiez fort occupé en compagnie de ces montagnes où le diable en personne perd sa queue, dit-il.

Paul commença à distinguer des traits qui lui étaient familiers : des cheveux clairs, une peau très blanche, de grands yeux. Sa ressemblance physique avec Poma l'ébranla sur le moment. Il s'approcha du bureau.

— Le diable perd tout ce qu'il touche, y compris sa queue, rétorqua-t-il en s'efforçant de reprendre l'initiative.

— Ici, avec moi, la seule chose qu'il pourrait perdre serait de l'argent.

Il fixa avec méfiance cet homme tiré à quatre épingles, une Rolex Oyster Perpetual bien en vue au poignet.

— Je me demande qui peut gagner du fric avec un prêteur, dit-il sur un ton ouvertement provocateur.

Un sourire s'esquissa sur le visage jusque-là impassible de Parra Vallejo.

— Dans ce coin de pays que le Seigneur ne visite jamais, probablement parce qu'il y fait trop chaud et que ça lui rappelle l'Enfer, nous sommes un mal nécessaire. Sans nous, bien des commerçants devraient fermer boutique.

— Je suis venu chercher ce que vous me devez, dit-il sèchement.

L'usurier jeta un coup d'œil en direction de la jeune femme assise en face de la porte, la prenant à témoin de l'impertinence de l'étranger. Puis, d'une voix toujours calme, il suggéra :

— On doit tous quelque chose à quelqu'un, n'est-ce pas ?

— Je ne suis pas ici pour philosopher. Je suis venu récupérer ce que mon père m'a laissé, voilà tout, précisa Paul en haussant le ton de sa voix d'un cran.

Parra Vallejo porta le cigare à ses lèvres avec l'expression de quelqu'un qui en a vu de toutes les couleurs.

Il demanda à son tour :

— Et qui me rend, moi, ce que j'ai perdu, hein ?

Paul aurait préféré ne pas l'interroger, mais la curiosité maladive qui poursuit les hommes amoureux fut la plus forte :

— Qu'avez-vous perdu ?

— Ma fille, voyons.

— Elle ne veut pas entendre parler de vous.

Parra Vallejo se rencogna dans son fauteuil comme si Paul avait touché une corde sensible.

— Ça, c'est le travail de votre défunt père, maugréa-t-il.

Paul demeura silencieux. Quelle signification attribuer aux propos de l'usurier dont le regard retors scrutait la moindre faiblesse chez le visiteur afin d'y placer ses pions ?

— J'imagine que vous avez pris le relais, insinua-t-il d'une voix perfide.

— C'est quand j'ai cessé de toucher les intérêts qu'on a parlé de vous, dit Paul, mal à l'aise.

— Toujours pareil, tant qu'il y a du fric, personne ne dit rien.

— J'ai besoin de cet argent. Vous devez respecter la volonté du défunt, dit-il, soulagé d'avoir changé de sujet.

Parra Vallejo le regarda droit dans les yeux. Un sourire grimaçant tiraillait son menton.

— Pourquoi vous entêtez-vous à croire que c'est de l'argent que vous a laissé votre père ? Et si ce n'était qu'un appât pour vous attirer jusqu'ici ? Autrement, vous ne seriez jamais venu, pas vrai ? Votre père, s'il avait réellement voulu vous laisser de l'argent, pensez-vous qu'il l'aurait confié à un usurier ?

Paul eut un geste de stupéfaction. Cette visite chez le père de Poma, loin d'éclaircir la situation, ne faisait que la rendre encore plus inextricable. C'était à y perdre son latin. Puis ce visage qui, vieilli jusqu'à la caricature, rappelait tellement les traits de Poma. Jusqu'où irait le cynisme de Parra Vallejo ? Au fur et à mesure qu'il écoutait l'usurier, sa foi dans son héritage s'effritait, et il n'ignorait pas que, sans foi, l'argent ne fait pas de vieux os. Alors il se dépêcha de quitter le jeu de Parra Vallejo :

— Quand est-ce que vous me payerez ? Il me faut une date.

— Je ne suis qu'un intermédiaire, monsieur Escalante. L'argent qu'on me prête, je le prête à mon tour, et si l'on ne me paye pas, d'où voulez-vous que je sorte l'argent ? s'écria l'autre en prenant une bouffée de son cigare d'un geste dont la volupté tapageuse incommoda son visiteur.

De plus en plus abasourdi par les propos et l'attitude inébranlables de Parra Vallejo, Paul le regarda longuement, sans haine, mais avec suffisamment de colère, comme pour se convaincre lui-même qu'il n'abandonnerait pas la partie :

— J'attendrai. Ma patience sera plus forte que votre cupidité, dit-il sur un ton cassant.

— J'ai vu beaucoup de gens perdre les meilleures années de leur vie à attendre pour rien. L'argent, après tout, était à votre père. Pourquoi ne pas le laisser partir au tombeau avec lui ? Comme ça, il vous sera plus facile de vivre votre deuil. Disons que vous ferez d'une pierre deux coups.

— J'ai trouvé des hommes plus cyniques que vous sur mon chemin. La seule différence, c'est qu'ils n'avaient pas besoin de voler les morts pour fumer des havanes et s'acheter des Rolex. Maintenant, je comprends pourquoi votre fille ouvre la poubelle quand je mentionne votre nom.

— Quand elle vivait sous mon toit, les ordures, on les sortait ensemble, monsieur Escalante, surtout celles qui s'accumulaient autour de notre lit, la nuit, répliqua l'usurier d'une voix ignoble.

Incapable de se contrôler, Paul décocha un coup de talon au bureau de Parra Vallejo.

— Qu'est-ce que vous êtes en train d'insinuer, vieux salaud ? hurla-t-il, les poings crispés.

Sans perdre son calme, le père de Poma appuya sur un bouton qui se trouvait à côté du téléphone. Le gorille fit sur-le-champ son apparition dans le bureau.

— Monsieur Escalante a épuisé le temps de son rendez-vous. Du même coup a-t-il renouvelé ses intérêts chez nous pour une durée indéterminée, dit-il en portant son cigare à sa bouche.

Le soleil se coucha au loin sur les montagnes alors que Paul marchait dans des ruelles tortueuses où même les chats avaient du mal à retrouver leur chemin. Le marché des putes, *mercado de putas*, était l'un des plus anciens quartiers de la ville, et la chair, au pied carré, y était la moins chère. Très jeunes ou déjà flapies par des années d'exploitation, d'alcool et de drogues, elles y accouraient parce que la vétusté des immeubles ne réclamait qu'une poignée de pesos pour monter dans les chambres. En début de carrière ou au bout du rouleau, les putes de ce quartier offraient aux clients les deux extrêmes d'une même perversion : celle d'une femme qui, fraîche ou décatie, se transforme en chose le temps d'une passe à l'hôtel. Elles étaient nombreuses et fardées jusqu'à l'os. Un bordel à ciel ouvert qui exhibait son décor autant que ses pensionnaires. Mais ce qui frappait le plus, c'était le regard résigné, absent, de ce troupeau de femmes sous le joug de la misère qui les obligeait à se vendre pour ne pas crever. Même les plus vieilles tenaient à dévoiler au passant la lourdeur d'une poitrine à laquelle seul un soutien-gorge récalcitrant parvenait à donner encore une forme. Malléables et corvéables à merci, toutes semblaient adhérer au contrat tacite qui exigeait d'elles une docilité sans faille. Et comme dans un marché où les clients tâtent le fruit qu'ils vont consommer, dans ces ruelles sordides les hommes ne se gênaient pas pour pétrir des seins avant de les payer.

Sans savoir comment, après avoir flâné longtemps en ignorant où il mettait les pieds, Paul s'engagea dans une dernière ruelle qui débouchait sur un grand terrain vague jonché de détritus, de voitures démantibulées, de piles de pneus usagés, de toutes sortes de cageots de laitues et de légumes que des récupérateurs entassaient un peu partout. Alors il les vit, les plus jeunes, celles que les putes ayant pignon sur rue expulsaient du marché ; voilà donc les plus faibles, les plus démunies, songea-t-il, abasourdi par autant de fragilité à la portée de n'importe qui. Quel était leur âge ? Douze, treize ans ? Peut-être moins, peut-être plus. Qui pouvait savoir ? Elles-mêmes devaient avoir perdu l'album de leur anniversaire dans la cabine d'un de ces camions à remorque qui les prenaient au passage, un peu comme les Indiens à cheval faisaient avec les femmes blanches dans les westerns, pressés de se débarrasser de leurs proies une fois leur désir assouvi. Paul les voyait tomber l'une après l'autre comme des fruits avariés qui ont perdu leur valeur marchande. Aussi aurait-il voulu soigner leur chute, mais ces lolitas du quart-monde rebondissaient comme des balles de ping-pong. Aussitôt tombées, elles se redressaient, prêtes déjà pour une prochaine défaite, puis il voyait, à l'avilissement précoce de leur visage, qu'elles acceptaient tout excepté la pitié. Surtout, *don't cry for me Argentina*. Les plus chanceuses s'en tiraient avec quelques égratignures et juste de quoi se payer un hamburger au McDo le plus proche. Alors il se limita à compter le nombre de ces corps que les chauffeurs corrompaient de leur haleine de vieux routards, tout en se demandant si Jésus, au cas où il se serait arrêté là, n'aurait pas décidé sur un coup de tête d'imiter le geste radical, sans concession, du guérillero Che Guevara lorsqu'il avait pris le chemin de la Bolivie pour mettre le feu à tout le continent.

Des journées de plus en plus chaudes réchauffaient les murs de la maison au point que Paul, après le repas de midi, cherchait l'ombre où le maçon avait jadis planté son hamac entre deux arbres. Le visage jusque-là d'un blanc laiteux de Poma épousait au fil des semaines le doré des pains qu'elle faisait cuire au four.

À force de fouiller dans sa mémoire, Paul avait réussi à déterrer des plages atlantiques qu'il arrimait au hamac. En y retrouvant des grains de sable, Poma, à peine surprise, lui rappelait qu'il ne fallait pas vivre dans un rétroviseur, et que le passé, aussi ardent fût-il, ne devait pas coucher avec le présent. Mais il ne l'écoutait pas, aveuglé qu'il était par ce ressac qui le ramenait là où, pour la première fois, la main de Leda avait serré la sienne. Il n'avait eu pas besoin de lui parler d'elle. Bien avant lui, son père l'avait déjà fait. C'était clair que la fille n'ignorait rien de la Cubaine. Elle connaissait l'éclat de ses cheveux sous le soleil de midi, à Mar del Plata, pendant les saisons d'été. C'était comme si le défunt avait pris soin de

préciser dès le début que pour rien au monde il n'abandonnerait cette femme pour laquelle, étrange contradiction, il
allait jusqu'à l'infidélité. Une certaine tristesse dans le regard
de Poma révélait qu'elle n'était probablement pas dupe du
rôle qu'elle jouait dans cette relation. Alors, la découvrant sous
ce nouveau jour, Paul se demanda si toutes ces longues
absences qu'elle avait dû endurer du vivant de son père ne
venaient pas la chercher, elle, au point de la faire chavirer dans
un vertige de mélancolie qui anéantirait sa douceur. Paul avait
peur de la mélancolie, qu'il identifiait à la maladie de sa mère.
*Voilà qu'elle te prend à la gorge et rien d'autre ne compte plus dans
ta vie que ce désir funeste de sombrer dans le vide*, avait-il confié à
Poma un soir qu'il avait du mal à s'endormir. Il était allé
jusqu'à craindre que même les mains d'Amancio, habituées
pourtant à tirer le meilleur son des peaux qu'elles caressaient,
ne suffissent pas à garder Poma heureuse.

Se sentant quelquefois mesquin dans sa retraite en haut
des montagnes, il aurait voulu une relation différente avec la
fille, quelque chose de plus spontané, avec cette tendresse que
connaissent les couples qui ont réussi à apprivoiser la peur.
Mais habillé de noir, le soir, une cravache à la main droite, il
devait parfois, aux yeux de la fille, paraître avoir perdu la
raison. Comment lui dire alors que ce rituel n'était qu'un pis-
aller, un cadre en somme sans lequel leur relation risquait de
dérailler pour de bon? Il s'efforçait inutilement de lui expliquer qu'il n'était ni un aliéné ni un héros de roman, juste un
homme ayant beaucoup roulé sa bosse, voilà tout.

Or, au fur et à mesure que l'été s'installait, Poma ne
comprenait pas pourquoi, au lieu de rester auprès d'elle, il
descendait de plus en plus souvent en ville pour aller au
bureau de Parra Vallejo où il faisait antichambre en attendant
que l'usurier dénoue les cordons de sa bourse. *Vous perdez
votre temps, l'argent de votre père n'est plus là*, avait-elle dit tout
à trac une fois, sans doute excédée par l'entêtement de Paul à
sacrifier les heures de la sieste que la fille semblait préférer
entre toutes. En effet, il commençait à prendre l'habitude
d'arpenter la rue Muñecas au moment où le soleil vidait le
centre-ville avec un souffle d'enfer. On aurait pu croire que

même les arbres, s'ils avaient été en mesure de prendre leurs racines à leurs branches, auraient faussé compagnie au bitume ardent. Pourtant, contre toute attente, il avait pris goût à cette chaleur grillant la peau des rares passants qui osaient se promener sans chapeau. C'était comme si une créature invisible, pulpeuse, infinie, intrinsèquement lubrique, collait à votre peau jusqu'à la faire fondre telle une cire molle sur laquelle elle dessinait les arabesques brûlantes de son désir. Coiffé d'un chapeau aux ailes de cow-boy ayant appartenu à son défunt père, Paul contemplait la ville déserte tout en songeant au corps de Poma laissé à flanc de colline, les pieds dans l'eau, sous la pergola où les grappes de raisins empêchaient le soleil de plonger tout de go dans la piscine.

Le commerce qui servait de paravent à Parra Vallejo était le seul du pâté de maisons qui demeurait ouvert même à l'heure de la sieste. L'argent, qui ne ferme jamais l'œil tellement la réalité compte pour lui, faisait de l'usure la seule activité à prospérer en cette période de vaches maigres.

Paul entrait avec un livre sous le bras, montait l'escalier en colimaçon et s'asseyait dans un fauteuil en cuir noir usé jusqu'à la corde que les clients évitaient sans doute par superstition, les couleurs préférées étant le vert et le blanc dans cette salle où les meubles dépareillés semblaient tirés d'une vente de débarras ou d'un de ces magasins que l'Armée du Salut met sur pied dans le seul but de rendre la vie des pauvres encore plus sinistre. Il n'y sollicitait l'attention de personne ; il se limitait à occuper ce siège laissé vacant avec l'air de quelqu'un qui, sans se presser, attendait son tour. Les deux gorilles de l'usurier ayant fini par s'habituer à sa présence muette, et peu enclins à prendre des initiatives qui seraient de nature à inquiéter la clientèle, se faisaient discrets. De son côté, de temps en temps, Paul levait les yeux par-dessus son livre, pour observer la gravité contrite dans laquelle baignaient ces hommes et ces femmes qui, à longueur de journée, se relayaient dans l'espoir de récupérer leurs avoirs. Il était clair que ces gens-là avaient déposé des sommes d'argent dont les intérêts soudainement interrompus les obligeaient à quitter le confort de leurs climatiseurs pour s'entasser dans une salle d'attente à peine rafraîchie par un ventilateur lent et bruyant suspendu au plafond. Cela se voyait à leurs figures déconfites, aux soupirs qui bombaient leurs poitrines, et puis à cet air apocalyptique de fin d'un monde, leur monde à eux, en tout cas, en trompe-l'œil et virtuel. L'intérêt de l'usure qui, en exacerbant le rendement de l'argent, donnait l'impression d'une vie facile, sans effort, une vie de rentier, en somme. Mais l'heure du réveil avait sonné, et ils étaient là le regard bas, la mine dans les talons, perdus dans ce tunnel dont le bout pouvait mettre une vie à se montrer. Jamais il n'aurait cru que le monde de l'usure manquait à ce point d'humour.

Un lundi où la chaleur rendait l'atmosphère de la pièce encore plus lourde, le voyageur venu du Nord laissa échapper un rire dont l'intensité soudaine tira de leur morosité les clients. Ce fut à ce moment précis qu'on le fit entrer.

— Pendant des semaines, vous êtes venu sans rien exprimer, ni avec des mots ni avec le moindre geste. Et voilà qu'aujourd'hui on me rapporte que vous avez ri, comme ça, tout à coup. Je veux savoir pourquoi.

Le ton décontracté et presque amical de la voix de Parra Vallejo le prit au dépourvu. Habillé en bleu avec une cravate en soie rouge, l'usurier montra de la main droite le siège réservé aux clients de la journée.

Paul s'assit. Puis, un sourire à la bouche, il dit :

— Je m'aperçois que, dans ce lieu, en plus de dépouiller les innocents, vous leur découvrez aussi leur misère intérieure.

— C'est ma manière d'aider les gens à mieux se connaître, c'est vrai. Je me réjouis que vous constatiez qu'il existe entre l'usure et la charité chrétienne des parallèles qu'on n'avait pas encore établis.

Cette fois-ci, le cynisme de l'usurier était venu accompagné d'un clin d'œil qui se voulait complice.

Les pneus à bout de souffle des transports en commun crevaient sous les effets de la chaleur et des clous que des voisins hostiles au vrombissement du diesel lançaient à l'aube sur la chaussée. On voyait souvent les voyageurs, largués en cours de route et en retard, s'agglutiner aux coins des rues, les yeux hagards, frustrés et impuissants.

Un début d'après-midi de quarante degrés Celsius à l'ombre où Paul descendait en ville au volant de sa jeep décolletée comme une vieille cocotte, il vit un adolescent en uniforme avec des livres entre les bras qui attendait, l'air inquiet ; en bas de la côte, il avait aperçu l'autobus du transport scolaire immobilisé comme une cigale, les quatre pattes brisées, sous le soleil implacable d'une de ces journées où même les lézards d'ordinaire si prestes à célébrer la chaleur se tenaient loin de ses dards. Il arrêta net son tout-terrain sur l'accotement et invita d'un geste amical l'élève à monter à bord. Il vit le jeune regarder admiratif la Wyllis, incarnation depuis soixante-cinq ans d'un mythe roulant avec ses arceaux rembourrés, ses phares ronds et ses grosses roues increvables.

— Ça, c'est un char, un vrai de vrai ! s'exclama l'écolier, heureux de ce coup de pouce inattendu.

Il avait des cheveux noirs que l'humidité frisait par endroits. Derrière des verres de myope, l'on devinait un regard curieux, vif. Il parlait espagnol avec l'accent d'un pays limitrophe. Il raconta que son père était un artiste peintre qui donnait des cours de dessin dans une école juive du centre-ville pour un salaire de misère. Sa voix était claire et elle avait les inflexions colorées des voix à cheval entre deux registres. Paul lui demanda où était sa mère, avec l'impression étrange qu'il connaissait déjà la réponse.

— Elle s'est suicidée avant qu'on ne vienne ici, dit-il avec une franchise simple et directe qui écartait d'emblée toute forme de mélo.

Après quelques minutes de silence, l'écolier reprit la parole pour préciser que son père avait perdu les économies apportées de son pays d'origine dans un investissement géré par un fraudeur. Aussi ajouta-t-il que la peur d'être expulsés, lui et son fils, avait retenu le père de s'adresser à la police. *Nous sommes des étrangers*, ajouta-t-il d'un ton contrit comme s'il avouait un péché.

— Avec la police, on ne sait jamais ce qui est pire, le remède ou la maladie. Peut-être qu'elle aurait fini par prendre ce que le fraudeur avait laissé, grommela Paul entre les dents.

— On voit bien que vous n'êtes pas d'ici.

— Qu'est-ce qui te fait dire ça ?

— Dans cette ville, personne ne s'arrête pour aider quelqu'un. Ils s'enferment dans des voitures aux vitres teintées comme celles des corbillards et font exprès de rouler là où il y a des flaques d'eau pour asperger les piétons.

L'école publique à laquelle se rendait le garçon était face à un parc avec des arbres centenaires, des pergolas envahies par des racines grosses comme des canons et des chiens errants. Paul y découvrit tout à coup un chat noir récemment empalé qui, miracle sordide et truculent, marchait encore tout en traînant et l'instrument de son supplice — une branche de faux platane — et une langue rose dont la longueur surprit l'observateur. Assisté dans son agonie par un joyeux cercle d'élèves sortis d'un cours de zoologie extrême, le félin était probablement prêt à renoncer à la septième vie qui lui restait pourvu qu'il puisse échapper à ses tortionnaires.

— Ils sont aussi tendres que les pierres, dit l'écolier en remarquant le regard pétrifié d'horreur de Paul.

— Comment fais-tu pour vivre entouré d'autant de méchanceté ?

L'écolier réfléchit pendant quelques secondes avant de répondre.

— Entre eux et la frayeur, j'ai choisi la myopie. C'est mon refuge à moi.

— Pourtant, un jour, il te faudra des yeux de chouette pour trouver ton chemin dans la vie.

— Maman aussi était très myope, voilà probablement pourquoi elle n'a pas vu le train qui l'a frappée de plein fouet, bien que papa pense qu'elle l'attendait depuis longtemps.

Troublé, Paul immobilisa la jeep face à l'école. Les yeux humides et la gorge serrée, il regarda l'écolier assis à ses côtés. Il aurait voulu lui dire qu'avec les années il comprendrait peut-être le geste obscur de sa mère, mais il se retint. Il savait qu'aucun conseil ne pouvait remplacer l'épreuve exigée par la lumière avant qu'elle se montre.

Ils se quittèrent là, entre la cruauté du parc où même les chats perdaient leur vie et les murs lépreux de l'école publique. Le garçon lui tendit la main avec timidité. Paul la lui serra en souriant avec la tristesse de celui qui voyait son propre visage reflété dans un miroir du passé. Peut-être un jour, ou un après-midi d'été comme celui qui les réunissait à présent, l'étudiant se retrouverait-il lui aussi avec son double et, tout comme Paul, ne pourrait-il que sourire face aux sarcasmes du temps.

Contrairement à son habitude, Paul rentra avant le coucher du soleil, désireux tout simplement de fêter avec Poma le *miracle d'être ensemble*. Cette phrase passablement lyrique lui était venue à l'esprit comme une bouée de sauvetage alors qu'il sombrait dans un de ces moments de tristesse qui accaparaient son être en l'enveloppant telle une vague qui ne semblait jamais devoir toucher la plage. La rencontre avec l'écolier lui avait pourtant permis de mettre en veilleuse Parra Vallejo. Et au lieu de se rendre, comme tous les après-midi, dans la tanière de l'usurier, il avait préféré choisir une nouvelle robe pour Poma. En pure soie, échancrée, noire et avec un dispositif fort astucieux qui provoquait sa chute en un clin d'œil, la robe — aussi légère fût-elle — valait son pesant d'or. *Quatre cents dollars américains, monsieur.* Vu le prix, Paul sollicita une démonstration avant de passer à la caisse. La commerçante, une Libanaise mûre aux grands yeux noirs, et avec l'air de ne pas avoir été visitée par Éros depuis quelques lustres, se fit un devoir d'inviter le client à franchir le seuil de son arrière-boutique. Elle était plantureuse, pour ne pas dire carrément grosse, et il lui fallut faire appel à un vêtement de la taille au-dessus afin de satisfaire le client. Au milieu d'un nombre incalculable de mannequins d'osier sur lesquels des couturières taillaient toutes sortes de robes, Paul se retrouva soudainement face à des rondeurs qu'on aurait dites sorties d'un film de Fellini. Convaincu par la démonstration, il paya illico et s'en alla, quelque peu affligé par autant de chair condamnée à se noyer dans ses propres excès.

Il gara la jeep au bord du chemin avec l'intention de la reprendre dès que la fille aurait mis sa nouvelle robe en soie. Rien que de regarder son corps jeune, de noir vêtu à l'heure où ses cheveux mêlaient le blé et l'ombre dans un seul registre, lui remonterait le moral, pensa-t-il. Mais voilà qu'aussitôt les pieds sur la terrasse, il apprit que cette fin d'après-midi, comme beaucoup d'autres qui l'avaient précédée, le rendrait encore plus triste. À cheval sur le mur qui séparait la piscine de la partie la plus escarpée de la colline, là où les eaux de pluie tombaient en cascade, le tambour d'Amancio battait la chamade tel un cœur à ciel ouvert. Le soleil éclairait le beau profil aquilin de l'aîné des Urtubey tandis que les derniers rayons du soleil se réverbéraient sur ses longs cheveux d'ange exterminateur. Paul n'arrivait pas à apercevoir Poma, bien qu'elle ne dût pas être loin de ces percussions qui imprimaient au mur un rythme vertigineux.

En s'approchant à pas de loup de la piscine, il entra dans une musique syncopée qui refoulait sa présence. Si ce tambour-là avait été une trompette, le jazz qui faisait vibrer sa peau aurait émis un blues si rapide et si violent que Paul aurait probablement été foudroyé sur place. Mais au lieu de s'arrêter, il continua d'un pas de voleur d'intensités, de prédateur même, jusqu'au bord de la piscine où il découvrit enfin le corps nu de la fille, les yeux rivés au ciel, et sa chevelure flottant autour d'elle. Nul besoin de s'agiter pour se maintenir à la surface de l'eau. La musique d'Amancio était là pour elle, collée à sa peau telle une méduse qui épousait sa nudité comme l'eau fait corps avec l'écrin qui l'accueille. Sourde à tout ce qui n'était pas la frénésie de cette offrande, jamais Poma ne lui était apparue aussi lointaine, aussi étrangère. Il devait revenir très en arrière pour retrouver ces crampes qui broyaient son estomac à la vue de la poitrine et du pubis de la fille à la merci d'un désir autre que le sien.

Alors Paul recula, incapable d'affronter l'éclat de lumière qui se dégageait du corps nu de Poma.

Aussi regagna-t-il la cabine de sa jeep et, la robe toute neuve entre ses mains, il attendit patiemment que la nuit, la seule soie qui convenait sans doute à leurs ébats, les réunisse encore une fois.

Comme à l'accoutumée, malgré sa blessure, Paul ne dit rien. Alors il fit semblant de rentrer après un après-midi consacré à talonner l'usurier, convaincu qu'un jour ou l'autre il retrouverait l'argent de son père. Combien d'heures avait-il poireauté dans la jeep avec la robe sur les genoux ? Le temps devenait si élastique dans sa conscience qu'il ne pouvait pas se conformer à ce qu'indiquait sa montre.

En quittant la Wyllis, Paul retourna sur ses pas pour contempler la silhouette carrée du tout-terrain se découpant sur la verdure environnante ; il eut le sentiment de se séparer d'un cocon qu'il faudrait garder toujours près de lui. *On the road*, voilà peut-être ce qu'il ne devait pas oublier. *Pierre qui roule n'amasse pas mousse.* À quoi bon s'acharner sur place ? Tous les problèmes commencent là, rumina-t-il en silence tandis qu'il montait l'escalier conduisant à la terrasse.

Elle le reçut avec la douceur de quelqu'un qui n'avait rien à se reprocher. Il avait du mal à croire qu'elle pût être juste comme ça, tout à fait à l'autre et tout à fait à lui, un à la fois, sans que cela la dérange, ou peut-être sans même qu'elle s'en aperçoive. Du coup, il se mit à douter de la scène dont il avait été témoin. Et si elle n'y était pour rien ? Après tout, Amancio pouvait fort bien grimper sur le mur sans prévenir personne. La colline était son domaine, et aucun mur n'aurait su arrêter l'élan de son corps d'athlète fait pour franchir des frontières, voire les transgresser. Poma aimait plonger nue dans la piscine, débarrassée de toute forme d'obstacle entre elle et l'eau. Mais elle aimait également ne pas dire non au désir des hommes. Jeune ou mûr, le regard d'un homme posé sur elle semblait la couper de sa volonté. Elle devenait passive, objet réfléchissant le désir du prédateur de service. Son défunt père avait dû en profiter. Cette intuition taraudait Paul depuis le début de leur relation. Tout en luttant dans son for intérieur contre ce soupçon, il collectionnait les petits faits et gestes susceptibles de le renforcer. Rien de plus lourd à porter que cette image d'une poupée qui dit oui tout le temps, et à n'importe qui. Une façon à elle, croyait-il, de se faire pardonner sa beauté, et ce corps sensuel qui, tout comme la colline, étalait à profusion ses fruits entre ciel et terre.

En proie à des sentiments contradictoires, écartelé entre l'amour et la haine, et ne se gênant surtout pas pour sortir tout à coup ce qui à ce moment-là occupait son esprit, il lui dit de se déshabiller devant lui et de passer la robe qu'il avait achetée en ville pour elle. Aussi lui demanda-t-il de célébrer avec lui le *cauchemar* de l'aimer. C'est le mot qu'il prononça, incapable de résister à la tentation du mélodrame. Tout comme Anna, cette mère québécoise dont il n'avait jamais surmonté la mélancolie, il se surprenait de plus en plus à puiser dans des expressions frelatées à force d'être répétées à satiété par la misère des gens. Tout d'abord, Poma pensa qu'il blaguait, mais très vite elle s'aperçut qu'il avait aux lèvres ce rictus de sentiment froissé qui se manifestait chez lui la veille de son *day off*. *Il y a quelque chose qui ne va pas ?* s'informa-t-elle avec le ton de voix non pas de Telma ni celui de Leda, sa belle-mère, quand elle voulait être tendre avec lui, mais avec celui d'une femme consciente qu'elle n'a rien sur quoi s'appuyer en dehors de sa voix, de la sincérité de sa voix. Il dit non de la tête avec le geste têtu, irresponsable, des poivrots quand on leur demande s'ils ont besoin d'aide pour tenir le volant ou, tout simplement, traverser la rue à l'heure où la circulation se fait la plus dense. La fille n'insista pas ni n'essaya non plus de se protéger contre l'injure, marmonnée à peine à la manière d'un mantra, qui suivit sa question :

— Une pute, t'es comme une pute, Poma…

Elle se rappellera probablement toujours qu'une musique anonyme de piano et de violon tressés avait remplacé dans la maison les roulements de tambour d'Amancio. C'était une musique langoureuse et sans prétention que l'inquiétude de Paul, ou sa consternation, avait choisie au hasard. Il y avait aussi des odeurs qui venaient de la cuisine, des plats qui mijotaient à présent sans le regard averti de Poma qui connaissait d'instinct le moment précis où l'ajout d'épices et d'herbes aromatiques viendrait renforcer tous ces parfums dont les intensités se renouvelaient au fil des saisons. L'urgence de la demande, ce besoin si masculin de satisfaire le désir là où il se présente, avait détourné la fille de son itinéraire domestique en l'obligeant à enfiler cette robe dont la couleur lui apparut d'emblée comme un signe avant-coureur de cette violence rentrée qui crispait le visage du fils de Rafael Escalante.

Alors, guidé sans doute par la mémoire libertine de ce père qui avait fait de son testament le scénario moyennant lequel lui, Paul Escalante-Lambert, avait voix au chapitre, il força Poma à se retourner comme une toupie et il l'empoigna à la poitrine d'un geste sec et sans ménagement.

Elle ne réagit pas. Souple comme un jonc qui épouse l'orage pour ne pas se briser, Poma ne dit rien non plus. Du reste, qu'aurait-elle pu dire au moment où les six pieds et des poussières de son assaillant déferlaient sur elle avec l'impétuosité de l'eau qui dévale une colline ?

Puis vint le ressac. Il faisait nuit noire, et, dans la cuisine, une odeur récalcitrante de farine grillée s'était substituée au concert d'arômes et de parfums divers que les mains de la fille se plaisaient à concocter. Côte à côte, proches et lointains, lui, la respiration encore haletante, elle, le regard cloué au plafond, leurs corps ouverts à la solitude d'un foyer dont ils n'étaient que les figurants.

— Pardonne-moi, l'implora-t-il d'une voix étranglée tout à coup par le remords.

Se retournant vers elle, il tâcha en vain de l'embrasser. Très lentement, et sans brusquerie, elle se déroba à son étreinte. Les yeux ravagés par les larmes, Paul la vit s'éloigner sur la pointe des pieds avec cette légèreté qui accompagnait tous ses gestes.

Il resta seul, par terre, vidé de son désir, sanglotant comme le ferait un enfant dans la rue lorsqu'il se fait tard et que le chemin du retour à la maison se confond avec tous ceux qui ne mènent nulle part.

VII

L'orage s'est déchaîné alors que j'essayais en vain de m'abandonner au sommeil. Furieux, assourdissant, indomptable. Un bronco, papa, si tu avais été là, même ton fouet n'aurait pu l'arrêter. Si tu l'avais entendu étriper le silence de la nuit comme le ferait un ours en folie dans un carré de sable. Oui, je me suis senti tout petit, comme cet enfant — te rappelles-tu, papa ? — qui criait dans sa chambre dès qu'on fermait sa porte.

Je me suis rapproché de la fenêtre pour voir et entendre cette nuit qui était la mienne. Tous les tambours d'Amancio s'y étaient donné rendez-vous pour écraser à jamais ces vignes dont les raisins, suspendus entre ciel et terre, imitaient les seins de Poma penchée sur moi, dociles, gorgés de soleil. Accompagné de pluies diluviennes, l'orage a émietté le mur et la pergola qui y trouvait appui d'un féroce coup de griffe. J'ai assisté ahuri à l'écroulement de toutes ces briques que l'eau éparpillait comme les bateaux en papier que l'on trouve dans les caniveaux des écoles des quartiers pauvres. J'ai pensé à Soto, à son dur labeur sous une chaleur accablante pendant de longues semaines. Je n'ai pu m'empêcher de songer à l'ironie du temps qui réclame une patience infinie dans l'accomplissement d'un ouvrage, et qui ne met que quelques secondes à l'anéantir. C'est le temps à deux têtes au milieu desquelles croît ce que l'on appelle amour, animal amphibie qui aspire à la lumière, incapable de se dégager de la boue qui anime son élan.

Poma et moi nous sommes réveillés sans mur dans le jardin et dépouillés de ces vignes qui nous protégeaient du soleil de midi quand nous étions dans la piscine. Planté à flanc de colline, le pommier ayant inspiré mon père le jour du baptême de Poma n'était plus qu'un tronc dégarni. Bien que l'écorce soit toujours là, l'ouragan a emporté avec lui les branches les plus fournies. Tout ce que le vent et l'eau sont capables d'arracher dans leur mariage meurtrier jonchait le sol à perte de vue. Or, ces coteaux ravagés, loin de m'affliger, apaisaient mon esprit.

J'ai quitté ma chambre de bonne heure, aiguillonné par le désir presque physique d'en faire un inventaire détaillé. J'étais particulièrement curieux de visiter le *gomero* dont les roulements de tambour avaient par le passé bouleversé l'équilibre de mes jours. Il était urgent pour moi de savoir si ses branches centenaires avaient réussi à survivre. Après avoir vérifié que la jeep n'avait pas été endommagée, je me suis rendu en haut de la colline. Je n'en croyais pas mes yeux. Imperturbable, non seulement l'arbre n'avait perdu aucune de ses branches, mais il avait gagné en splendeur. Plus vert que jamais, fidèle à lui-même, et avec une assurance majestueuse fournie par des racines plongeant dans la colline à ses pieds, le *gomero* me narguait. La nature, capricieuse à souhait, avait ainsi décidé que la zone allant des miradors jusqu'à la maison des Urtubey serait épargnée. Toute la rage aussi brutale que soudaine de l'orage s'était concentrée sur les flancs des coteaux qui descendaient vers la rivière. Là, tout en bas, où des maisons de fortune abritaient des manants et des hors-la-loi, les effets de l'orage avaient été dévastateurs. Un voisin accouru en quatre-quatre pour venir inspecter sa maison de campagne m'a appris qu'il fallait faire un détour pour regagner la ville. Le lit de la rivière ayant débordé, la jonction avec les deux principales artères d'accès au centre-ville était encombrée de véhicules abandonnés au milieu d'un torrent de troncs arrachés et des débris de toutes sortes.

Je suis rentré à la maison inquiet et découragé. De sombres pressentiments occupaient mon esprit. Mais voilà que l'arôme du café de Poma musardait au soleil sur la terrasse. Je me suis fait un devoir d'emboîter le pas de la traînée de cannelle, soucieux de me débarrasser de mon humeur maussade au plus vite. Le monde pouvait bien s'écrouler, le café de Poma, lui, s'accrochait au terroir avec la conviction d'un enfant qui vous sourit contre vents et marées. C'était peut-être ça, la sagesse de Poma, sa façon bien à elle de ne pas faire corps avec le pire, sa manière de me dire qu'elle était toujours là à mes côtés. J'ignorais pendant combien de temps cela allait durer, mais le bonheur redevenait possible malgré tous ces signes d'apocalypse qui s'abattaient sur nous. De le sentir là, ce café, si pareil à lui-même, j'ai éprouvé la joie subite du voyageur qui regagne un lieu où le monde a encore une saveur.

Je me répète toujours que dès que je toucherai mon héritage je partirai, mais ce n'est peut-être pas vrai. L'idée de laisser Poma seule ici m'emplit d'une telle tristesse qu'il m'est tout bonnement impossible d'envisager la vie sans elle. Petit à petit, elle s'est mise à grignoter ces espaces de liberté que je chérissais tant et m'a rendu dépendant. Voilà l'amour à son meilleur. On le chasse par la porte, et il rentre par la fenêtre déguisé en Cendrillon. J'ai toujours pensé que l'on n'aime que l'image que l'on se fait de l'autre, et que ce malentendu, à la base du couple, finit par nous sauter au visage comme une bombe puante. C'est sûr que les images que je garde de mes parents se regardant en chiens de faïence lorsque j'étais enfant n'ont pas aidé à me faire changer d'avis. Mais Anna — maman, ne m'écoute pas, s'il te plaît, si t'es là — était née sous une mauvaise étoile. Il suffisait de la regarder droit dans les yeux pour comprendre qu'entre elle et le monde il y avait comme un décalage, une frontière en tout cas qu'elle se refusait à franchir autrement qu'à grand renfort de cris. *Anna, tes cris au seuil de la nuit, où sont-ils maintenant que papa n'est plus là pour les absorber comme une de ces éponges gorgées d'eau que le ressac déposait sur la plage ?*

Hier, j'ai sorti, une à une, les briques entassées au fond de la piscine. Il était environ onze heures trente du matin, et le soleil mordait avec la conviction d'un chien pour qui rien n'existe en dehors de sa rage. Oui, je l'avoue, il y a des jours où le soleil m'apparaît comme un ennemi toujours prêt à cogner de plus en plus fort. Surtout quand il faut s'échiner pour faire en sorte que la piscine recouvre sa limpidité bleutée de naguère.

Poma m'a apporté un verre de limonade sur un plateau. Je l'ai regardée d'en bas, de ce lieu où croupissait tout ce que l'orage avait extorqué à la terre. Je l'ai regardée depuis mon petit enfer à moi, soleil et pourriture la main dans la main, prêt à recommencer tout comme le ver qui, une fois dans la pomme, confond destruction et survie. Je l'ai donc regardée les pieds dans l'eau, sûr au moins de ne rien laisser échapper de ce qu'elle avait à me montrer tant que ses deux jambes seraient l'arbre dont je réclamais l'ombre à cor et à cri pour cuver mon vin. Vu d'en bas, le pubis de Poma, les jambes écartées et sans culotte, scintillait, étoile de mer ou amibe spectrale, c'était selon. J'aurais préféré la première, car elle me hissait vers sa lumière, mais la deuxième était plus proche bien que tout aussi insaisissable. Ça, je l'avais également appris à mes dépens : d'elle ma soif ne goûtait que des bribes. Et la tâche était toujours à recommencer, là où je l'avais laissée la veille. Interminable, infinie. J'ai embrassé ses pieds nus avec la foi du Nazaréen sous le soleil qui le crucifie. À force d'y frotter mes lèvres, me voilà limace, je la chatouille jusqu'à la faire rire. Par instinct, je sais que pour elle la vie commence là. La tristesse, elle l'accepte, mais ce n'est pas sa tasse de thé. Autrement son sourire ne serait pas aussi indécrottable, aussi téflon. Tout au fond d'elle-même, un registre champagne savoure pleinement le côté pétillant de l'existence. Poma aime la vie, ça se voit, ça se sent. C'est une fausse mélancolique. Il faut que je la fasse rire aux éclats si je veux la garder auprès de moi. Il faut que je mette le masque du clown, du saltimbanque, du funambule, bref, je ne dois surtout pas chialer. Des hommes, elle aime leur chant haut et fort, leur roucoulement d'oiseaux bien assis sur une branche, le roulement de leurs tambours nichés dans les sommets. Je ne sais pas chanter, et je ne danse que le tango, une musique triste comme la porte d'une prison.

Je ne pouvais voir ses yeux parce que le soleil m'éblouissait, mais j'aurais parié qu'elle contemplait ce qui restait du mur. Il y avait aussi les restes de la pergola éparpillés ici et là, surtout dans la piscine. Impossible de les observer sans un pincement au cœur, me suis-je dit pour me donner contenance. Alors ma voix, encore une fois, s'est fait un devoir de planter quelques graines d'espoir là où le malheur avait frappé :

— Je ferai construire un nouveau mur que des bougainvilliers couvriront de roses et de violettes, tu verras, fais-moi confiance.

Sans doute parce que j'avais les pieds dans l'eau, ou peut-être parce que la nuit viendrait saupoudrée de Poma, ma voix résonnait légère et enjouée.

Il y a eu un silence, puis cet énoncé inattendu qui m'a bouleversé, d'autant plus que le ton en était calme et doux à la fois :

— Ici, aucun mur ne peut résister aux pluies d'été.

— Ça, pourquoi ne pas me l'avoir dit avant que je ne fasse appel à Soto ?

— Parce que vous n'écoutez que vous-même.

— Si je n'écoutais que moi-même, je ne serais pas ici, Poma.

Encore un silence, puis sa voix, tout à coup métallique, filtrée par ce soleil qui la transformait en monnaie de plomb, a sonné midi dans ma conscience :

— Comme tous ceux qui viennent d'ailleurs, vous n'êtes ici que pour l'argent.

Comme les montagnes, Poma change avec les saisons. Poma en été n'est pas Poma avec le soleil d'automne sur les hanches ni Poma en velours bleu l'hiver lorsque l'heure du maté la faisait venir un plateau à la main, alerte et dévouée. Son regard était si doux alors que j'aurais pu me passer du sucre pour édulcorer l'infusion.

À présent, quand je l'appelle, son pas est lent, et ses mains n'ont plus cette sollicitude toute maternelle qui apaisait mon inquiétude. Elle continue à s'occuper de la maison comme avant, bien qu'elle ne parsème plus son itinéraire de bouquets de fleurs. Les plats qui sortent de la cuisine n'ont plus la saveur des premiers jours. Les *empanadas* du samedi midi ne sont plus cuites à point. Toujours bonnes à manger, certes, mais le vin de Salta qui les accompagne n'y trouve plus le zèle d'un goût complice qui veille au grain. Est-ce la faute à cet été qui ramollit tout sous son souffle d'enfer ? Ou s'agit-il plutôt d'un passage à vide qu'un peu de tendresse et davantage d'écoute de ma part devraient aider à écourter ? Quelque chose chez elle s'éloigne de moi, et je reste seul avec mes nœuds. J'en ai tellement que je pourrais descendre en ville et revenir sans les déballer tous.

Hier soir, un verre de vin à la main — elle s'apprêtait à débarrasser la table —, je lui ai dit que je l'emmènerais à Buenos Aires avec moi aussitôt l'héritage réglé. Son regard s'est posé sur moi si froidement que, l'espace de quelques secondes, j'ai eu l'impression de ne plus la reconnaître. Ses cheveux ramassés en chignon sur sa nuque donnaient un air austère de duègne à sa figure. Sa peau bronzée contrastait avec sa robe blanche en lin, qu'elle portait avec une ceinture noire autour de la taille. On était la veille d'un nouveau dimanche, jour d'impossible harmonie entre nous. Ce que le jour n'avait pas tué, la nuit le rendait encore plus fort. Et comme d'habitude, l'imminence de ce jour maudit entre tous, je l'éprouvais comme un coup de poing dans l'estomac. J'ai d'ailleurs toujours eu horreur des dimanches. De leur faux air de famille, de leur album avec un crucifix entre chaque photo.

— Je mourrai dimanche, Poma, pour ressusciter lundi, ai-je dit d'une voix qui se voulait légère.

Poma s'est immobilisée pendant quelques instants. J'ai cru qu'elle allait parler, mais son regard m'a toisé des pieds à la tête comme le ferait un agent des pompes funèbres. Alors j'ai compris que j'avais trop bu, et que mes perceptions, déformées par l'alcool, ne faisaient que m'égarer davantage.

Je me suis levé en titubant, et tout comme un épouvantail qui cherche à embrasser la mer au bord d'un précipice, j'ai marché vers elle les bras ouverts. Je marchais toujours d'un pas hésitant quand un roulement de tambour aussi fort qu'intempestif s'est fait entendre sur la terrasse. Amancio, à bout de souffle, a ouvert la porte et a fixé Poma d'un regard fébrile. Il s'est aussitôt mis à lui parler avec ses dix doigts comme si je n'existais pas. Les arabesques de ses deux mains tressaient devant moi une toile dont j'étais exclu. Ce langage réservé aux initiés, tout en me mettant hors jeu, m'a fait sentir ignorant et impuissant, moi qui ne savais parler qu'avec la bouche, et encore. *Qu'est-ce qui se passe?* ai-je demandé, interloqué. Les mains de l'aîné des Urtubey s'agitant toujours comme des acrobates sous le chapiteau d'un cirque muet, Poma a daigné traduire le langage de son ami. Trois individus avaient fait irruption chez ses parents. Armés jusqu'aux dents, ils prétendaient les expulser de la maison. Son père s'était défendu bec et ongles. Mais dans l'échauffourée qui s'était ensuivie, il avait été blessé. Il avait réussi à chasser les agresseurs mais au prix d'une blessure à l'épaule qui n'arrêtait pas de saigner. Amancio avait besoin d'un véhicule pour le transporter à l'hôpital. C'était clair qu'elle appuyait cette demande. Amancio voulait ma jeep. Qui me garantissait que son histoire n'était pas inventée de toutes pièces? Probablement filou tout comme son père, dans l'éventualité où je la lui prêterais, il serait fichu de la garder. Je lui ai expliqué que, avec tous ces intrus dans les environs, il était hors de question pour moi d'être sans véhicule. Puis je lui ai demandé pourquoi il n'appelait pas une ambulance mais, au lieu de répondre, il a crispé les mains comme s'il voulait frapper. J'ai regardé son tambour qu'une lune pleine bien accrochée au ciel éclairait avec intensité. Puis, en un clin d'œil, il nous a tourné le dos pour repartir la tête haute et le tambour en bandoulière. Poma, quant à elle, n'a rien fait pour le retenir, mais j'ai tout de suite compris que dimanche elle suivrait ses traces à bride abattue.

Je marche en rasant les murs, celui de la cuisine d'abord, qui sent le café et le pain grillé de Poma, puis tous les autres au pied desquels, un jour ou l'autre, je serai lapidé comme un chien ou, dans le meilleur des cas, poignardé dans le dos. Voilà mon dernier cauchemar, encore chaud, tout feu tout flamme, au beau milieu de mon front, telle une fleur de lotus attendant la lame qui l'arrosera de son propre sang. On est lundi. Dimanche, c'était hier, si je sais encore compter les jours de ma dernière semaine ici, entre ces quatre montagnes. Poma est revenue. À part l'arôme de son café noir que des paysans colombiens transportent à dos de mule pour le faire peser avant qu'il arrive ici, il y a l'odeur musquée de son parfum qui rappelle celui de mon père à l'époque où il jouait les dandys. Il aimait se parfumer au musc à Mar del Plata, comme s'il cherchait à effacer les relents chimiques dans lesquels baignait la dépouille d'Anna rapaillée après sa rencontre avec le train. Et si Poma venait bourgeonner là où la mort a frappé ? Et si la mort d'Anna avait ébranlé le commerçant beaucoup plus que je ne l'avais cru ?

Alors, afin de me tirer du cauchemar, je songe aux cheveux de Poma étalés sur la colline, puis à l'eau qui les métamorphoserait en racines. Arbre parmi les arbres, elle serait toujours près de la maison. Rien de plus fidèle qu'un arbre, sur lequel on peut toujours compter. Jamais il ne vous quitte, toujours là. Mais je sais qu'elle n'est pas un arbre parce que son tronc plie dès que les roulements de tambour se mettent à dévaler la colline. Pourtant, elle n'est pas que de chair. Un jour où j'étais particulièrement triste à force d'être jaloux, elle m'a dit que les montagnes dans lesquelles on vivait n'étaient qu'un prétexte pour parler avec Dieu. J'ai pensé qu'elle se moquait de moi, mais c'était sa manière de me tendre la main pour me faire comprendre que j'étais capable de voir plus loin que le bout de mon nez.

Assis dans la salle à manger, je regarde par la fenêtre le sommet de l'Aconquija, le panache éclatant de l'argent qui le couronne, le calme avec lequel ce volcan fait la paix avec le soleil. Humblement, je bois le café servi par les mains de Poma, tout en humant les fragrances de la cannelle qu'elle y met au fil des jours. C'est peut-être là que l'écorce de la douceur de Poma se découvre le mieux. C'est probablement là aussi qu'elle se rapproche le plus de l'arbre qui sommeille en elle.

Cette fois-ci, je ne le laisserai pas prendre l'initiative. C'est moi qui mènerai la discussion de A à Z, et s'il ne veut pas m'écouter, je lui casserai la gueule bien avant que son gorille puisse lui prêter main-forte.

Je fais les cent pas autour de la maison avant de reprendre le volant. Je m'assure qu'aucune fronde n'est embusquée derrière un arbre et ne vise mon front. Je demande à Poma de ne pas sortir tant que je ne serai pas de retour. C'est devenu un rituel chez moi. Je subodore qu'elle ne s'y conforme pas, mais le fait de le répéter chaque fois, tel un mantra, me calme les nerfs.

— Il pleut des pierres, dis-je.

Elle me regarde, un sourire triste à la bouche, un de ces sourires qui en disent long sur les ravages que mon entêtement à vouloir toucher l'argent de mon père provoque dans notre relation.

— Cette image ne vous appartient pas. Elle vient d'une nouvelle de Juan Rulfo, l'écrivain mexicain, dans laquelle Macario, le personnage principal, voit des ennemis partout, comme vous.

Cet amour pour la lecture vient de mon père. C'est lui qui a acheté tous les livres qui garnissent les tablettes de la bibliothèque de Poma. Mais on ne s'improvise pas lectrice du jour au lendemain. Il fallait qu'à la base il y ait une prédisposition, un talent naturel. Et Poma l'a. Son intelligence et sa sagesse sont bien plus grandes que les miennes. Alors que je m'agite comme un forcené strictement pour rien, elle demeure sur place, auprès de son arbre préféré, un eucalyptus qui éloigne les moustiques tout en lui donnant de l'ombre à l'heure où le soleil cogne le plus.

— Je t'aime, Poma, comme je n'ai jamais aimé. Cette phrase, aussi banale et stéréotypée soit-elle, vient du mélo dans lequel je vis depuis que je te connais. Elle ne vaut peut-être rien, mais au moins elle est à moi.

— Si vous m'aimez, restez ici, ne me laissez pas seule avec moi-même, dit-elle, les yeux fixés sur moi, la voix tremblante.

Alors, gêné par l'expression de cette émotion qui se montre soudainement à fleur de peau, et incapable de reconnaître que cet argent virtuel dont j'ignore le montant exact est venu se loger au centre de mon désir au point d'écraser tout le reste, je ne dis rien, me contentant de sourire à mon tour, fatigué de moi-même, lâche et cupide tout à la fois.

Je l'ai attendu devant la porte du commerce qui sert de masque à ses activités d'usurier. Dès qu'il est descendu d'une grosse berline noire aux vitres teintées, j'ai braqué mon regard sur lui, puis sur le nœud de sa cravate. Un de ces nœuds qui semblent fabriqués en usine. Mes nœuds à moi — de cravate et les autres — naissent tout croches, hésitants, précaires, ils se défont dès que je les présente en société, dégoulinent sur ma poitrine, bavent comme des limaces. Le nœud de la cravate du père de Poma est coulé dans le béton. Plus qu'un nœud, c'est une pièce de monnaie qui brille au milieu de son gosier.

Il m'a regardé sans surprise. D'ailleurs, on dirait qu'il met un point d'honneur à ce que rien ne l'étonne. Bizarrement, une expression de sympathie se dégageait de son regard. Mon agressivité s'est aussitôt dissipée. Je lui ai dit que j'avais quelque chose d'urgent à lui communiquer. Sur un ton jovial, il a remarqué que son bureau était aussi engorgé qu'une salle d'urgence et que, somme toute, il ne faisait que ça : répondre à des urgences. Il a ajouté qu'au train où allaient les choses, il ferait mieux d'emménager dans un hôpital. Prenant la balle au bond, et sur le même ton badin, je lui ai glissé à l'oreille qu'il fallait, en effet, être malade pour aller voir quelqu'un comme lui.

— Je vois qu'on commence à se comprendre, vous et moi, a-t-il murmuré d'un air sournois.

Il m'a ensuite invité à prendre un café dans un troquet du coin. De la fumée, un boucan de tous les diables (des ouvriers, de l'autre côté du comptoir, installaient un écran géant pour le match de soccer qui aurait lieu en soirée), et du placotage que la fusion de nicotine et de caféine rendait par moments surréaliste. Bref, un lieu propice à toutes sortes d'échanges, y compris les plus troubles. Parra Vallejo y était comme un poisson dans l'eau. Un garçon aux moustaches poivre et sel était venu à sa rencontre, obséquieux et déférent, *bonjour, Don Francisco, votre table est prête, suivez-moi, je vous en prie, Don*

Francisco. Tout au fond, du côté des fenêtres donnant sur une étroite cour fleurie, une petite salle nous a accueillis dans le confort de l'air climatisé, dont les bouches d'air froid courbaient les tiges des plantes vertes suspendues au plafond.

Cette fois-ci, je ne me suis pas gêné pour aller droit au but :

— J'ai besoin d'argent pour renforcer la sécurité dans la maison. La colline est devenue de plus en plus dangereuse, ai-je dit tout à trac.

— Le seul lieu sûr dans ce pays, là où personne ne peut venir vous déranger, c'est la mort, mon vieux, a-t-il lâché avec un sourire en demi-teintes.

— Si vous ne me donnez pas l'argent, je serai obligé de quitter la maison.

— Vous avez le droit d'y demeurer. Elle avait été donnée à votre père comme gage de son investissement. Rien ne me rendrait plus heureux que d'accéder à votre demande, mais la crise économique et sociale que traverse ce pays m'en empêche. Il y aurait pourtant un moyen pour que vous obteniez ce que vous souhaitez.

— Lequel ?

— En m'aidant à sortir de la mauvaise passe dans laquelle je me retrouve à mon corps défendant, il faut bien le dire, a-t-il grommelé en mâchant ses mots.

— Comment puis-je vous aider ?

— En me prêtant tout simplement de l'argent.

Pris au dépourvu, je suis resté quelques secondes bouche bée. Parmi les variantes imaginées, celle-là ne figurait pas dans ma besace. C'était le comble. Je lui ai rappelé que c'était moi le créancier. Sans perdre son sang-froid, il a prétendu que, dans certaines circonstances, il était nécessaire de réinvestir si l'on voulait récupérer la mise initiale. Selon lui, ses problèmes actuels étaient liés à un manque de liquidités qui disparaîtrait avec l'arrivée de nouveaux investisseurs. Je l'ai regardé droit dans les yeux, avide de jauger la sincérité de ses propos. La fumée nous assaillait de toutes parts, et il n'était pas facile de distinguer où se situait, dans ce visage en trompe-l'œil, la frontière entre le vrai et le faux.

— Qui me garantit que vous tiendrez parole ?

Son visage a tout à coup adopté l'expression grave et seigneuriale d'un noble espagnol.

— Je m'engage à vous signer un billet à ordre devant notaire, en plus de transférer le titre de la propriété sur la colline à votre nom, a-t-il dit.

J'ai regardé par la fenêtre. Le ciel s'était obscurci et un amoncellement de nuages annonçait l'imminence d'une nouvelle averse d'été. Je n'ai pu me retenir de songer à Poma, seule au milieu des coteaux transformés en toboggans par lesquels des trombes d'eau mettraient encore une fois à dure épreuve les fondations de la maison. Saturé de café, j'ai demandé de but en blanc :

— Pourquoi Poma vous déteste-t-elle à ce point ?

Un sourire amer s'est dessiné sur les lèvres de Parra Vallejo.

— Puisque bientôt vous serez mon associé, du moins j'ose l'espérer, permettez-moi de vous donner un conseil : ne parlez jamais de femmes quand il est question d'argent.

— Il s'agit bien de votre fille, n'est-ce pas ? ai-je insisté, incapable de penser à autre chose.

— Cela ne l'empêche pas d'être une femme.

— Vous ne la voyez que comme une femme ? C'est tout ?

— C'est comme ça qu'elle s'est débrouillée pour que je la voie.

— Qu'est-ce que vous voulez dire par là ?

— Écoutez, tout ce que je sais, c'est que deux et deux font quatre, et quatre et quatre huit. Le reste, c'est de la spéculation, a-t-il répondu en cherchant visiblement à se défiler.

— Moi aussi, je sais compter. Si vous voulez que je vous aide, il faudra que je vous connaisse mieux.

— C'est elle qui vous intéresse, pas moi. Ne me racontez pas de niaiseries, s'est-il récrié sur un ton sec.

La sonnerie de son portable a soudainement interrompu notre dialogue. Une affaire pressante exigeait sa présence dans son bureau. Avant de me quitter, il a dit :

— Je ne connais que deux types de femmes : celles qui cherchent un père et celles qui le trouvent. Celle que vous appelez Poma est assise entre deux chaises. Connaissez-vous une meilleure manière de se retrouver le cul par terre ?

La pluie n'arrête pas de tomber depuis une semaine. Les récoltes pourrissent sur place, l'eau est partout, rien n'échappe à son emprise, un retour aux sources, en quelque sorte, une purification exterminatrice, adieu graines de vie, adieu péchés. Sans la violence de ces orages d'été, l'expiation de nos fautes ne serait que plus difficile. Voilà ce que je ressens lorsque le vent menace d'arracher la toiture et que les bourrasques se succèdent à un rythme d'enfer. À nous l'eau du baptême de ce Sud déchaîné, impur et volcanique. Est-ce pour ça, papa, que tu m'as fait quitter Montréal pour venir ici ? Faudra-t-il que je me noie comme un rat dans ce déluge pour me faire pardonner ? Faudra-t-il donc que je perde le Nord afin de gagner cette croix du Sud ? Or, en attendant le naufrage annoncé, tu vois, le renégat que je suis ne s'inquiète que pour elle, Poma, qui, à mes côtés, vaque à ses occupations entre deux orages, contre vents et marées. Je fais l'idiot ou le distrait, c'est selon, si le café arrive avec quinze ou trente minutes de retard. Elle ne veut toujours pas du reste que j'entre dans la cuisine me le préparer moi-même. De ce côté-là, les choses restent inchangées. Elle joue à fond le rôle de maîtresse de maison, mais le zèle n'y est plus. Ses robes, les transparentes surtout, celles qui, en épousant son corps comme un gant, libéraient la nuit de tout ce qui était de trop, sont de plus en plus laissées de côté au profit d'une de ces tenues sages et convenues. Je ne fais plus la tête, papa, je baisse les yeux, tu sais, content de l'entendre dans la maison, de humer avec gourmandise les parfums qui viennent de ses mains. Je lui parle avec tendresse en franchissant le seuil de la chambre qui sent l'encens, la fleur d'oranger, et tout ce qu'elle a fait macérer pendant la journée. J'évite de lui parler de mes peurs parce que je sais qu'elle n'aime pas les pleutres, et encore moins ceux qui chialent sur leur passé. Poma ignore tout simplement le deuil, car elle ne voit que le présent. Ni la mère perdue quelque part en Espagne, ni le père occupé à siphonner l'argent des autres, ni la disparition de celui qui fut son protecteur ne viennent spontanément à ses lèvres.

Je ne lui raconte plus ce que je fais quand je descends en ville. J'aurais voulu lui rapporter ma conversation à son sujet avec l'usurier, mais la crainte de la décevoir m'en a vite dissuadé. J'en suis rendu là avec elle. Finie l'époque où j'agissais avec spontanéité et sans arrière-pensée. Comme un joueur d'échecs, j'anticipe les effets de chacun de mes faits et gestes en sa présence. Mais, tout comme un joueur d'échecs, je ne vis mon désir que sur la diagonale d'un échiquier duquel la vraie vie est bannie.

Hier, j'ai parlé avec Telma au téléphone.

— Je pensais que tu m'avais tuée, m'a-t-elle tancé sur un ton enjoué au bout du fil.

Je lui ai répliqué que si les pluies diluviennes continuaient, ce serait bientôt moi qui lui passerais un coup de fil d'outre-tombe. Et je lui ai répété la dernière phrase de l'usurier qui me trottait toujours dans la tête :

> *Je ne connais que deux types de femmes :*
> *celles qui cherchent un père et celles qui le trouvent.*
> *Celle que vous appelez Poma est assise entre deux chaises.*
> *Connaissez-vous une meilleure manière de se retrouver*
> *le cul par terre ?*

— Je sens que tu es dans de beaux draps, Pablo, et qu'entre le père et la fille, le piège ne fait pas dans la dentelle, a-t-elle insinué d'une voix sombre et sibylline.

Je l'ai écoutée en silence, puis je me suis révolté contre cette façon tortueuse qu'elle avait parfois de dire les choses.

— Peux-tu me dire exactement ce que tu as dans le ventre au lieu de jouer les pythonisses ? ai-je demandé sans détour.

— Tu vas te faire baiser, Pablo, jusqu'au trognon.

— Cette fois-ci, chère Telma, c'est toi qui ne fais pas dans la dentelle.

— On dirait que ta condition d'héritier t'empêche de voir le monde tel qu'il est.

— C'est peut-être ça être héritier, devenir aveugle à force de recevoir, ai-je cogité à voix haute en me moquant ouvertement de moi-même.

Elle a gardé le silence pendant quelques secondes, puis sa voix pâteuse faite de plusieurs argiles est revenue à la charge, têtue, sans concession.

— Oui, c'est ça, Pablito, t'as tout compris. Vas-y donc en aveugle, a-t-elle tranché avec amertume, la voix tout à coup fatiguée.

— Ne sois pas méchante avec moi, Telma. Je risque vraiment de me foutre dans un guêpier si je n'arrive pas à y voir clair.

— Et pourquoi faut-il que ce soit moi précisément qui t'aide à sortir de ton propre labyrinthe ?

Si elle ne m'avait pas posé la question avec autant de sarcasme, je n'aurais probablement pas été aussi goujat :

— Parce que, en plus de te loger à l'œil pendant des années, j'ai aussi agrémenté de ma canne blanche certaines de tes nuits, ma petite Telma.

— Tu te trompes, Paul Escalante, c'est moi qui ai ouvert les portes de ma maison pour t'abriter. Tu étais comme un chien avec la queue entre les pattes sur les trottoirs de Buenos Aires après l'accueil fort chaleureux de ta belle-mère.

Telma de San Telmo, te voilà, mordante toujours, souvent lente, et avec des relents de dépit amoureux que je ne te connaissais pas. Je sais à présent qu'une femme peut tout pardonner, excepté la disparition du désir dans la voix de son amant, aussi occasionnel soit-il. Ça faisait trop longtemps que je n'arrimais pas de projet de retrouvailles aux oreilles de Telma. J'ai regretté de ne pas avoir interrompu, ne serait-ce que brièvement, mon séjour ici pour la rejoindre. J'ai regretté aussi de me retrouver encore dans ce lieu reculé, sans guide et sans soutien. Et si j'étais déjà mort et en enfer tout comme toi, papa ? C'est donc ça, l'enfer ? Une colline verdoyante avec des frondes embusquées et des montagnes à la Jurassic Park ? Et l'impossibilité de savoir d'où surgira le projectile qui voilera le soleil ? Ou l'enfer, papa, serait-ce ce feu follet nommé Poma, qui me coupe de tout ce qui n'est pas lui ?

Toutes les fenêtres de mon être donnent sur un seul paysage : Poma sur la terrasse, les cheveux aux quatre vents, habillée du vert des collines, en attendant que les vignes, encore une fois gorgées de soleil, refassent surface.

Jamais comme maintenant la jeep ne m'a autant servi à me déplacer des montagnes à la ville et de la ville aux montagnes. Un parapluie à quatre roues qui descend et qui grimpe des collines trempées d'eau jusqu'à l'os. Si cette vénérable et géométrique Wyllis ne me permettait pas d'avoir encore les deux pieds sur terre, il me serait franchement impossible de ravitailler la maison. Des équipes d'intervention d'urgence commencent à arriver de la capitale tandis que les zones inondées se multiplient à vue d'œil. Des milliers de constructions précaires ont été rayées de la carte. Des enfants et des vieillards ont été emportés par des torrents de boue. Je ne lis plus les journaux pour ne pas aggraver le malaise de ma conscience, vu que les nouvelles ne cherchent qu'à nous rendre responsables de tout ce qui ne va pas dans le monde.

Poma est convaincue que, si les pluies continuent, la maison finira dans le fossé. Elle pense que nous devrions rassembler l'essentiel en prévision du pire. Elle croit même avoir remarqué certaines fissures dans les murs de la cour qui servent de barrage contre la poussée des coteaux. Il va sans dire que je n'ai nullement l'intention de confirmer ou d'infirmer ses observations. Laissons le hasard faire son œuvre et advienne que pourra.

Quoi de plus déprimant que de constater l'extrême vulnérabilité du sol qui nous accueille ? Je n'oublierai jamais ces vacances d'été passées avec papa et Leda sur une plage à Lima. Un été de *ceviche*, de bière fraîche et de sable fin au bord de l'océan. Nous vivions dans un petit chalet loué pour la saison avec balcon, chaises longues et parasol compris, face aux failles du Pacifique. Punta Negra était le nom, fort à propos au demeurant, de cette station balnéaire censée nous faire tous oublier le suicide d'Anna. Les tremblements de terre s'y produisaient selon un calendrier sismique très

capricieux que même la science mathématique des Incas
n'avait jamais réussi à déchiffrer. Au lieu de fuir, atterré, vers
la sortie la plus proche, je profitais des secousses les plus
fortes pour me branler à mon aise. Mes orgasmes, en
épousant ceux de la terre, me permettaient pour ainsi dire de
faire d'une pierre deux coups. J'apaisais, dans l'ordre, la peur
et le désir qu'éveillaient en moi les tremblements de terre et
ma belle-mère.

La ville réussit tant bien que mal à survivre à sa propre
épouvante en dépit du visage déconfit des gens hantés par les
ruines et les décombres que l'on voit à la télé. C'est surtout
l'idée de voir filer leur patrimoine en pure perte qui les effraie
le plus. Une catastrophe qui arrivera probablement beaucoup
plus tard que prévu car, entre le noir et le blanc, la vie préfère
souvent le gris. Et voilà que, quand ils sont parvenus à la
frontière séparant l'apocalypse du miracle, leur espoir s'im-
prègne de la couleur des rats.

Je suis allé à la compagnie du téléphone pour solliciter la
réactivation de la ligne à la maison. Il y avait beaucoup de
frustration dans l'air. Piégés par une chaleur intolérable, nous
étions serrés comme des sardines, la transpiration dégoulinant sur nos visages. On aurait dit que l'eau nous suivait
partout, y compris à l'abri sous un toit. Il m'a fallu resquiller
un peu pour avoir accès à l'un des comptoirs du service à la
clientèle, autrement j'aurais péri d'asphyxie. Une employée
quinquagénaire tout en rondeurs, et avec l'air d'avoir assisté
à plusieurs naufrages dans sa vie, m'a fait savoir que la zone
où j'habitais n'était plus accessible aux véhicules de la compagnie. Indigné, je lui ai demandé si elle pensait que je rentrais
chez moi en hélicoptère.

— J'ignore comment vous vous débrouillez pour rentrer
chez vous mais, en ce qui nous concerne, les consignes sont
claires : tant qu'il pleuvra comme vache qui pisse, nous n'en-
verrons pas nos techniciens là-haut, a-t-elle tranché sèchement.

— Des vaches qui pissent, y en a partout, ma p'tite dame,
ai-je dit en la regardant droit dans les yeux.

Piquée au vif, loin de se démonter, elle m'a foudroyé du regard. Le genre de regard qui, s'il était armé, n'hésiterait pas une seconde à vous faire sauter la cervelle.

J'ai abandonné les bureaux de la compagnie avec un cellulaire Nokia flambant neuf entre les mains. C'était plus cher qu'une ligne ordinaire, mais Poma serait tout le temps à portée de ma voix. Du coup, je me suis réjoui d'avoir surmonté le problème à mon profit. Mais voilà qu'aussitôt sur le trottoir, je me sentis assailli de toutes parts par les doutes. Et si la fille utilisait le portable pour communiquer avec des gens de la ville que je ne connaissais pas? Et si, au lieu de s'en servir pour nous rapprocher, elle exploitait ce recours pour transmettre des informations sur moi? À qui? Pourquoi? Alors je me suis résigné à prendre note avec tristesse de la méfiance que je nourrissais à son égard, et ce, malgré toutes les marques de loyauté dont j'avais été l'objet. De fil en aiguille, j'ai dû reconnaître que ma méfiance n'avait rien à voir avec elle, que je la portais en moi depuis que j'étais enfant, depuis l'époque où maman, au lieu de venir me chercher à l'école, avait décidé de prendre le train qui ne menait nulle part.

Je me suis rendu à la banque pour faire transférer toutes les économies que j'avais accumulées au Canada. C'était quelque chose que je pensais faire plus tard mais, sur un coup de tête, j'ai décidé que le jour était arrivé de jouer cartes sur table. Mon coup de poker en quelque sorte, mon attirance compulsive pour le quitte ou double, mon désir de brûler par les deux bouts ma prudence de petit épargnant tout en faisant le pari risqué que j'étais capable de mettre hors jeu la couleur des rats.

Je suis arrivé au bureau de Parra Vallejo à midi pile. On m'a fait entrer immédiatement. Il était fidèle à son poste, une calculatrice à la main. Sa secrétaire était partie manger au resto du coin. Il a souri en me regardant. J'ai sur-le-champ senti qu'il savait que j'apportais de l'argent frais. Telle une souris qui flaire le fromage à distance, le museau de l'usurier frémissait de délectation. Il a sonné un de ses gorilles, qui est arrivé avec deux cappuccinos et un panier rempli de croissants. Alors j'ai posé deux grosses liasses de billets de cent dollars américains sur le bureau, l'une à côté de l'autre.

— Voilà mon placement, ai-je annoncé.

J'ai aussitôt vu la main de Parra Vallejo s'emparer de l'argent pour le glisser rapidement dans le tiroir de son bureau, comme s'il avait peur que je change d'idée. Un geste instantané, automatique, de machine faite pour avaler les sous. Ses yeux étincelaient. Il a dit :

— Unis, nous ne serons jamais vaincus.

— Pourquoi dites-vous ça ? ai-je demandé avec un brin d'agacement dans la voix.

— À cause de « United States of America » qu'on lit sur chaque billet vert.

Devant son sourire de vieille rombière habile dans l'art de siphonner le fric de ses semblables, j'éprouvai un mélange de répulsion et d'inquiétude prémonitoires. Une sueur froide parcourut ma colonne vertébrale, car je craignis de ne jamais récupérer mon argent.

— Et le billet à ordre ? ai-je demandé sur un ton méfiant.

Alors il a rouvert le tiroir de son bureau, juste ce qu'il fallait pour en extraire un papier bleu ciel genre chèque mais d'un format plus grand.

— C'était combien ? s'est-il enquis.

De l'entendre parler au passé a augmenté mon exaspération. Quand je lui ai révélé le montant, il a écarquillé les yeux. On aurait dit ceux d'un crapaud avant qu'il plonge dans un marais. Je lui ai alors demandé de compter devant moi l'argent qu'il venait tout juste d'empocher.

— Je ne veux pas l'user, car il n'est pas à moi. Je suppose d'ailleurs que vous l'avez déjà compté plus d'une fois. Moi, je vous fais confiance, a-t-il dit.

J'ai fixé ses yeux avec une extrême concentration, comme si je cherchais à en faire une photocopie pour l'emporter avec moi dans ma descente aux enfers.

— Ce sont mes dernières économies, l'ai-je averti.

— On en est tous à ce point ici. Vous qui venez du Nord, je pensais que vous étiez en avance par rapport à nous.

Du coup, il s'est mis à rire. Du rire gras de quelqu'un qui est convaincu d'avoir dit quelque chose de très drôle.

Puis il m'a remis le billet à ordre. Sa signature ampoulée et pompeuse occupait une bonne moitié du document bancaire. L'embonpoint du « P » de Parra avalait à lui seul les trois quarts de mes dollars comme s'ils étaient de la petite monnaie. Un peu plus bas, complètement écrasée, la signature d'un supposé notaire public, Calixto Galindo, se faufilait en catimini.

Tandis que je réfléchissais aux conséquences qui pourraient découler d'un investissement aussi impulsif, un rythme saccadé de musique techno a résonné quelque part tout près de nous.

— Putain de merde ! Je leur ai dit de ne pas laisser traîner leurs portables n'importe où. Un de ces quatre, je vais faire un infarctus, et alors là, ils vont tous l'avoir dans le cul.

Tout à coup, je me suis rappelé que j'avais un sans-fil de la taille d'un Kleenex plié dans l'une des poches de ma veste en cuir. Je l'ai sorti avec la célérité d'un samouraï qui dégaine son épée. C'était une voix éplorée de femme qui voulait parler au salon funéraire Happy End S.A. *Vous vous êtes trompé de numéro, madame,* ai-je répondu sèchement. Je trouvais de mauvais augure que le premier appel sur mon nouveau portable s'adresse à un croque-mort.

Pas dormi du tout. Compté des moutons en entendant le bruit du vent. La toiture craquait comme la carlingue d'un avion au-dessus de la cordillère des Andes à l'heure où le Zonda[1] se fait l'écho de la colère paysanne contre les exactions de la modernité. Il cogne plus fort que cent mille tambours d'Amancio dans mes oreilles. Puis la pluie avec ça. Têtue, unanime, irrépressible.

Poma a quitté ma chambre à l'aube. Ses yeux étaient rouges et la fatigue effaçait la douceur de son visage. J'avais profité des coups de tonnerre et des éclairs pour lui faire passer encore une nuit blanche. Une nuit de plus sans dormir, l'amour d'abord, l'amour ensuite et l'amour toujours, sauf que cette fois-ci, une première, elle avait dit assez, *j'en ai assez que vous me preniez jusqu'à plus soif, sans qu'à mon tour je puisse*

---

1. Vent particulièrement violent au-dessus de la cordillère des Andes, entre le Chili et l'Argentine (note de l'auteur).

me glisser là où vous faites une sortie de route. C'est ça qu'elle avait dit : une sortie de route. Sur le moment, je suis resté coi. Par cette image surprenante dans sa bouche faisait-elle allusion à mes penchants, peu glorieux du reste, pour les chemins de traverse ? Dans l'incertitude, je n'ai pas soufflé mot. J'avoue que, en la voyant franchir le seuil de la porte, j'ai éprouvé, l'espace de quelques secondes, un sentiment de répit.

Je ne laisserai personne dire que les pluies d'été lavent les péchés du monde. Celles qui inondent ces terres transforment les hommes en pirates. Ils écument la zone, prêts à harponner tout ce qui vacille. Un couple de sexagénaires descendant en ville a perdu hier soir le contrôle de son véhicule qui s'est embourbé sur l'accotement au pied de la pente. On les a retrouvés ce matin, l'un à côté de l'autre, raides comme un manche à balai, avec des traces d'avoir été achevés à coups de pierres. Décidément, la lapidation semble avoir la cote dans les parages. En apprenant la nouvelle à la radio, j'ai proposé à Poma de l'initier au maniement du revolver que je garde dans la boîte à gants de la jeep. Elle a refusé net mon offre avec la conviction de quelqu'un qui a un ange gardien à ses côtés. Me souvenant qu'elle avait coulé mon image la veille dans le cliché d'une sortie de route, je me suis dit que cet ange-là ne pouvait pas être moi. J'ai plutôt essayé de la convaincre en lui parlant des maraudeurs qui infestent les environs. Et je n'ai pas hésité une seconde à lui rappeler l'attaque dont avait fait l'objet la maison des Urtubey. À mon grand étonnement, elle m'a avoué que tout ça n'était que le fruit de l'imagination d'Amancio. *À force de passer des journées entières dans les arbres, il finit par délirer*, a-t-elle dit.

Je me suis limité à écouter sans rien commenter. Puis je me suis préparé à descendre en ville. Depuis que j'ai confié mes économies à Parra Vallejo, je le vois tous les jours. Nous prenons du café dans son bureau tandis que la secrétaire calcule les échéances de la journée tout en mettant à jour les taux d'intérêt qui, poussés par une inflation galopante, montent en flèche. Le père de Poma, de son côté, assure avoir

réduit ses frais courants afin de mieux faire face à ses enga-
gements auprès de ses clients.

Ce jour-là, à cause sans doute des signes d'exaspération
que je décelais chez sa fille, je ne me suis pas gêné pour lui
dire de but en blanc que je voulais mon argent sur-le-champ.

— Comment ça ? Vous voulez quitter le bateau en cours
de route ? s'est-il exclamé en prenant à témoin sa secrétaire.

Un sourire entendu s'est dessiné sur les lèvres pulpeuses
de la fille. Le regard roublard de l'usurier s'est ensuite posé
sur moi, revigoré par cette complicité tacite qui existait entre
les deux.

Loin de reculer, je suis revenu à la charge. Je sentais la
moutarde me monter au nez. J'avais les poings crispés.

— La patience fait partie de tout investissement. Mettez-
vous ça dans la tête, si vous voulez prospérer en affaires.

Ne pouvant plus tenir en place, je me suis brusquement
levé. Son beau bureau d'homme d'affaires était là, devant
moi, comme un masque derrière lequel se cachait toute la
misère du monde. Excès de café ? Frustration accumulée ? La
déception et la tristesse que je voyais chaque matin sur le
visage de Poma au moment de prendre mon café ? Un
mélange de tout ça ? Je n'en sais rien, mais c'est à ce moment-
là que, sans le regarder, j'ai lâché un coup de pied dans son
bureau. Cela faisait exactement une semaine que ses deux
gardes du corps avaient abandonné leur poste pour défaut de
paiement.

Au bout d'un long silence, j'ai cessé de fixer la partie du
meuble que ma botte venait de faire sauter en éclats pour me
concentrer sur le regard imperturbable et dur de l'usurier.
Calme comme s'il était à l'abri de toute violence extérieure à
la sienne, ses lèvres aussi fines qu'une lame de couteau ont
esquissé une ébauche de sourire. Dans son regard, tout semblait indiquer qu'il était déjà passé par des scènes semblables. Après avoir inspiré et expiré trois fois bruyamment
comme le ferait un hippopotame tout juste sorti de l'eau, il
m'a expliqué que si les gens à qui il prêtait de l'argent ne
remboursaient pas leur dette, lui non plus ne pouvait pas le
faire. Alors, sur le ton de quelqu'un qui vous offre l'or du

Pérou, il m'a proposé d'aller moi-même collecter l'argent qu'on lui devait.

— Ça, c'est votre sale boulot, pas le mien ! me suis-je écrié.

— Vous semblez oublier qu'on fait équipe à présent ; si je ne suis pas payé, vous ne le serez pas non plus, s'est-il contenté de préciser sur un ton sans appel.

Un beau matin, les pluies ayant ralenti leur cadence, je me suis résigné à frapper aux portes de PME criblées de dettes et sur le point de faire faillite. Il m'a fallu affronter toutes sortes de situations, les unes plus loufoques que les autres. Les vicissitudes financières des entreprises revêtaient des particularités distinctes, bien qu'elles fussent toutes dans le rouge. Pas besoin d'une maîtrise en économie pour comprendre que Parra Vallejo ne m'avait réservé que les clients qui avaient la corde au cou.

Après d'innombrables péripéties, j'ai atterri dans une agence de placement d'employés domestiques qui embauchait des handicapés. Faisant de la devise « Nous avons tous le droit d'être servis » sa marque de commerce, l'agence avait ainsi mis les talents de ses pupilles à la portée de toutes les bourses. Cela permettait à des familles désargentées de la classe moyenne de se prévaloir d'un statut social qu'elles avaient dû abandonner au fil du déclin économique du pays. Dans le but probablement de me sensibiliser aux problèmes actuels de l'entreprise, on s'est empressé de m'apprendre, lors de ma visite, qu'une des bonniches de la boîte avait nettoyé les vomissements d'un bébé âgé de trois semaines avec un aspirateur. Le seul problème résidait dans le fait que l'électroménager avait également englouti le nouveau-né à l'insu de son utilisatrice, soucieuse de ne pas se prendre les pieds dans le câble qui traînait par terre. Fabriqué en Chine, l'aspirateur possédait, semble-t-il, un tuyau qui — tel un boa — se dilatait en fonction de la taille des déchets qu'il rencontrait sur son passage. Une fois de retour chez eux, les parents s'étaient retrouvés dans une maison débarrassée de poussière mais sans héritier en vue non plus. La trouvaille, macabre à souhait, avait été faite par l'un des limiers

accourus sur les lieux du drame alors qu'il soulevait l'aspirateur qui encombrait le couloir. *Y a anguille sous roche ici,*
avait-il pronostiqué, alerté par le poids excessif de l'électroménager.

Bébé avalé par un aspirateur handicapé

La nouvelle, sous un titre de film d'humour noir, avait fait
la une de tous les journaux du pays tandis que l'agence de
services domestiques, Soft Cleaning S. A., avait perdu sa
clientèle du jour au lendemain.

Pendant plus de deux heures, j'ai écouté toutes ces
tribulations de la bouche du P.D.G. de l'entreprise. Jeune et
déjà voûté comme un vieillard, visiblement au bout du rouleau, le front buté, avec une masse cérébrale dont l'évolution
ne dépassait probablement pas de beaucoup celle de ses
subordonnés, il m'a promis de ne pas se suicider sans me
prévenir. Je lui ai expliqué que ce n'était pas précisément sa
vie qui préoccupait Parra Vallejo mais l'argent qu'il lui devait.
Il a juré une centaine de fois que les avocats avaient eu raison
de tout son capital. Sur sa lancée, il m'a assuré que, sans eux,
il serait maintenant en prison. *Remarquez, là au moins, je
n'aurais pas à m'enlever la vie moi-même. Ceux qui y sont le
feraient sans doute à ma place,* s'est-il consolé, incapable de
retenir un sanglot. Ému, j'ai fini par l'encourager à ne pas
céder au désespoir tout en serrant sa main droite, qu'il avait
moite et molle tout à la fois. Avant que je quitte son bureau, il
m'a demandé si je n'avais pas cinquante pesos à lui prêter.

Je suis rentré à la maison de fort mauvaise humeur,
convaincu que si Dante était encore parmi nous il n'hésiterait
pas une seconde à placer cette ville dans le cercle de l'Enfer.

Une fin d'après-midi avec un soleil de dernier Mohican
accroché sur la crête des montagnes, ne pouvant plus garder
pour moi seul toutes ces visites stériles, j'ai déballé mon sac
de misères à Poma. J'ai alors vu son visage s'assombrir d'un
coup.

— Je vous avais prévenu, a-t-elle dit.

Nous étions dans le salon. Elle regardait au loin. Où exactement? Les yeux de Poma avaient quitté la maison comme deux colombes qu'un chat de gouttière aurait fait fuir.

— Il m'avait dit que c'était la seule façon de toucher mon héritage, me suis-je justifié d'une voix mal assurée.

— Il roule les gens dans la farine. Pour ça, oui, il est bon. Puis les gens préfèrent le mensonge à la vérité. Il répète toujours ça.

— Je voulais l'aider à s'en sortir. Après tout, c'est ton père. Il payera ce qu'il me doit. Je ne le lâcherai pas, tu verras.

Soudainement, elle a retourné son regard vers moi. Jamais les yeux de Poma ne m'avaient paru aussi grands. Les arbres et les fruits y étaient, la colline et la maison également, puis ces montagnes que rien ne semblait ébranler.

— C'est exactement comme ça qu'il a trompé Rafael, en lui faisant croire que, outre sa fille, j'étais aussi sa servante et sa maîtresse. Il voulait me protéger. Voilà pourquoi votre père a placé son argent chez lui.

Tout à coup, dans un flash, je me suis rappelé les propos de Lumy, la cireuse de chaussures, le jour de mon arrivée: *Tôt ou tard, vous serez volé, monsieur.*

Le ciel s'était couvert. L'encre noire d'une nouvelle averse avait subitement remplacé les reflets rougeoyants du soleil couchant. L'été pour moi n'aurait été qu'une promesse de bonheur entre deux orages.

— Que puis-je faire à présent? ai-je demandé alors que Poma s'empressait de fermer les volets des fenêtres du salon.

— Rien. Un de ces jours, vous trouverez son bureau aussi vide que la poche des gens qu'il vole. Ça fait partie de ses ruses, il déménage à la cloche de bois, dépense l'argent à l'étranger, puis il revient plumer de nouveaux prétendants. Voilà sa raison commerciale, a-t-elle conclu d'une voix neutre, presque détachée.

— Et le billet à ordre qu'il m'a signé?

— Ça ne vaut rien.

— Je déposerai une plainte contre lui. Je ferai saisir sa maison, sa voiture, tous ses meubles.

— Rien n'est à son nom. Il est officiellement en faillite.

— Comment tu le sais?

— Votre père m'avait tout raconté, a-t-elle dit en allant fermer les volets de la salle à manger tandis qu'il pleuvait à verse sur la terrasse.

— Mais pourquoi ne me l'as-tu pas dit plus tôt? me suis-je exclamé en la suivant de près.

— Parce que vous n'écoutez que votre propre désir.

Pendant quelques secondes, je suis resté cloué sur place. Puis, avec beaucoup d'efforts, j'ai réussi à ramasser mes idées:

— Ne pas dire les choses, c'est une manière de les occulter, Poma.

Alors elle s'est brusquement retournée vers moi.

— C'est ça, rendez-moi responsable de ce qui vous arrive maintenant, a-t-elle dit en me regardant droit dans les yeux.

Il faisait nuit, l'heure du maté était passée. Il restait l'humidité répandue dans la maison, et cette pluie qui nous enfermait comme dans une prison.

Je me suis approché d'elle. J'aurais voulu caresser ses cheveux comme ceux d'un enfant qui a peur. Et j'aurais voulu lui dire de ne pas me regarder avec des yeux de haine, après tout je ne lui reprochais rien. Mais ma main ne bougeait pas. J'ai songé au mur de Soto, à l'effondrement soudain de toutes ces briques que ses mains avaient empilées une à une sous un ciel sans miséricorde. Mon regard, ne sachant plus où aller, s'est encore une fois penché sur elle, Poma, et j'ai cru percevoir des braises de fêtes lointaines dans ses yeux.

Les mots étaient des escaliers brisés qui précipitaient ma chute. Tant bien que mal, je suis parvenu tout de même à mettre sur pied une dernière phrase, tout aussi insensée que les autres:

— J'ai donné mon argent à Parra Vallejo pour te protéger contre lui.

Un sourire qu'on ne pouvait lire qu'en filigrane, pitié ou mépris? s'est esquissé sur ses lèvres.

Puis, dans un murmure, sa voix de nouveau douce mais pourtant étrange:

— Ne vous rendez-vous pas compte qu'il n'y a pas de protection possible, puisque vous occupez sa place?

J'ai senti que j'étouffais, et je suis sorti sur la terrasse.

La pluie et le vent secouaient les branches des arbres. J'ai levé la tête pour tuer dans l'œuf toutes ces larmes dont je ne savais quoi faire.

Épilogue

L e lendemain, l'arôme du café de Poma dans la cuisine
  lui fit croire pendant quelques instants que tout n'avait
été qu'un cauchemar. Rompant avec ses habitudes, Paul
s'interdit de glisser un regard furtif dans l'échancrure du
corsage de la fille au moment où elle se pencha pour poser
le café sur la table. Puis, un peu contrarié par ce début de
journée pas comme les autres, il s'imagina que le ciel bleu
qui viendrait après la pluie finirait par remettre les choses en
place. Avec le goût du café de Poma dans la bouche, il était
prêt à tout recommencer. Pressé alors d'en finir une fois
pour toutes avec l'usurier, il quitta la maison sans l'avertir.

Il se rendit de bonne heure chez Parra Vallejo et, n'y
trouvant pas le moindre signe de vie, il eut le sentiment que
quelque chose ne tournait pas rond. En vain, il attendit son
arrivée ou celle de sa secrétaire pendant des heures. Tout
comme lui, d'autres clients venaient pour se retrouver
devant une porte fermée et nulle lumière dans le couloir. Il
avait pensé tout d'abord qu'il s'agissait d'une panne de
courant, comme il y en avait tant dans le pays, mais le magasin au-dessous étincelait de tous ses néons. Tandis que les
clients, l'air abattu, se résignaient à rentrer bredouilles, il
sentit qu'il devait agir immédiatement s'il ne voulait pas se
couper de l'élan qui le transportait depuis ce matin lorsque
Poma, le café à la main, était venue vers lui comme si de rien
n'était, disposée sans doute à reprendre le fil des jours à flanc
de colline que le parfum de cannelle ne rendait que plus
grisants.

En dépit de la pluie qui inondait les rues, il mit le cap sur l'avenue Aconquija, à la recherche d'Albújar. Il n'attendit pas qu'on l'appelle pour entrer dans son bureau.

— Parra Vallejo a foutu le camp, dit Paul tout à trac dès qu'il retrouva Albújar assis devant son ordinateur.

— Asseyez-vous et calmez-vous. Avec ces orages à répétition, on est tous sur les dents ici, s'écria Albújar en regardant Paul pénétrer en trombe dans son bureau.

— Il faut lui mettre le grappin dessus avant qu'il ne s'évapore dans la nature, lâcha le visiteur trempé jusqu'aux os.

— Ça sert à rien de s'énerver. C'est pas la première fois qu'il file à l'anglaise. Tôt ou tard, il finira par revenir, tempéra l'autre.

Alors, fulminant du regard, Paul lui apprit que, outre l'argent de son père, toutes ses économies étaient parties avec lui.

Albújar le regarda comme s'il ne comprenait pas.

— Vous n'auriez jamais dû traiter directement avec Parra Vallejo, c'est un filou de la pire espèce. C'est pour ça qu'on était là, dit-il au bout d'un long silence.

Paul s'affala sur une chaise qu'Albújar plaça lui-même sous ses fesses comme il l'aurait fait avec une femme enceinte.

— Votre père nous avait mis entre lui et vous pour que vous ne fassiez pas la même erreur.

— Quelle erreur ? demanda-t-il, l'air hébété.

— Voyons, ne soyez pas naïf, confier votre argent à cet homme-là.

— Et pourquoi ne pas m'avoir prévenu plus tôt ? hurla-t-il, hors de ses gonds.

— Les instructions étaient que vous deviez lui faire payer la dette qu'il avait contractée envers votre père, pas l'accroître. Ça, c'était clair dès le début.

Ne voulant plus rien entendre, Paul remonta dans sa jeep et fonça vers le centre-ville. La Wyllis, haute sur roues, était l'un des rares véhicules à pouvoir circuler dans les rues inondées et jonchées de voitures abandonnées par leurs propriétaires. Il échoua sur la place principale avant midi. Il vit Lumy assise sur la branche d'un arbre en attendant que le niveau d'eau baisse sur la place. Il s'engagea dans des rues où les gens avaient bloqué leurs portes avec de gros sacs de sable pour que l'eau n'entre pas. À un carrefour particulièrement engorgé, il assista à une bagarre entre deux chauffeurs de camion qui se tapaient sur la gueule pour savoir lequel des deux passerait le premier. Tandis qu'ils se bagarraient, leurs camions respectifs, laissés sur place, provoquaient un embouteillage monstre. Paul dut, à ses risques et périls, monter sur le trottoir pour les contourner.

De retour à flanc de colline, épuisé et découragé, il appela Poma, sûr de retrouver en sa compagnie la force dont il avait besoin pour se relancer à la poursuite de l'usurier. Il eut beau l'appeler et la chercher partout, sidéré et abasourdi, il dut se rendre à l'évidence qu'il n'y avait aucune trace de la fille dans la maison. Sur le comptoir de la cuisine, le cellulaire qu'il lui avait offert en cadeau était aussi muet qu'une carpe.

Dans un ultime effort, il ferma les volets, un à un, soucieux de préserver ce qui restait d'elle dans la maison.

Assis dans le fauteuil du salon, les yeux fermés pour mieux la revoir, il s'assoupit, recru de fatigue.

Il ignorait combien de temps il avait réussi à échapper à l'absence de Poma, mais le roulement du tambour d'Amancio le réveilla brutalement. Jamais ses percussions ne lui avaient semblé aussi tristes. Alors il comprit qu'elle n'était pas avec lui non plus.

Au bout de trois jours, ou peut-être quatre, il ne se rappelait pas très bien, le soleil réapparut, mais sans Poma. Bien avant l'aube, il sentit son souffle chaud se frayer un chemin entre les montagnes. Il avait passé la nuit dans le salon, là où pour la première fois elle l'avait reçu comme si elle l'attendait depuis toujours.

Tel un vieillard que l'énergie déserte un peu plus à chaque réveil, il s'extirpa difficilement du fauteuil afin de s'accrocher aux relents de cannelle qui imprégnaient encore la maison. Dès qu'il remit les pieds dans la cuisine pour la première fois depuis le départ de la fille, Paul se rendit instinctivement compte qu'il devait préparer son café tout de suite s'il ne voulait pas mourir.

Du café avec l'odeur de Poma. Puis le pain, les tranches de pain grillé et la confiture de framboises maison. La cannelle aussi, bien entendu, mûrie sur pied en petits tuyaux alignés les uns à côté des autres, en alternance au soleil et à l'ombre, arôme dont la subtilité est le résultat de ce contraste que rien ne peut égaler. Tout ce que ses doigts touchaient se transformait en Poma. Poma à la cannelle, médaillon aromatique tatoué sur son front que les doigts du temps se plaisaient à réveiller ici et là, elle était partout et nulle part à la fois.

Mais au fur et à mesure que les heures passaient, l'absence de la fille le vidait de lui-même au point qu'il se sentait de trop. Un zéro à la gauche de son désir. Plus rien ne le faisait bander. Il se sentait émasculé, châtré comme un de ces chats condamnés à se frotter misérablement aux pieds des gens au lieu de folâtrer dans les gouttières. Aux prises avec un sentiment de nullité et d'abandon, il quitta la maison un matin de bonne heure pour reprendre la route.

Il ignorait à combien de portes il avait frappé. Aucune ne lui donna de nouvelles de Poma. Quelques portes s'étaient ouvertes d'elles-mêmes, mais il dut en forcer d'autres. Ce fut le cas dans le bureau de Parra Vallejo, dont il fit sauter la serrure d'un violent coup de pied pour s'apercevoir qu'il n'y restait rien. Même le plafonnier avait été enlevé.

Puis il rendit visite à Jodosa, ou plus exactement à sa cravate qui, soit dit en passant, exhibait deux ou trois taches de graisse, mais c'était l'homme tout entier qui faisait tache dans la vie, songea Paul, alors il le prit par le collet tout en lui crachant à la figure son chapelet de plaintes contre l'usurier et tous ceux de son acabit, y compris lui-même, Jodosa, *fuck you !* Quand il lui fit part de la perte de ses économies, l'avocat ne sembla pas surpris. Albújar l'avait probablement déjà mis au courant. Au paroxysme de sa colère, Paul serra encore un peu plus son étreinte. Alors Jodosa, trouillard en fin de compte, promit de l'aider à retrouver le fuyard.

— Je connais beaucoup de monde à qui il doit du fric, beaucoup de fric. En ce moment, y en a déjà qui le suivent à la trace, bredouilla-t-il d'une voix étouffée.

Sa voix félonne écœura Paul et il le relâcha. Le gros de la colère étant passé, le souvenir de Poma refit surface dans sa mémoire comme le ressac d'un poivrot :

— La fille qui habitait dans la maison, Poma, est partie elle aussi, dit-il avec tristesse.

Au bout d'un silence qui paraissait sans fin, Jodosa reprit la parole tout en remettant en place le nœud de sa cravate.

— Difficile par contre, voyez-vous, de retrouver une fille comme ça quand on n'a plus d'argent.

Il vendit la jeep Wyllis à un jeune couple récemment arrivé de l'Ontario. Grande et svelte, la fille, Geneviève, née à *Ottawa, connaissez-vous ?* Plutôt courtaud, lui, avec un regard un peu craintif de myope qui cherche à se fixer, *mon nom est Gabriel mais chez moi, à Toronto, on m'appelle Gaby.* Ils s'étaient donné rendez-vous dans un café sur la place Urquiza, un peu à l'écart du centre-ville. Les pluies ayant complètement cessé, les affaires reprenaient rapidement leur rythme habituel. Paul leur exprima son étonnement de les voir quitter un pays comme le Canada pour venir dans ce coin perdu de la planète.

— Nous avons appris l'espagnol à l'Université de Toronto et nous voulons le pratiquer dans un pays où la consommation à outrance n'a pas encore ramolli l'esprit des gens, expliqua-t-elle.

Ses yeux avaient le bleu des cartes postales et quelques gouttes de naïveté.

— Rien n'est simple dans ce pays, murmura Paul tout en souriant comme le ferait Humphrey Bogart à la fin d'un film avec des méchants en train de s'agiter encore dans les coulisses.

Le gars l'observa avec méfiance. Il sautait aux yeux que l'expérience du propriétaire de la jeep sur les routes du Sud ne l'impressionnait guère. Rien de ce qu'il aurait pu lui raconter ne changerait sa détermination de faire un bout de chemin dans ce pays austral. Résigné devant autant de foi en l'avenir, aussi argentin fût-il, il leur annonça son prix. Ils payèrent rubis sur l'ongle en dollars américains, un billet après l'autre, sans même chercher à négocier le montant. Il les informa qu'en plus d'une boîte à outils et d'une lanterne de poche, le tout-terrain comprenait également un revolver. Les jeunes se regardèrent avec de grands yeux, frappés de stupeur.

— La jeep que vous voyez là, je l'ai achetée telle quelle. Son ancien propriétaire m'avait fait comprendre qu'une arme ici est aussi importante qu'une roue de secours quand on est sur la route, dit-il d'une voix fatiguée tout en montrant du doigt sa vénérable Wyllis, lavée et astiquée pour l'occasion.

— J'imagine que le même principe peut s'appliquer pour un piéton. Pourquoi ne le gardez-vous pas, votre revolver ? demanda-t-elle poliment.

À part la couleur de ses yeux, la voix de la fille, chaude et vive, plaisait aussi à Paul. Il ne put s'empêcher de songer que son compagnon finirait par la perdre en cours de route. Ses yeux qui se plissaient pour voir ne semblaient pas faits pour des distances de longue haleine.

Alors il répondit :

— Parce que c'est moi le dernier qui reste à tuer, et pour ça, les montagnes suffiront.

Le jeune couple pensa sans doute que le vendeur était complètement fêlé, mais cela lui importait peu. Paul sentit que la frontière qui séparait folie et raison ne dépendait plus du regard des autres. Tout à coup, il pensa à sa mère en se disant qu'elle avait peut-être éprouvé le même sentiment avant sa mort.

Il leur remit les clefs de la jeep et ils se séparèrent à l'ombre d'un *gomero* qui soulevait le trottoir comme si ce dernier était en carton. La fille se mit au volant, puis il les vit se fondre dans le flux d'une circulation dense et bruyante qui avait repris tout son souffle.

N'ayant plus de rouge à respecter ni de feu vert à attendre, il monta dans un autobus plein à craquer qui le déposa au pied de la montagne après d'innombrables arrêts.

Un de ces tortillards urbains qui vous donnaient la nausée. Au bout d'une lente ascension, il parvint enfin sur la terrasse, à peu près persuadé qu'il ne descendrait jamais plus en ville. Il ouvrit portes et fenêtres tandis que les derniers rayons du crépuscule éclairaient la maison sans Poma. Après avoir bu un verre d'eau dans la cuisine, il laissa le cellulaire qui l'avait accompagné depuis Montréal sur la table de la salle à manger. D'un pas lent, il se dirigea ensuite vers l'atelier. Incapable de fouiller parmi les dépouilles que la fille avait abandonnées en partant, il verrouilla l'atelier en signe de deuil. Il repartit avec une toile de petit format qu'il avait décrochée du chevalet : deux arbres avec leurs branches tressées à flanc de colline. C'était la peinture à laquelle Poma n'avait pas arrêté de travailler depuis qu'il était arrivé dans la maison. Il déposa le tableau dans la cour, tout près du four en argile, en attendant que le soleil et les pluies d'été le transforment en poussière.

Paul était encore sur la terrasse lorsque la sonnerie de son portable le fit sursauter. Il aurait voulu l'ignorer, mais un reste de vanité qui se refusait à mourir lui fit croire que l'appel pouvait venir de Poma. Alors il se précipita dans la salle à manger. Il fut très déçu en entendant la voix de Telma qui tenait mordicus à lui raconter que l'usurier et sa fille avaient de mauvais antécédents. *Je sentais de loin que cette fille était de mèche avec lui*, surenchérit-elle. Telma ajouta que son vrai nom était Catalina Parra Vallejo, et que, en complicité avec son père, elle avait exploité la bonne foi de plus d'un prétendant dans le passé. Se rebiffant, Paul lui dit qu'il connaissait seulement une fille nommée Poma, et que c'était ce qui lui était arrivé de plus beau dans sa vie. Telma s'apprêtait à insister, mais il raccrocha.

Pendant quelques instants, il songea au tableau de Poma sans pouvoir le détacher de l'image qu'il gardait de son père, droit, altier, imbattable. S'il était un homme, lui, Paul Escalante, devait-il, tout comme un arbre, affronter les épreuves sans jamais plier ? Débarrassé de l'accessoire et en harmonie avec ses premières racines, il serait ainsi capable de donner la mesure de sa force. Ou fallait-il voir plutôt dans le testament du défunt un traquenard machiavélique moyennant lequel le fils, à son corps défendant, pouvait enfin s'acquitter de sa dette? Incapable de trancher, soulagé au moins de ne pas avoir trahi son désir, il regarda le volcan qui, à l'horizon, découpait ses crêtes taillées à la hache. On aurait dit un oiseau de proie prêt à renaître de ses cendres.

En regagnant la terrasse, Paul s'aperçut qu'il avait encore le portable à la main. Il commençait à faire nuit. Sans y réfléchir, il lança son cellulaire dans le sous-bois, par-delà le chemin de terre qui séparait la colline de la falaise, au pied de laquelle coulait le fleuve dont les crues périodiques disséminaient la misère aux quatre coins de la ville. Il respira profondément l'air chargé d'humidité se dégageant de la colline sans regarder en arrière. Il ne lui restait plus qu'à attendre qu'un jour la haine des sans-abri frappât à sa porte. Il pourrait enfin se retrouver nez à nez avec sa propre peur.

Dans la même collection

Cet ouvrage
composé en Palatino corps 11,5 sur 14,5
a été achevé d'imprimer
en octobre deux mille sept
sur les presses de

MARQUIS

(Québec), Canada.